박인환 문학전집 1
시

지은이

박인환(朴寅煥, Park In-hwan) 1926년 강원도 인제에서 태어났다. 조선청년문학가협회 시부
가 주최한 '예술의 밤'에 참여하여 시 「단층(斷層)」을 낭독하고, 이를 예술의 밤 낭독시집인
『순수시선』(1946)에 발표함으로써 등단했다. 이후 신시론 동인으로 활동하며 김경린, 김경
희, 김병욱, 임호권과 동인지 『신시론』 1집(1948)을, 김경린, 김수영, 양병식, 임호권과 동
인시집 『새로운 도시와 시민들의 합창』(1949)을 발행하여 해방기 현실에서 새로운 문학적
감수성을 펼쳤다. 한국전쟁 직전에는 후반기 동인을 결성했으며, 김경린, 김규동, 김차영, 이
봉래, 조향과 『주간국제』 9호에 '후반기 동인 문예'(1952)를 기획했다. 한국전쟁 이후에는 한
국자유문학자협회와 한국영화평론가협회의 임원을 지냈으며, 개인시집 『선시집』(1955)을 펴
냈다. 1956년 심장마비로 급서했다.

엮은이

엄동섭(嚴東燮, Eom Dong-seop) 중앙대학교 대학원에서 「해방기 시의 모더니즘 지향성 연
구─신시론 동인을 중심으로」로 박사 학위를 취득했다. 저서에 『탈식민의 텍스트, 저항과
해방의 담론』(공저), 『신시론 동인 연구』, 『원본 진달내꽃 진달내꼿 서지 연구』(공저) 등이
있고, 「해방기 박인환 시의 변모 양상」, 「한국전쟁기(1951.1~1953.12) 간행 창작시집 목록」
등의 논문을 발표했다. 현재 창현고등학교 교사로 재직 중이다.

염　철(廉哲, Yeom Chul) 중앙대학교 대학원에서 김기림과 박용철의 1930년대 시론을 대비
하여 박사 학위를 취득했다. 저서에 『1930년대 문학과 근대 체험』(공저), 『한국 문학권력의
계보』(공저) 등이 있고, 「박인환 시의 진정성」, 「새로운 『박인환 전집』의 기획과 진행 과정」,
「박인환의 최초 발표작 「斷層」에 대하여」, 「박인환 시의 문헌학적 고찰」 등의 논문을 발표했
다. 현재 경북대학교 기초교육원 초빙교수로 재직 중이다.

근대서지총서 07

박인환 문학전집 1─시

초판 인쇄 2015년 8월 1일　**초판 발행** 2015년 8월 15일

지은이 박인환　**엮은이** 엄동섭·염철　**펴낸이** 박성모　**펴낸곳** 소명출판　**출판등록** 제13-522호

주소 서울시 서초구 서초중앙로 6길 15, 1층

전화 02-585-7840　**팩스** 02-585-7848　**전자우편** somyong@korea.com　**홈페이지** www.somyong.co.kr

ISBN 979-11-86356-88-3　04810
　　　978-89-5626-442-4　(세트)

값 33,000원　ⓒ 엄동섭·염철, 2015

Complete works of Park In-hwan's Poetry

근대서지총서 07

박인환
문학전집

1
시

엄동섭·염철 엮음

소명출판

머리말

1. 새로운 전집의 간행 필요성

전집을 편찬하는 이유는 무엇일까? 첫째, 한 작가가 생산한 작품의 전모를 파악할 수 있도록 하기 위해서이다. 따라서 전집 편찬자는 유고작을 포함하여 가능한 한 모든 작품을 수집해야 한다. 동일 작품의 이본異本[1]이 있다면 이 역시 함께 밝혀 주어야 한다. 물론 이본의 범위는 특별한 경우를 제외하면 작가가 생존 시에 발표한 작품으로 한정해야 한다. 둘째, 작가가 생산한 작품의 원래 모습을 확인할 수 있도록 해주는 일이다. 이를 위해 전집 편찬자는 원본原本[2]을 사진이나 문서로 변환하여 수록하는 방식을 택할 수 있을 것이다. 셋째, 여러 편의 이본들이 존재할 경우 어떤 작품이 정본定本[3]인지를 알 수 있게 해 주어야 한다. 이를 위해서는 작가가 생존 시에 발표한 다양한 이본들을 비교 분석하는 일이 중요하다. 넷째, 정본을 현대어로 주해함으로써 전공자

---

1 이 전집에서 '이본'은 한 작품이 두 번 이상 발표되었을 경우 정본을 제외한 다른 작품들을 일컫는다.
2 이 전집에서 '원본'은 발표 지면에 실린 형태 그대로를 일컫는다.
3 이 전집에서 '정본'은 시인의 생각이 가장 잘 반영된 작품을 일컫는다. 이와 관련해서는 이 글의 2절 2항 '정본 확정의 엄밀성'을 참조하기 바란다.

뿐만 아니라 일반 독자들도 쉽게 작품을 읽을 수 있도록 해 주는 것도 필요하다. 전집의 독자가 전공자에게만 한정되지 않기 때문이다. 이런 점을 감안하면 기존에 간행된 박인환 전집은 성과를 무시하기도 어렵지만 그 한계 역시 분명하게 확인된다.

박인환의 시 자료를 처음으로 정리한 문헌은 문학세계사에서 출간된 『박인환朴寅煥 전집全集』[4]이다. 물론 그 이전에 『목마木馬와 숙녀淑女』[5]가 간행되기는 했지만 이는 박인환 사후 20주기를 맞이하여 기간의 『선시집選詩集』[6]을 보완한 것이기 때문에 『박인환 전집』을 최초의 것으로 보는 것이 타당하다. 하지만 이 책은 수록된 시 작품의 수가 70편에 한정되고, 원본을 제대로 반영하지 않았을 뿐만 아니라 다양한 이본의 존재에 대해서도 언급하고 있지 않다. 이와 달리 문학사상사에서 펴낸 『박인환』[7]은 원본을 충실하게 반영하려고 했다는 점에서 긍정적인 평가를 내릴 수 있다. 특히 『새로운 도시都市와 시민市民들의 합창合唱』이나 『선시집』 등의 편차와 원문을 가능한 한 충실하게 반영하여 작품을 수록하고 있다는 점은 이 판본이 가진 미덕이다. 비록 일부이기는 하지만 시어에 대한 주석을 단 것도 장점으로 꼽을 수 있다. 그러나 수록된 작품의 수가 시 76편에 불과하고, 이본을 다루지 않았다는 점에서 일정한 한계를 지닌다.

이 책들의 문제점을 어느 정도 해소한 것으로 문승묵이 편한 『사랑은 가고 과거는 남는 것』[8]과 맹문재가 편한 『박인환 전집』[9]을 들 수 있

---

4   박인환, 『박인환 전집』, 문학세계사, 1986.
5   박인환, 『목마와 숙녀』, 근역서재, 1976.
6   박인환, 『선시집』, 산호장, 1955.
7   박인환, 『박인환』(한국대표시인 101인 선집), 문학사상사, 2005.

다. 문승묵은 창작시 80편을 수록하면서 『새로운 도시와 시민들의 합창』, 『선시집』, 『목마와 숙녀』에 수록된 작품뿐만 아니라 잡지와 일간지에 실린 작품들까지 함께 포함시켰다. 또한 일부 잡지본이나 일간지본을 시집본과 대조함으로써 정본 확정 작업을 시도했고, 정본과 이본이 확연하게 차이가 날 경우 이본의 사진 이미지를 함께 싣기도 했다. 한편 맹문재는 창작시 「골키-의 달밤」과 번역시 「도시의 여자를 위한 노래」를 추가하여 모두 82편의 시를 수록하였다. 하지만 이 전집들 역시 다음과 같은 문제점이 발견된다.

첫째, 이들 전집에 실리지 않은 작품들이 여러 편 존재한다. 현재까지 편자들이 찾은 박인환의 창작시는 모두 88편이다. 81편의 창작시가 수록된 맹문재 본보다 7편을 더 발굴한 것이다.[10]

둘째, 이본 대조를 통한 정본 확정 작업이 제대로 이루어지지 않았다. 앞에서 언급한 바와 같이 문승묵 본은 정본을 확정하기 위해 상당한 노력을 기울인 것이 사실이다.[11] 하지만 박인환 시의 이본들이 다수 발견되었기 때문에 정본 확정을 위해서는 이본들에 대한 정밀한 검토 작업이 선행되어야 할 것이다.[12]

---

8   문승묵 편, 『사랑은 가고 옛날은 남는 것』, 예옥, 2006.
9   맹문재 편, 『박인환 전집』, 실천문학사, 2008.
10 새로운 박인환 전집은 '시편'과 '산문·번역편' 두 권으로 기획되었다. 따라서 번역시 「도시의 여자를 위한 노래」는 '산문·번역편'에 싣기로 한다.
11 맹문재 본에서는 이본 대조 작업을 한 흔적이 드러나지 않는다.
12 시 작품의 이본들이 실린 사화집은 아래와 같다. 이 밖에 신문, 잡지, 동인지, 문예지 등에도 여러 편의 이본이 게재되었다.
   강세균康世均 편, 『애국시삼십인집愛國詩三十三人集』, 대한군사원호문화사大韓軍事援護文化社, 1952.3.5; 이상로李相魯 편, 『창궁蒼穹』, 공군본부정훈감실空軍本部政訓監室, 1952.5; 조향趙鄕 편, 『현대국문학수現代國文學粹』, 자유장自由莊, 1952.11.5; 이한직李漢稷 편, 『한국시집韓國詩集』 상上, 대양출판사大洋出版社, 1952.12.31; 김용호金容浩·이설주李雪舟 편, 『현대시인선집現代詩人選集』 하下, 문성당文星堂, 1954.2.5; 유치환柳致煥·이설주李雪舟 편, 『1954연간시집年刊詩集』, 문

셋째, 작품명, 작품의 본문, 출전 등에서 부정확하거나 미비한 점이 다수 발견된다. 문승묵 본을 대상으로 살펴보면 작품명을 오기한 대표적인 사례는 「정신의 행방을 찾아서」에서 확인된다. 원본에 따르면 이 작품의 제목은 「정신精神의 행방行方을 찾아」(『민성民聲』 5-3호, 1949.3.25) 이다. '찾아'를 '찾아서'로 잘못 표기한 것이다. 또한 「영원永遠한 일요일」(『선시집』, 1955.10.15) 4연 1행의 '사구砂丘에서'를 '사구사구砂丘에서'로 잘못 적는 등 작품 본문의 표기에서 오류를 범하기도 했다. 한편 맹문재 본 역시 「인도네시아인민人民에게주는詩」(『새로운 도시와 시민들의 합창』, 1949.4.5) 5연 4행의 '살길을 잊어'를 '살길을 잃어'로 오기했다. 출전이 부정확한 경우로는 「인천항仁川港」을 들 수 있다. 문승묵 본의 작품 연보에는 「인천항」의 출전이 『신조선新朝鮮』(1947.4.15)이라고 밝혀져 있다. 이는 맹문재 본의 경우에도 마찬가지이다. 하지만 『신조선』은 『신문예新文藝』가 3호(창간호 1945.12.1, 2호 1946.7.1, 3호 1946.10.15)까지 발행된 뒤 개제한 잡지이다. 『신조선』 첫 호는 개제1호가 아닌 『신조선』 4호(1947.2.10)로 명기된 채 간행되었으며, 개제2호(1947.3.20)부터 호수에 '개제'를 표기하였다. 『신조선』은 개제5호(개제3호 1947.4.20, 개제4호 1947.5.20, 개제5호 1947.6.20)까지 간행되었기 때문에 『신문예』와 『신조선』의 통권은 8호에 달한다. 따라서 「인천항」의 정확한 출전은 『신조선』 개제3호(1947.4.20)로 바로잡혀야 한다.

넷째, 작품의 배열이 발표 순서대로 이루어지지 않았다. 한 작가의 정신사를 이해할 때 작품의 발표 시기는 매우 중요한 의미를 지닌다.

성당文星堂, 1955.6.20; 김종문金宗文 편, 『전시戰時 한국문학선韓國文學選 시편詩篇』, 국방부정훈국國防部政訓局, 1955.6.25.

물론 『선시집』을 출간하면서 박인환 스스로가 작품의 편제를 책임졌기 때문에 발표 시기가 그다지 중요하지 않게 여겨질 수도 있다. 하지만 『선시집』의 작품 편제는 그 시집을 간행할 당시 박인환의 내면 풍경을 이해하고자 할 때만 적절성을 제공한다. 그러므로 박인환의 정신적 변화 과정을 살피고자 하는 독자에게는 발표 순서대로 작품을 배열한 전집이 더 유용할 것이다.

다섯째, 현대어 주해본만 싣고 원본을 따로 수록하지 않았다. 물론 문승묵 본에는 「인천항仁川港」(『신조선』 개제3호, 1947.4.20), 「인도네시아 인민人民에게 주는 시詩」(『新天地』 3-2호, 1948.2.1), 「투명透明한 바라이티에」(『現代文學』 11호, 1955.11.1), 「봄(春)이야기」(『아리랑』 2호, 1955.4.1),[13] 「1950년의 만가輓歌」(『京鄕新聞』, 1950.5.16) 등 5편, 맹문재 판본에는 「골키ー의 달밤」 1편의 사진 이미지가 실려 있기는 하다. 그런데 일반적으로 전집의 중요한 독자는 교양서를 읽는 대중이라기보다는 전문 연구자일 가능성이 크다. 그들에게 원본을 확인하는 일은 연구를 진행하기 위한 가장 기본적인 작업이다. 이 점에서 원전을 수록하지 않은 채 현대어 표기로 전환된 작품만을 제시하는 것은 전집의 기능을 축소시키는 문제를 초래한다.

여섯째, 현대어 주해본에서도 문승묵 본과 맹문재 본의 편집 원칙이 각각 달라서 동일한 시어를 다르게 표기한 경우가 있다. 「일곱 개의 층계層階」(『선시집』, 1955.10.15)를 보면 2연 3행의 '죽어 간'의 경우, 문승묵 본에서는 '죽어간'으로, 맹문재 본에서는 원본대로 '죽어 간'으로 표기

---

13 원본에는 시인의 이름이 '朴寅煥'으로 인쇄되어 있지만 문승묵 본의 사진 이미지에는 '朴寅'까지만 나와 있다.

되었다. 본용언과 보조 용언이 결합된 어구의 경우 문승묵 본은 대체로 붙여서 쓰는 반면 맹문재 본은 띄어쓰기를 한 것이다. 이 경우 원본에 쓰인 본용언과 보조 용언의 상당수가 띄어쓰기를 하고 있고, 현행 띄어쓰기 규정도 동일하기 때문에 본용언과 보조 용언은 띄어 쓰는 것을 원칙으로 하는 것이 바람직하다. 이 밖에도 「미래未來의 창부娼婦」(『선시집』, 1955.10.15) 2연 1행에 나오는 '머물은'의 경우 현대어 표기법에 따르면 '머무른'이 맞는 표현이지만, 문승묵 본에서는 특별한 이유 없이 원본대로 '머물은'으로 표기되었다.[14] 이 역시 일관성을 위해 현대어 표기인 '머무른'으로 바꾸는 것이 마땅하다.

이상과 같은 문제점들이 해결되지 않는 한 박인환 연구는 근본적으로 불완전함에서 출발할 수밖에 없다. 이것이 바로 '새로운 전집'이 필요한 이유이다.

2. 새로운 전집의 구성 방식

1) 발표 순서별 편제

이 전집에서는 발표 순서대로 작품을 편제하였다. 기존의 전집은 동인지나 시집 등에 실린 목차 순서로 작품을 배열했는데, 이러한 방식

---

14 맹문재 본에서는 '머무른'으로 표기되었다.

은 시인이 역사적으로 어떠한 정신적 변모를 겪었는지를 드러내 주지 못한다. 물론 작품 연보를 참조하면 이를 파악할 수도 있지만 이는 번거로운 일이다. 따라서 이 책은 전집의 기본적인 성격에 충실할 수 있도록 발표 순서대로 작품을 배열하는 것을 원칙으로 삼았다. 다만 『목마와 숙녀』에 실린 일부 작품들은 최초 발표 시기를 정확하게 알 수 없기 때문에 『목마와 숙녀』의 발행연월일을 발표일로 삼기로 한다.

2) 정본 확정의 엄밀성

이 전집에서는 정본 88편과 이본 55편,[15] 참고본 2편[16]을 합하여 총 145편의 원본을 제2부에 수록하였다. 또한 각종 이본들을 대조함으로써 시인의 의도를 가장 잘 살릴 수 있는 정본을 확정한 다음 이를 현대 국어 어문규정에 맞게 고쳐서 제1부에 실었다. 이본 대조 과정에서 내용과 형식의 변화 양상을 엄밀하게 분석하여 수립한 정본 확정의 원칙은 다음과 같다.

첫째, 생전에 간행된 『신시론』 1집, 『새로운 도시와 시민들의 합창』, 『선시집』에 수록된 작품을 정본으로 삼았고, 여기에 수록되지 않은 작품은 최초 발표본[17]을 정본으로 확정했다. 다만 『목마와 숙녀』에 실린

---

[15] 이본이 존재하는 작품은 모두 41편이다. 하지만 하나의 정본에 이본이 여러 개 존재하는 작품들이 있기 때문에 이본의 총 편수는 55편이 된다.

[16] 이번에 편자들은 새로운 전집의 편찬 과정에서 「가을의 유혹」과 「세월이 가면」의 최초 발표본을 새롭게 발굴하였다. 하지만 이 두 작품은 기존의 『목마와 숙녀』 수록본이 널리 알려져 있기 때문에 이 전집에서는 『목마와 숙녀』에 실린 두 작품을 참고본으로 함께 제시하였다.

[17] 이 전집에서 '최초 발표본'은 이본들 중에서 가장 먼저 지면에 발표된 작품을 일컫는다.

작품들 중 최초 발표본을 확인하지 못한 것은『목마와 숙녀』본을 정본으로 간주하였다. 이러한 원칙에 따라 정본으로 선정된 작품을 수록 매체별로 분류하면,『신시론』1집 1편,『새로운 도시와 시민들의 합창』5편,『선시집』56편, 잡지 및 신문 23편,『목마와 숙녀』3편 등이다.

둘째, 시집 판본에서 의미가 분명하지 않거나 인쇄 상태 때문에 본래의 표기를 확인하기 어려운 시어는 우선 동일 판본을 참조한 다음 이본과 대조하였다. 의미가 분명하지 않은 시어로는『새로운 도시와 시민들의 합창』에 실린「열차列車」의 '축엄'을 예로 들 수 있다. 이 단어는『현대국문학수現代國文學粹』에서는 '죽엄'으로 표기되었다. 이를 참조하면 '축엄'은 '죽엄' 혹은 '죽음'의 오기 또는 오식임을 알 수 있다. 또한『선시집』에 실린「자본가資本家에게」에는 '중유中袖'라는 표기가 나온다. 이와 관련하여 문승묵 본에는 "시집본에는 '중유中袖'로 되어 있으나 내용상 한자어 표기의 잘못으로 판단됨"[18]이라는 주석이 달려 있다. 이 작품이 최초로 수록된『현대국문학수』에 '중축中軸'으로 표기되었다는 점을 감안하면 '중유中袖'는 '중축中軸'의 오기이거나 인쇄상 실수임이 명백해진다. 이처럼 다양한 이본을 검토한다면 막연한 추측에 따라 정본을 확정하는 한계를 극복할 수 있다.

셋째, 연 구분이 명확하지 않은 경우에는 먼저 시의 맥락을 고려하되 이본을 참조하여 바로잡았다. 면수가 바뀔 경우 연을 나누는 일은 쉽게 결정하기 어려운 문제이다. 실제로 기존의 전집들 역시 이와 관련된 혼란들이 간혹 발견된다. 예를 들어 문승묵 본의 경우「자본가에게」는

---

18 문승묵 편, 앞의 책, 70쪽.

'문명文明의 모습이 숨어버린 황량荒凉한 밤'(5연)과 '성안成案은'(6연) 사이에서 연이 나뉘어 있다. 하지만 이는 문맥상 하나의 연으로 처리하는 것이 바람직하다. 『현대국문학수』에도 연이 나뉘어 있지 않다.

이상과 같은 원칙으로 정본을 확정한 후 이를 현대 국어 어문규정에 맞게 고치는 작업을 진행하였다. 이 경우에는 통일성을 중시하되, 원작의 느낌을 그대로 살릴 필요가 있는 경우에는 원본의 표기를 따랐다. 현대 국어 표기의 원칙은 다음과 같다.

첫째, 맞춤법은 특별한 경우가 아니면 현대 국어 어문규정을 따르는 것을 원칙으로 하였다. 예를 들어 '어드움'(「종말終末」 7연 1행)과 같은 표기는 원순모음화를 적용하여 '어두움'으로 적었다. 또한 준말에 독립된 자음이 노출되었을 때도 국어 어문규정에 따라 '회복回復ㅎ지'(「밤의 미매장未埋葬」 5연 19행)는 '회복지'로, '후회後悔ㅎ지'(「불행不幸한 신神」 14행)는 '후회치'로 자음을 없애고 표기하였다. 그런데 준말 표기에서 문제가 되는 단어 중 하나가 '가랁아'(「밤의 노래」 6연 5행)이다. 이를 '가라앉아'나 '갈앉아'로 바꾸어 써야 할지, 아니면 원문대로 '가랁아'라고 써야 할지 판단하기 어려웠다. 문승묵 본은 '가라앉아'를, 맹문재 본은 '갈앉아'를 선택했지만 이 전집에서는 운율과 의미를 고려하는 한편 원본의 느낌을 살리기 위해 '가랁아'로 표기하였다.

둘째, 띄어쓰기가 문제되는 경우는 ① 합성어 ② 본용언+보조 용언 ③ 체언+되다 ④ 체언+조사 ⑤ 체언+체언(각각의 체언이 독립적으로 쓰인 경우) ⑥ 체언+의존명사 ⑦ 첩어 등이 있었다. ①은 문승묵 본이나 맹문재 본의 경우 대부분 붙여 쓰기를 했으나 일부 시어를 띄어서 쓰기도 하였다. 이 전집에서는 예외 없이 모두 붙여 쓰기로 한다. ②는 특별한 경우를 제외하면 현행 띄어쓰기 원칙에 따라 띄어 쓰는 것을 원칙으로 삼는다. ③은 '되다'가 접미사로 사용된 경우 모두 붙여 쓴다. 하지만 '군집 되어'(「문제問題되는 것—허무虛無의 작가作家 김광주金光洲에게」 6연 4행)처럼 현행 국어 어문규정상 동사로 쓰인 경우에는 띄어 쓰도록 한다. ④는 '고독처럼'(「의혹疑惑의 기旗」 1연 1행)과 같이 모두 붙여 쓰도록 한다. ⑤의 경우는 동일한 시어일지라도 원본에서 '주말週末 여행旅行'(「센치멘탈·짜아니」 1연 1행)과 같이 띄어 쓰기도 하고, '주말여행週末旅行'(「센치멘탈·짜아니」 8연 5행)과 같이 붙여 쓰기도 하는 등 매우 혼란스러운 양상을 보인다. 한편 '천상天上 유사有事'(「센치멘탈·짜아니」 5연 4행)는 '천상'과 '유사'를 띄어 쓰고 있다.¹⁹ 이런 점을 감안한다면 박인환은 '체언+체언' 구성의 경우 띄어쓰기에 대한 특별한 기준을 가지지 않았음을 알 수 있다. 이 전집에서는 표기의 통일성을 고려하여 모두 띄어 쓰기로 한다. 그리고 ⑥은 띄어 쓰는 것을, ⑦은 붙여 쓰는 것을 원칙으로 삼는다. 다만 ⑦의 경우 특별하게 강조하려는 의도가 분명히 드러난다고 판단되는 일부 시어는 띄어서 표기하였다.

셋째, 외래어 표기는 현대 국어의 외래어 표기법에 따르는 것을 원칙으로 하였다. 그런데 문승묵 본과 맹문재 본을 비교해 보면 동일한 단어인데도 표기가 다른 경우가 있다. 예를 들면 '데크'와 '덱'이 그것이다. 현행 외래어 표기법에 따르면 '덱'이 맞는 표기이다. 문승묵 본에서는 원래 시어가 '데키'(「태평양太平洋에서」 5연 2행, 『선시집』)인 점과 발음 등을 감안하여 '데크'로 표기했다. 이 전집에서는 원칙에 따라 '덱'을 선택하였다.

---

19 문승묵 본에서는 '주말 여행'은 두 곳 모두 띄어 쓴 반면 '천상 유사'는 붙여서 쓰고 있다.

넷째, 한자어의 경우 일상적으로 많이 쓰이지 않는 단어나 동음이의어는 한자를 병기했지만, 문맥을 통해 쉽게 짐작할 수 있는 어휘들은 한자를 노출하지 않았다. 한자를 병기할 때는 가독성을 고려하여 한글 뒤에 한자를 쓰되 괄호 없이 작은 활자로 나타내었다. 또한 한자로 된 숫자는 구체적인 연월일을 나타낼 때만 아라비아 숫자를 쓰고, 나머지는 한글로 표기하였다.

3) 원본 수록의 충실성

기존의 전집에서는 몇몇 작품을 제외하고는 원본 작품을 싣지 않았다. 이 때문에 작품을 인용할 경우에는 원본이 발표된 지면을 다시 찾아봐야 하는 번거로움을 감수해야만 했다. 이 전집에서는 이러한 문제를 해결하기 위해 최초 발표본을 비롯한 다양한 이본들의 원문을 발표 지면에 있는 형태 그대로 수록하였다. 이 전집에 수록된 원본의 범위는 다음과 같다.

① 박인환이 생전에 신문과 잡지에 발표한 작품
② 박인환이 생전에 간행한 동인지와 시집에 수록된 작품
 • 신시론동인회(김경린, 김경희, 김병욱, 박인환, 임호권), 『신시론』 1집, 산호장, 1948.4.20.
 • 신시론동인회(김경린, 김수영, 박인환, 양병식, 임호권), 『새로운 도시와 시민들의 합창』, 도시문화사, 1949.4.5.

• 박인환, 『선시집』, 산호장, 1955.10.15.

③ 박인환 생전에 간행된 사화집에 수록된 작품

  • 강세균 편, 『애국시삼십삼인집』, 대한군사원호문화사, 1952.3.5.

  • 이상노 편, 『창궁』, 공군본부정훈감실, 1952.5.

  • 조향 편, 『현대국문학수』, 자유장, 1952.11.5.

  • 이한직 편, 『한국시집』 상, 대양출판사, 1952.12.31.

  • 김용호·이설주 편, 『현대시인선집』 하, 문성당, 1954.2.5.

  • 유치환·이설주 편, 『1954연간시집』, 문성당, 1955.6.20.

  • 김종문 편, 『전시 한국문학선 시편』, 국방부정훈국, 1955.6.25.

④ 박인환 사후에 발표된 유고 작품

⑤ 박인환 사후에 간행된 시집에 수록된 미발표 작품[20]

  • 박인환, 『목마와 숙녀』, 근역서재, 1976.3.10.

  이들 원본의 전체적인 배열은 최초 발표본의 발표 순서를 따랐다. 그리고 최초 발표본 바로 다음에 이본을 함께 제시한 후, 제목 옆에 작품의 발표 순서를 표시하여 두었다. 제목 뒤에 아무런 숫자 표기가 없는 것은 한 번만 발표되었기 때문에 이본이 없는 경우이며, 2~5까지 표시된 것은 여러 번 발표되어 이본이 존재하는 경우이다.

  한편, 본문에 발표 지면의 면수를 표기함으로써 연구자들이 작품을 좀 더 쉽게 인용할 수 있도록 하였다. 또한 각주에는 발표 지면의 특이

---

20 이전까지 『목마와 숙녀』에 수록된 미발표 작품은 「거리」, 「이 거리는 환영한다」, 「어떠한 날까지」, 「세월이 가면」, 「가을의 유혹」 등 모두 5편이었다. 편자들이 이 중에서 「가을의 유혹」의 최초 발표본과 「세월이 가면」의 최초 발표본 및 이본들을 새롭게 발굴함으로써 미발표작은 3편으로 줄었다.

점, 이본 대조를 통해 명백하게 오자 또는 오식임이 확인된 사항, 인쇄
상의 문제점, 작품의 전체 구성이 크게 달라진 점, 기존 전집에 나타난
서지 사항의 오류 등을 기술하였다.

4) 부록

(1) 이본 대조표

박인환의 시 작품 중에 이본이 존재하는 것은 총 41편이다. 하지만
최초 발표본이 새롭게 발굴된 「가을의 유혹」은 『목마와 숙녀』에 실린
작품과의 이본 대조가 필요하다고 여겨져 여기에 포함시켰다.[21] 이렇
게 해서 이본을 대조한 작품은 모두 42편이며, 목록은 다음과 같다.

연번	작품명	출전	발행연월일
1	단층斷層	순수시선	1946.6.20
	불행不幸한 산송	선시집	1955.10.15
2	인천항仁川港[1]	신조선 개제3호	1947.4.20
	인천항仁川港[2]	새로운 도시와 시민들의 합창	1949.4.5
3	남풍南風[1]	신천지 2-6호	1947.7.1
	남풍南風[2]	새로운 도시와 시민들의 합창	1949.4.5
4	사랑의 Parabola[1]	새한민보 11호	1947.10.10
	사랑의 Parabola[2]	선시집	1955.10.15
5	나의 생애生涯에 흐르는시간時間들[1]	세계일보	1948.1.1
	나의 생애生涯에 흐르는 시간時間들[2]	선시집	1955.10.15
6	인도네시아 인민人民에게 주는 시詩[1]	신천지 3-2호	1948.2.1
	인도네시아인민人民에게주는시詩[2]	새로운 도시와 시민들의 합창	1949.4.5

---

21 이 점에 대해서는 이 글의 각주 16을 참조하기 바란다.

연번	작품명	출전	발행연월일
7	지하실地下室[1]	민성 4-3호	1948.3.1
	지하실地下室[2]	새로운 도시와 시민들의 합창	1949.4.5
8	전원시초田園詩抄[1]	부인 17호	1948.12.15
	전원田園[2]	선시집	1955.10.15
9	열차列車[1]	개벽 81호	1949.3.25
	열차列車[2]	새로운 도시와 시민들의 합창	1949.4.5
	열차列車[3]	현대국문학수	1952.11.5
10	회상回想의 긴 계곡溪谷[1]	경향신문	1951.6.2
	회상回想의 긴 계곡溪谷[2]	현대국문학수	1952.11.5
	회상回想의 긴 계곡溪谷[3]	한국시집 상	1952.12.31
	회상回想의 긴 계곡溪谷[4]	선시집	1955.10.15
11	최후最後의 회화會話[1]	신조 2호	1951.7.25
	최후最後의 회화會話[2]	애국시삼십삼인집	1952.3.5
	최후最後의 회화會話[3]	현대국문학수	1952.11.5
	최후最後의 회화會話[4]	현대시인선집 하	1954.2.5
	최후最後의 회화會話[5]	선시집	1955.10.15
12	무답회舞踏會22[1]	경향신문	1951.11.20
	무답회舞踏會[2]	선시집	1955.10.15
13	문제問題되는것-허무虛無의작가作家광주형光州兄에게[1]	부산일보	1951.12.3
	문제問題되는 것-허무虛無의 작가作家 김광주金光洲에게[2]	선시집	1955.10.15
14	검은신神이여[1]	주간국제 3호	1952.2.15
	검은 신神이여[2]	한국시집 상	1952.12.31
	검은 신神이여[3]	전시 한국문학선 시편	1955.6.25
	검은 신神이여[4]	선시집	1955.10.15
15	서부전선西部戰線에서[1]	창궁	1952.5
	서부전선西部戰線에서-윤을수尹乙洙신부神父에게[2]	선시집	1955.10.15
16	신호탄信號彈[1]	창궁	1952.5
	신호탄信號彈[2]	선시집	1955.10.15
17	종말終末[1]	신경향 4-1호	1952.6.1
	종말終末[2]	현대국문학수	1952.11.5
	종말終末[3]	선시집	1955.10.15

---

22 '무답회舞踏會'는 '무도회舞蹈會'의 일본식 한자 표기이다. 원본과 작품 목록에서는 '무답회舞踏會'로, 정본에서는 '무도회舞蹈會'로 표기하였다.

연번	작품명	출전	발행연월일
18	미래未來의 창부娼婦 − 새로운 신神에게[1]	주간국제 10호	1952.7.15
	미래未來의 창부娼婦 − 새로운 신神에게[2]	선시집	1955.10.15
19	살아 있는 것이 있다면[1]	수험생 2-3호	1952.11.1
	살아 있는 것이 있다면[2]	선시집	1955.10.15
20	자본가資本家에게[1]	현대국문학수	1952.11.5
	자본가資本家에게[2]	선시집	1955.10.15
21	낙하落下[1]	현대국문학수	1952.11.5
	낙하落下[2]	선시집	1955.10.15
22	세사람의 가족家族[1]	한국시집 상	1952.12.31
	세사람의 가족家族[2]	선시집	1955.10.15
23	서적書籍과 풍경風景[1]	민주경찰 32호	1953.4.15
	서적書籍과 풍경風景[2]	선시집	1955.10.15
24	부드러운 목소리로 이야기 할때[1]	현대시인선집 하	1954.2.5
	부드러운 목소리로 이야기할 때[2]	선시집	1955.10.15
25	눈을 뜨고도[1]	신천지 9-3호	1954.3.1
	눈을 뜨고도[2]	1954연간시집	1955.6.20
	눈을 뜨고도[3]	선시집	1955.10.15
26	현대감상시초現代感傷詩抄 미스터 모某의 생生과 사死[1]	현대예술 창간호	1954.3.1
	미스터모某의 생生과사死[2]	선시집	1955.10.15
27	밤의 미매장未埋葬[1]	현대예술 2호	1954.6.1
	밤의 미매장未埋葬[2]	선시집	1955.10.15
28	센치멘탈 · 쨔−니 − 수영洙暎에게[1]	신태양 3-7호	1954.7.1
	센치멘탈 · 쨔−니[2]	1954연간시집	1955.6.20
	센치멘탈 · 쨔아니[3]	선시집	1955.10.15
29	가을의 유혹誘惑[1]	민주경찰 43호	1954.9.15
	가을의 유혹誘惑[2]	목마와 숙녀	1976.3.10
30	행복幸福[1]	동아일보	1955.2.17
	행복幸福[2]	전시 한국문학선 시편	1955.6.25
	행복幸福[3]	선시집	1955.10.15
31	아메리카시초詩抄 새벽한시時의시詩[1]	한국일보	1955.5.14
	새벽 한시時의 시詩[2]	선시집	1955.10.15
32	아메리카시초詩抄 충혈充血된눈동자[1]	한국일보	1955.5.14
	충혈充血된 눈동자[2]	선시집	1955.10.15

연번	작품명	출전	발행연월일
33	목마木馬와 숙녀淑女[1]	1954연간시집	1955.6.20
	목마木馬와 숙녀淑女[2]	시작 5집	1955.10.9
	목마木馬와 숙녀淑女[3]	선시집	1955.10.15
34	여행旅行[1]	희망 5-7호	1955.7.1
	여행旅行[2]	선시집	1955.10.15
35	태평양太平洋에서[1]	희망 5-7호	1955.7.1
	태평양太平洋에서[2]	선시집	1955.10.15
36	어느날[1]	희망 5-7호	1955.7.1
	어느날[2]	선시집	1955.10.15
37	아메리카시초詩抄 수부水夫들[1]	아리랑 1-6호	1955.8.1
	수부水夫들[2]	선시집	1955.10.15
38	아메리카시초詩抄 에베렛트의 일요일日曜日[1]	아리랑 1-6호	1955.8.1
	에베렛트의 일요일日曜日[2]	선시집	1955.10.15
39	십오일간十五日間[1]	신태양 4-10호	1955.10.1
	십오일간十五日間[2]	선시집	1955.10.15
40	어느날의 시詩가 되지 않는 시詩[1]	선시집	1955.10.15
	어느날의 시詩가 되지않는 시詩[2]	아리랑 1-10호	1955.11.1
41	투명透明한 바라이에티[1]	선시집	1955.10.15
	투명透明한 바라이티에[2]	현대문학 11호	1955.11.1
42	세월歲月이 가면[1]	주간희망 12호	1956.3.12
	세월歲月이 가면[2]	주간희망 16호	1956.4.13
	세월歲月이 가면[3]	아리랑 2-6호	1956.6.1
	세월歲月이 가면[4]	목마와 숙녀	1976.3.10

이상의 작품들을 ① 발표연월일 ② 출전 ③ 제목 ④ 연 구성 ⑤ 행 구성 ⑥ 표현 등의 항목으로 나누어 대조하고 이를 표로 만들었다. 특히 표현 항목의 경우 띄어쓰기와 맞춤법, 한자 표기 여부 등도 모두 대조함으로써 이본 간의 사소한 차이까지도 드러내고자 하였다. 그 구체적인 사례를 제시하면 다음과 같다.[23]

---

23 이본 대조표의 경우 원본의 표기를 있는 그대로 보여주기 위해서 한자음에 대한 한글 병기는 하지 않았다.

발표연월일	1946.6.20	1955.10.15
출전	『純粹詩選』	『選詩集』
제목	斷層	不幸한 샨송
연 구성	• 전체 7연으로 이루어짐.	• 전체 5연으로 이루어짐. • 『純粹詩選』의 1연과 2연이 한 연으로 합쳐짐. • 『純粹詩選』의 7연이 삭제됨.
행 구성 · 1연 2~3행	大陸의 市民이 푸로므나―드하든 / 지난해 겨울	大陸의 市民이 푸로므나아드하던 지난 해 겨울
행 구성 · 4연 3행	政治의 演出家는 逃亡한 Arlequin을 찾으러 도라다닌다.	政治의 演出家는 逃亡한 / 아르르캉을 찾으러 돌아다닌다.
표현 · 1연 1행	유리窓밑으로	유리窓 밑으로
표현 · 1연 2행	푸로므나―드하든	푸로므나아드하던
표현 · 1연 3행	지난해 겨울	지난 해 겨울
표현 · 2연 2행	銃소리가 들리지않은 過去를	銃소리가 들리지 않는 과거로
표현 · 2연 3행	뛰여다녔다.	뛰어 다녔다.
표현 · 3연 1행	Muse는 燈火管制속에	뮤스는 燈火管制 속에
표현 · 3연 2행	잠들고	잠 들고
표현 · 3연 3행	果實같이	果實처럼
표현 · 3연 4행	大理石우에 떠러졌다.	大理石 위에 떨어졌다.
표현 · 4연 2행	한사람한사람이 Demosthenes	한사람 한사람이 〈데모스테데네스〉
표현 · 4연 3행	Arlequin을 찾으러 도라다닌다.	아르르캉을 찾으러 돌아다닌다.
표현 · 5연 3행	Bluse에 化合되여	브르우스에 化合되어
표현 · 5연 4행	平行面體의	平行 面體의
표현 · 5연 5행	Cosmos가	코스모스가
표현 · 6연 1행	Mannequin	마네킹
표현 · 6연 3행	Marronnier는 蒼空에 凍結되였다.	마로니에는 蒼空에 凍結되고
표현 · 6연 4행	汽笛같이	汽笛처럼
표현 · 6연 5행	香氣로운 Jasmin의 香氣를 남겨놓았다.	쨔스민의 향기를 남겨 주었다.
표현 · 7연 1~3행	城壁인양 잠들은 大陸의 王者여 / 꿈을 모르는 부헝이처럼 / 女人은 고요히 고요히 몸셨다.	×

(2) 작품 연보

　작품 연보는 연번, 작품명, 출전, 발표연월일, 비고 등으로 구성되었다. 작품 연보의 전체적인 배열은 최초 발표본의 발표 순서를 따랐기 때문에 연번은 지금까지 파악된 창작시 88종에 대한 최초 발표본의 발표 순서를 뜻한다. 그리고 동일 작품 간 이본의 추이 과정을 명료하게 살필 수 있도록 최초 발표본 다음에 이본의 서지사항을 부기했는데, 이본 역시 작품의 발표 순서대로 정리했다. 88종 145편의 작품들을 목록화한 작품 연보는 제2부 원본의 차례와 같게 편제함으로써 편집의 통일성과 검색의 용이성을 강화한 것이 특징이다.

1절 '새로운 전집의 간행 필요성'에서 밝혔듯이 기간 전집들은 작품명과 출전 및 발표연월일의 기록에서 부정확한 면이 적지 않게 발견된다. 이러한 문제점을 해소하기 위해 편자들은 창작시 88종 145편의 실물을 모두 확인하고 작품명, 출전, 발표연월일을 작성했다. 특히 작품명과 출전은 정확한 문헌 정보를 제공하기 위해 원본의 표기를 그대로 따랐다.

비고에서는 새로운 작품의 발굴, 최초 발표본의 발굴, 이본의 발굴 등을 표시하는 한편 유고작과 정본 확정을 위한 참고본까지 밝혀 적음으로써 해당 작품의 계통을 파악하는 데 도움을 주고자 했다.

(3) 작가 연보

작가 연보는 전기적 사실, 문헌, 주석, 도판 등으로 구성되었다. 전기적 사실은 육하원칙에 따라 핵심적인 사항만 정리하는 대신 문헌과 주석을 풍부하게 수록했다. 문헌은 전기적 사실에 대한 1차 증빙자료이고, 주석은 전기적 사실과 문헌에 대한 보충 해설 및 논평이다. 그리고 도판은 전기적 사실과 관련된 자료를 보여주거나 문헌의 내용을 대신할 필요가 있을 때 제시했다.

60여 쪽에 걸쳐 작성된 박인환 연보는 새로운 전기적 사실을 발굴하고, 잘못 알려진 사실을 정정하는 한편 구전으로 회자되던 사실을 문헌적으로 입증한 점이 특징이다. 그 주요한 사항만 검토하면 다음과 같다. 최초 발표작 「단층」의 발표와 조선청년문학가협회에서의 활동(1946), 흑인시인 배인철의 사망 사건에 연루되어 조사를 받게 된 사정(1947), 조선문학가동맹을 탈퇴하는 전향성명서의 발표(1949), 한국전쟁기 중의 종군기자 활동(1951~1952), 자유예술인연합 가입 및 후반기 해체의 경위(1952), 사후에 발간된 미국문학 번역서의 양상(1959) 등은 새로운 전기적 사실을 밝힌 사례들이다. 또한『신시론』1집의 간행 경위 및 동인 구성의 문제(1948)와『선시집』발행 과정의 문제(1955~1956)는 그동안 잘못 알려진 사실을 바로잡았다는 점에서 의미가 있다. 그리고 경기중학교 재학 과정(1939~1940), 마리서사의 운영(1945~1948), 자유신문사(1948~1950)·경향신문사(1950~1952)·대동신문사(1952)·대한해운공사(1952~1955)의 재직 상황, 한국전쟁 종전 이후 활발하게 전개한 영화평론 활동(1953~1956) 등에 대해서는 새로운 문헌 자료를 바탕으로 그 사실 관계를 명증하기도 했다.

기존의 박인환 연보는 그 내용이 소략하고, 근거 자료 없이 작성되었기 때문에 부정확한 사항도 허다하게 확인된다. 이러한 한계를 극복하기 위해 다양한 문헌과 도판 자료를 활용하고 상세한 주석을 덧붙여 박인환의 생애를 새롭게 서술하였다. 정확하고 꼼꼼하게 작성된 작가 연보는 박인환 개인의 삶뿐만 아니라 1945년에서 1956년 사이의 문단사를 조망하는 데도 큰 도움이 될 것이다.

3. 새로운 전집의 성과와 의의

1) 새로운 작품의 발굴

앞에서도 언급했듯이 문승묵이 편한 『사랑은 가고 과거는 남는 것』에
는 80편의 창작시가 실려 있으며, 맹문재가 편한 『박인환 전집』에는 창
작시 81편이 수록되어 있다. 하지만 필자들은 이번에 이들 전집에 실려
있지 않은 창작시 7편을 새롭게 찾아내었다. 그 목록은 다음과 같다.

연번	작품명	출전	발행연월일
1	약속	학우 2년생 2호	1952.6.25
2	바닷가의 무덤	재계 2호	1952.9.1
3	구름과 장미	학우 2년생 3호	1952.9
4	무회舞姬가 온다 하지만	지방행정 4-11호	1955.11.1
5	하늘아래서	코메트 18호	1956.1.15
6	환영幻影의사람	민주경찰 60호	1956.2.15
7	봄의 바람속에	민주신보	1956.3.9

새롭게 발굴된 작품들은 한국전쟁기와 사망 직전에 창작된 것들이
대종을 이룬다. 특히 한국전쟁기의 경우에는 여러 가지 특수성을 고려
할 때 아직 발굴되지 않은 작품이 몇 편 더 있을 것으로 여겨진다.

2) 최초 발표본의 발굴

지금까지 발굴한 최초 발표본은 6편으로 그 목록은 다음과 같다.

연번	작품명	출전	발행연월일	비고
1	단층斷層	순수시선	1946.6.20	최초발표본 발굴
	불행不幸한 샨송	선시집	1955.10.15	정본
2	문제問題되는것−허무虛無의작가作家광주光州兄에게[1]	부산일보	1951.12.3	최초발표본 발굴
	문제問題되는 것−허무虛無의 작가作家 김광주金光洲에게[2]	선시집	1955.10.15	정본
3	검은신神이여[1]	주간국제 3호	1952.2.15	최초발표본 발굴
	검은 신神이여[2]	한국시집 상	1952.12.31	이본 발굴
	검은 신神이여[3]	전시 한국문학선 시편	1955.6.25	이본 발굴
	검은 신神이여[4]	선시집	1955.10.15	정본
4	서적書籍과 풍경風景[1]	민주경찰 32호	1953.4.15	최초발표본 발굴
	서적書籍과 풍경風景[2]	선시집	1955.10.15	정본
5	가을의 유혹誘惑[1]	민주경찰 43호	1954.9.15	최초발표본 발굴(정본)
	가을의 유혹誘惑[2]	목마와 숙녀	1976.3.10	참고본
6	세월歲月이 가면[1]	주간희망 12호	1956.3.12	최초발표본 발굴
	세월歲月이 가면[2]	주간희망 16호	1956.4.13	이본 발굴
	세월歲月이 가면[3]	아리랑 2-6호	1956.6.1	정본 발굴(유고)
	세월歲月이 가면[4]	목마와 숙녀	1976.3.10	참고본

먼저, 「단층」은 『선시집』에 실린 「불행한 샨송」의 최초 발표본이다. 지금까지 「불행한 샨송」은 이본이 따로 존재하지 않는 것으로 알려졌기 때문에 전쟁기나 전후기의 불안한 실존의식을 노래한 작품으로 해석되었다.[24] 하지만 이번에 편자들은 새롭게 발굴한 작품 「단층」이

---

24 참고로 이 작품은 『선시집』의 마지막 장인 '서정 혹은 잡초' 부분에 수록되어 있다. 이 장에 수록된 작품들 대부분이 해방기에 창작, 발표된 것임을 감안하면 「불행한 샨송」 역시 해방기

「불행한 샨송」의 이본임을 확인할 수 있었다. 이 작품은 다음에 제시한 몇 가지 차이점을 제외하면 『선시집』에 실린 「불행한 샨송」과 거의 유사하다. 우선, 제목 「단층」과 「불행한 샨송」을 살펴보자. '단층'의 사전적 의미는 '지각 변동으로 지층이 갈라져 어긋나는 현상, 또는 그런 지형'이다. 이 작품에서는 '해방기의 혼란한 시대상'을 상징한다고 볼 수 있다. 이에 비해 '불행한 샨송'은 그러한 시대상에 대한 화자의 감정을 보다 직접적인 형태로 표현한 것이라 하겠다. 둘째, 연 구성에서 가장 두드러진 차이점은 「불행한 샨송」에서 「단층」의 7연을 통째로 삭제해 버렸다는 점이다. 그러나 「단층」의 7연에 표현된 이미지는 작품 전체의 어두운 정서에서 크게 벗어나지 않는다. 따라서 7연이 없더라도 작품 전체의 의미가 확연하게 달라진다고 보기는 어렵다. 셋째, 「단층」에 알파벳 노출이 많은 점도 이 작품이 박인환의 최초 발표작임을 보여 주는 사례일 수 있다. 왜냐하면 「단층」을 제외하면 해방기의 작품들에서조차 알파벳을 직접 노출한 경우가 거의 없기 때문이다. 이상과 같은 점에서 「단층」과 「불행한 샨송」은 이본 관계에 놓여 있다고 하겠다.

둘째, 「문제되는 것—허무의 작가 김광주에게」 역시 이본의 존재가 알려져 있지 않은 작품이었다. 하지만 이 작품은 『선시집』에 수록되기 전에 1951년 12월 3일 자 『부산일보』에 먼저 발표되었다. 두 판본은 제목과 연을 구성하는 방식에서 약간의 차이를 보인다. 우선 제목의 경우 『부산일보』는 「문제問題되는것—허무虛無의작가광주형作家光洲兄에

의 작품으로 봐야 할 근거가 충분했다. 하지만 「불행한 샨송」은 전쟁기나 전후기의 작품으로 논의되기 일쑤였다. 한편 「단층」의 발굴로 인해 『선시집』을 간행할 당시 박인환의 장별 분류 관점에 대한 정확한 이해가 가능해졌다.

게」인 반면 『선시집』은 「문제問題되는 것—허무虛無의 작가作家 김광주金光洲」에게로 되어 있다. 또한 『부산일보』본은 전체가 3연으로 구성된 반면 『선시집』본은 전체가 6연으로 이루어져 있다. 그러나 이 밖에 표현상의 차이는 크게 드러나지 않는다. 이 점에서 두 판본은 이본 관계에 놓여 있다.

셋째, 「검은 신神이여」는 1952년 2월 15일 『주간국제』 3호에 최초로 발표되었으며, 이후 『한국시집』 상, 『전시 한국문학선 시편』, 『선시집』에 재수록되었다. 네 개의 판본은 연 구성상의 차이를 제외하면 크게 다른 점은 보이지 않는다. 이로 보아 이들 네 판본은 모두 이본 관계에 있다.

『週刊國際』3호	『韓國詩集』 上	『戰時 韓國文學選』 詩篇	『選詩集』
• 전체 1연 8행으로 이루어짐.	• 전체 10연으로 이루어짐. • 10연을 제외한 나머지 연은 모두 한 행으로 구성됨.	• 전체 9연으로 이루어짐. • 1연과 9연을 제외한 나머지 연은 모두 한 행으로 구성됨.	• 전체 11연으로 이루어짐. • 11연을 제외한 나머지 연은 모두 한 행으로 구성됨.

넷째, 『선시집』에 실려 있던 「서적과 풍경」 역시 『민주경찰』 32호에 최초로 작품이 발표되었다는 사실을 확인할 수 있었다. 아래와 같이 『선시집』본의 4연이 5행부터 14행까지가 새롭게 추가된 것을 제외하면 두 작품 간의 차이는 거의 없다.

소련蘇聯에서 돌아온 앙드레 · 지이드씨氏

그는 진리眞理와 존엄尊嚴에 빛나는 얼굴로

자유自由는 인간人間의 풍경風景 속에서

가장 중요重要한 요소要素이며

우리는 영원永遠한 〈풍경風景〉을 위해

자유自由를 옹호擁護하자고 말하고

한국韓國에서의 전쟁戰爭이 치열熾熱의 고조高潮에

달達하였을 적에

회멸悔蔑[25]과 연옥煉獄의 풍경風景을

응시凝視하며 떠났다.

두 판본은 우선 제목이 같고 표현상의 차이 또한 그리 크지 않다. 물론 『선시집』본의 경우 『민주경찰』 32호 수록본보다 4연이 10행 정도 첨가되어 있기는 하지만 이 부분 때문에 두 작품의 주제가 달라졌다고 판단하기는 어렵다. 이 점에서 두 작품은 이본 관계에 있는 것으로 보는 것이 마땅하다.

다섯째, 「가을의 유혹」은 박인환 사후 유족들에 의해 출간된 시집인 『목마와 숙녀』에 처음 수록된 것으로 알려져 있었다. 하지만 이 작품 역시 『민주경찰』 43호에 최초 발표본이 실려 있는 것을 확인하였다. 두 작품은 내용상의 차이가 거의 발견되지 않는다. 「서적과 풍경」은 『선시집』에 실릴 당시 박인환이 직접 퇴고를 할 수 있었지만 「가을의 유혹」은 그렇지 못했기 때문에 당연한 결과일 수밖에 없다.

마지막으로 「세월이 가면」은 박인환의 이름으로 작품이 발표되기 이전, 송지영의 수필 「명동의 '샹송'」[26]과 시가 노래로 만들어지는 과정을 소개한 글인 「세월이 가면, 명동 '샹송'이 되기까지」[27]에 먼저 소개되었다.

---

25 문맥상 '모멸侮蔑'의 오기 또는 오식임이 분명하다.
26 송지영, 「명동의 '샹송'」, 『주간희망』 12호, 1956.3.12.

그런 다음 '모더니스트 박인환의 유작(시)'으로 『아리랑』 2-6호(1956.6.1)에 정식 발표되었다. 이 세 이본들은 일부 시어의 맞춤법이 다른 점, 행 배열 및 연 구성에 다소의 차이가 있는 점을 제외하면 원문의 표기가 거의 같다. 최초의 원본이 동일하기 때문인데, 이것에 대한 자세한 내력은 「세월이 가면, 명동 '샹송'이 되기까지」에 밝혀져 있다. 글의 필자가 특정되지는 않았지만 「세월이 가면」이 시와 노래로 창작되는 과정을 소상히 기록하고 있어서 박인환과 가까운 사람이 쓴 것으로 여겨진다.

이 글의 핵심적인 내용은 다음의 두 가지이다. 첫째는 박인환이 시 「세월이 가면」을 쓴 것은 3월 초이고, 시와 악보를 『아리랑』에 함께 발표할 계획으로 이진섭에게 작곡을 부탁했으며, 완성된 노래가 주변인들에게 좋은 평판을 얻자 박인환은 실제로 시와 악보의 원본을 『아리랑』에 기고했다는 점이다. 박인환 사후에 '모더니스트 박인환의 유작(시)'으로 발표된 「세월이 가면」이 그것인데, 이러한 사실은 발표지인 『아리랑』 2-6호의 편집 후기에서도 확인된다. 둘째는 「세월이 가면」의 노래가 완성된 3월 10일 무렵 동방살롱에서 조촐한 발표회가 개최되었으며, 이 자리에 참석했던 송지영이 악보의 사본을 바탕으로 자신의 수필 「명동의 '샹송'」에 시 「세월이 가면」을 최초로 소개했다는 점이다. 그리고 「명동의 '샹송'」이 게재된 직후 박인환이 사망하자 「세월이 가면, 명동 '샹송'이 되기까지」를 통해 시 「세월이 가면」이 재수록되는 한편 「세월이 가면」의 악보가 최초로 공개되기도 했다.[28]

한편, 이상의 세 작품 중에서 어떤 작품을 정본으로 볼 것인가 하는

---

27 필자 미상, 「세월이 가면, 명동 '샹송'이 되기까지」, 『주간희망』 16호, 1956.4.13.
28 위의 글, 48~49쪽.

문제도 정리가 필요하다. 원칙적으로는 작품집에 실리지 않은 작품의 경우 최초 발표본을 정본으로 삼는 것이 타당하다. 하지만 「세월이 가면」의 경우에는 박인환이 실제로 발표하려고 했던 작품이 『아리랑』2-6호에 실린 만큼 예외적으로 이것을 정본으로 삼는 것이 바람직하다고 하겠다.[29]

3) 새로운 이본의 발굴

최초 발표본은 아니지만 새로운 이본을 발굴한 경우도 있는데, 그 목록은 다음과 같다.

연번	작품명	출전	발행연월일
1	열차列車[3]	현대국문학수	1952.11.5
2	회상回想의 긴 계곡溪谷[2]	현대국문학수	1952.11.5
	회상回想의 긴 계곡溪谷[3]	한국시집 상	1952.12.31
3	최후最後의 회화會話[2]	애국시삼십삼인집	1952.3.5
	최후最後의 회화會話[3]	현대국문학수	1952.11.5
	최후最後의 회화會話[4]	현대시인선집 하	1954.2.5
4	검은 신神이여[2]	한국시집 상	1952.12.31
	검은 신神이여[3]	전시 한국문학선 시편	1955.6.25
5	종말終末[2]	현대국문학수	1952.11.5
6	자본가資本家에게[1]	현대국문학수	1952.11.5
7	낙하落下[1]	현대국문학수	1952.11.5

---

29 「세월이 가면, 명동 '샹송'이 되기까지」와 『아리랑』 2-6호에 수록된 악보가 상이한 점 역시 「세월이 가면, 명동 '샹송'이 되기까지」에 언급된 바처럼 『아리랑』 2-6호에 수록된 것은 이진섭의 원작으로, 「세월이 가면, 명동 '샹송'이 되기까지」에 수록된 것은 대중가요 작곡가 전오승의 편곡으로 보는 것이 타당하다.

연번	작품명	출전	발행연월일
8	세사람의 가족家族[1]	한국시집 상	1952.12.31
9	부드러운 목소리로 이야기 할때[1]	현대시인선집 하	1954.2.5
10	눈을 뜨고도[2]	1954연간시집	1955.6.20
11	센치멘탈 쨔一니[2]	1954연간시집	1955.6.20
12	행복幸福[2]	전시 한국문학선 시편	1955.6.25
13	목마木馬와 숙녀淑女[1]	1954연간시집	1955.6.20
14	세월歲月이 가면[2]	주간희망 16호	1956.4.13

기존의 전집들은 이본들에 대해 정밀하게 검토한 바가 없다. 하지만 이본 대조를 해야만 정본 확정이 엄밀하게 이루어질 수 있으므로 전집 편찬에 있어서 다양한 이본들에 대한 검토는 필수적인 사안일 수밖에 없다.

4) 최초 발표작[30]의 정정

「단층斷層」이 발굴[31]되기 전까지만 해도 박인환의 최초 발표작은 「거리」(『국제신보』, 1946.12)로 알려져 왔다. 「단층」은 1946년 6월 20일 '청년문학가협회 시부'와 '팔월시회八月詩會'가 공동으로 개최한 '예술의 밤' 행사[32]에서 낭송되었으며, 이날 입장권으로 사용된 『순수시선純粹詩選』[33]에 실려 있다. 이 작품의 원문은 다음과 같다.

---

30 이 전집에서 '최초 발표작'은 박인환의 전체 시 작품 중에서 가장 먼저 발표된 것을 일컫는다.
31 박인환이 공식적으로 발표한 최초의 작품은 『순수시선-예술의 밤 낭독시집』(팔월시회 청년문학가협회시부, 1946.6.20)에 실린 「단층」이다. 이와 관련한 상세한 논의는 「박인환의 최초 발표작 「단층」에 대하여」(염철, 『우리문학연구』 제40집, 우리문학회, 2013.10)를 참조하기 바란다.
32 '예술의 밤' 행사와 관련한 자세한 내용은 『민주일보』 1946년 6월 19일, 6월 20일, 6월 22일 자 기사를 참조하기 바란다.
33 『순수시선』에 대한 자세한 설명은 「청년문학가협회 시부 주최 '예술의 밤' 행사자료집 발굴 소개」(염철, 『근대서지』 5호, 소명출판, 2012.6)를 참조하기 바란다.

산업은행産業銀行 유리창窓밑으로

대륙大陸의 시민市民이 푸로므나―드하든

지난해 겨울

전쟁戰爭을 피해온 여인女人은

총銃소리가 들리지않은 과거過去를

수태受胎하며 뛰여다녔다.

폭풍暴風의 Muse는 등화관제燈火管制속에

고요히 잠들고

이 밤 대륙大陸은 한개 과실果實같이

대리석大理石우에 떠러졌다.

짓밟힌 나의 우월감優越感이여

시민市民들은 한사람한사람이 Demosthenes

정치政治의 연출가演出家는 도망逃亡한 Arlequin을 찾으러 도라다닌다.

시장市長의 조마사調馬師는

밤에 가장 가까운 저녁때

웅계雄鷄가 노래하는 Bluse에 化合되여

평행면체平行面體의 도시계획都市計劃을

Cosmos가 피는 한촌寒村으로 안내案內하였다.

의상점衣裳店에 신화神化한 Mannequin

저 기적汽笛은 Express for Mukden

Marronnier는 창공蒼空에 동결凍結되었다.

기적汽笛같이 사라지는 여인女人의 그림자는

향기香氣로운 Jasmin의 향기香氣를 남겨놓았다.

성벽城壁인양 잠들은 대륙大陸의 왕자王者여

꿈을 모르는 부헝이처럼

여인女人은 고요히 고요히 몸섰다.[34]

실물을 확인할 수 있다는 점에서 「단층」이 현재까지 확인 가능한 박인환의 최초 발표작이라는 것에는 이론의 여지가 없을 듯하다. 하지만 「단층」이 발굴되기 이전까지는 「거리」를 최초 발표작으로 보는 견해가 대세였다. 가장 최근에 발행된 전집인 맹문재 본의 작품 연보에서도 「거리」를 최초 발표작으로 인정하고, 그 서지사항을 '거리 국제신보 1946.12 『목마와 숙녀』(근역서재, 1979)에 근거'라고 정리했다. 그러면서 편자는 발표 지면인 『국제신보』의 정체에 대해 다음과 같은 의문을 제기하기도 했다.

지금까지 박인환은 1946년 12월 『국제신보』에 「거리」를 발표하면서 등단했다고 알려져 있다. 그렇지만 필자가 확인해 본 결과 정답처럼 알고 있는 이 사실은 재고되어야 한다. 『국제신문』의 전신 『국제신보』는 1947년 9

---

34 『순수시선』, 17~18쪽.

월 1일 『산업신문』이라는 제호로 창간되었다. 『국제신보』는 한국전쟁 동
안인 1950년 8월 19일 바꾼 제호이다. (…중략…) 이와 같은 사실로 볼 때 박
인환의 등단 연도, 등단 매체, 등단 작품은 정확하게 알 수 없다. 「거리」를
등단작으로 인정한다고 치더라도 1946년에 존속하지 않은 『국제신보』를
등단 매체라고 할 수는 없는 것이다.[35]

이 논의의 핵심은 「거리」의 발표 지면이 불분명하다는 점을 지적한
데 있다. 1950년부터 발행된 『국제신보』에 「거리」가 발표되었을 리 없
다는 지적은 일면 타당성을 지닌다. 그렇지만 「거리」의 출전에 관해서
는 두 가지의 잘못을 범하고 있다. 편자 스스로 『국제신보』에 「거리」
가 게재되었을 가능성이 희박하다고 추론했음에도 불구하고 작품 연
보에서는 여전히 출전을 『국제신보』로 적고 있으며, 그 출전의 근거로
『목마와 숙녀』를 들고 있기 때문이다. 즉 전자는 논리적 모순성을, 후
자는 문헌학적 오류를 드러낸다. 특히 후자의 경우에는 『목마와 숙녀』
그 어디에도 「거리」가 『국제신보』에 발표되었다는 기록이 없다는 점
에서 서지 정보를 왜곡했다는 비판을 면하기 어렵다.

「거리」가 문헌에 처음 등장한 것은 박인환 사후 20주기를 추모하여
유족들이 엮은 『목마와 숙녀』(근역서재, 1976)에서이다. 이 시집에는 『선
시집』에 수록된 56편의 시 작품 중 「자본가에게」와 「문제되는 것」 등 2
편이 제외되고 「거리」, 「지하실」, 「이국항구」, 「이 거리는 환영한다」,
「어떠한 날까지」, 「세월이 가면」, 「가을의 유혹」 등 7편이 추보되어 총

---

35 맹문재 편, 앞의 책, 652~653쪽.

61편의 시 작품이 수록되었다. 「거리」가 실린 지면을 살펴보면, 작품 말미에 '一九四六年 十二月'만 표기되어 있을 뿐 발표지면 등 다른 사항은 기록되어 있지 않다. 만약 게재지가 함께 소개되었다면 '1946년 12월'은 발표연월로 보는 것이 맞지만, 작품 말미에 연월만 표기되어 있을 경우 이는 창작연월로 간주하는 것이 마땅하다.

그렇다면 「거리」의 '1946년 12월 『국제신보』' 발표설은 어떻게 생산되고 유포된 것일까. 그것은 박인환의 연보를 작성하는 과정에서 몇 단계의 윤색을 거쳐 왜곡이 심화됨으로써 빚어졌다. 먼저 『세월이 가면』(근역서재, 1982)의 작가 연보에서는 '1946년 12월'이 창작 시기가 아닌 발표 시기로 바뀌게 된다. 그런 다음 박인환 30주기를 맞이하여 문학세계사에서 발행된 『박인환 전집』의 작가 연보를 통해 '「거리」, 『국제신보』, 1946년 12월 발표'설이 처음으로 대두되었다. 문제는 이 견해가 어떠한 문헌학적 근거도 갖추지 않은 자의적인 주장이라는 점에 있다. 그럼에도 불구하고 『국제신보』 발표설을 무의식적으로 받아들인 연구들이 다수 수행된 결과, 박인환의 등단에 관한 잘못된 정보가 널리 퍼지게 된 것이다. 문학세계사 발행본 이후의 전집들도 이러한 왜곡을 심화시키는 데 가세했다. 문승묵 본과 맹문재 본은 「거리」의 『국제신보』 발표설을 받아들이면서 그 출전으로 『목마와 숙녀』를 들었다. 하지만 『목마와 숙녀』에는 '1946년 12월'이라는 창작연월만 표기되어 있을 뿐 발표지면 등의 다른 서지 정보는 제시되지 않고 있다. 즉 편자들에 의해 근거 없는 출전이 임의대로 만들어진 것이다. 이처럼 「거리」의 서지정보는 발표연도, 발표지면, 출전(인용 근거)의 순으로 왜곡이 점점 심화되는 양상을 띤다.

하지만 「단층」의 발굴로 「거리」가 박인환의 최초 발표작이 아님은
분명해졌다. 또한 앞서 밝힌 것처럼 「거리」의 『국제신보』 발표설도 설
득력이 없는 주장에 불과할 따름이다. 『목마와 숙녀』의 「거리」 말미에
부기된 '一九四六年 十二月'은 발표연월이 아닌 창작연월을 표기한 것
이며, 1946년 12월에 『국제신보』는 발행된 적이 없기 때문이다. 그렇다
면 「거리」는 「이 거리는 환영한다」와 「어떠한 날까지」와 마찬가지로
『목마와 숙녀』에 처음 발표된 작품으로 간주하는 것이 마땅할 것이다.

5) 『선시집』 간행에 관한 진실의 규명

지금까지 『선시집』은 1955년 10월 15일 장만영이 운영하는 산호장
에서 최초로 출간되었으며, 이 최초의 판본이 화재로 대부분 소실된
후 다시 산호장에서 출간된 것으로 알려져 왔다. 이러한 주장이 받아
들여지게 된 데에는 박대헌의 다음과 같은 주장이 영향을 미쳤다.

원래 1955년 10월 15일에 발행된 『선시집』은 책이 서점에 배포되기 직전
에 제책소 화재로 모두 소실되었다. 그리고 그 다음해 1월 초쯤 다시 책을
발행하면서 처음의 지형紙型 그대로 인쇄하였다. 이 책이 지금 우리가 1955
년 10월 15일 발행된 것으로 알고 있는 호부장 제책의 『선시집』이다. 엄밀
히 말해 이 책은 1955년 10월 15일이 아니라 1956년 1월 초쯤에 두 번째로
발행한 책이다. 실제로 1955년 10월 15일 발행된 『선시집』의 첫 번째 판은
지금까지 알려진 것으로는 유일하게 내가 소장하고 있는 책 한 권뿐이다.

이 책은 일반적으로 알려진 호부장 제책이 아닌 양장 제책으로 본문을 실로 엮었다. 당시로서는 호화판으로 만들었다.[36]

위 진술의 중심 맥락은 첫째, 첫 번째 『선시집』이 양장 제책으로 1955년 10월 15일에 간행되었다는 점, 둘째, 이 시집이 화재로 대부분 소실되어 박대헌이 소장하고 있는 책 한 권만 남았다는 점, 셋째, 1956년 1월 초쯤 호부장 제책으로 두 번째 『선시집』이 간행되었다는 점 등이다. 이 주장은 현전하는 『선시집』의 실물이나 김규동의 증언을 토대로 할 때 거의 사실에 가까운 것처럼 보인다.

우선 현전하는 『선시집』의 간행 기록에 따르면 양장 제책과 호부장 제책 모두 1955년 10월 15일 산호장에서 간행된 것으로 기록되어 있다. 또한 김규동의 증언에 따르면 첫 번째 『선시집』이 화재를 당해 회진되었다는 것도 분명해 보인다.

1955년 가을에 나는 첫 시집 『나비와 광장』을 내었다. 이 시집의 출판기념회에서 인환은 나의 시 「보일러 사건의 진상」을 낭독해 주었다. 뒤따라 이 해에 인환이 또한 시집을 내었다. 아직 풀이 마르지 않은 『박인환 선시집』 견본을 가지고 한국일보사 2층 좁은 계단을 황급히 달려 올라오던 그의 상기된 모습이 지금도 눈에 선하다. 그런데 『박인환 선시집』은 제본소에서 책을 다 찾기도 전에 화재를 당해 회진灰塵되고 만 것이다. 운이 나빴던 것이다. 그래서 시집은 냈지만, 이 시집을 받아 본 사람은 많지 않다.[37]

---

36 박대헌, 『한국 북디자인 100년』, 21세기북스, 2013, 77~79쪽.
37 김규동, 「한 줄기 눈물도 없이」, 김광균 외, 『세월이 가면』, 근역서재, 1982, 59쪽.

그런데 문제는 화재로 소실된 첫 번째 『선시집』이 과연 산호장에서 출판되었는가 하는 점이다. 위의 인용문에서 박대헌은 제책 방식이 다르다는 점을 들어 두 시집의 간행 시기가 다르다고 주장한다. 하지만 제책 방식(양장본과 호부장)의 차이를 가지고 간행 시기를 특정하기는 어렵다. 발행일자가 같고 장정 도안이 동일하더라도 양장본과 호부장이 모두 간행된 경우가 더러 있기 때문이다. 그 대표적인 사례로서 산호장에서 출간한 시집인 『추풍령』(김철수, 1949.1.15)을 들 수 있다. 통상적으로 양장본은 호부장과 견줄 때 특장본 또는 호화본의 의미로 간주될 뿐이다. 그러므로 양장 제책은 1955년 10월 15일에 간행되었고, 호부장 제책은 1956년 1월 초에 간행되었다는 주장은 설득력을 얻기 어렵다.

그리고 박대헌은 이 책의 "앞면지와 속표지 그리고 뒷면지에는 김광주, 이진섭, 송지영, 박거영, 차태진, 김광식, 조영암 등의 친필 메시지와 함께 '1956년 1월 16일'이라는 기록이 있다"[38]라고 밝히기도 했다. 1956년 1월 16일은 출판기념회 11일 전으로 『선시집』에 대한 최초의 서평[39]이 발표된 날이기도 하다. 서평은 실물을 보고 쓰는 것이 상례이다. 그렇다면 1956년 1월 16일 자 신문에 서평이 게재되었다는 사실은 이날 이전에 두 번째 『선시집』(산호장)이 발행되었다는 결정적인 증좌일 수밖에 없다. 실제로 『선시집』의 발행 소식은 1956년 1월 12일 자 『경향신문』의 신간도서 난을 통해 처음 보도되고 있다. 즉 1956년 1월 12일 즈음에 『선시집』이 간행되고 1월 16일에 서평까지 게재되자 박인환과 김광주 등은 정식적인 출판 기념회에 앞서 조촐한 모임을 가졌

38 박대헌, 앞의 책, 79쪽.
39 부완혁, 「강인성과 긍지—박인환 선시집」, 『한국일보』, 1956.1.16.

던 것이다. 참석자들이 이 자리에서 특장본 격인 양장본 시집에 축하 글귀를 썼기 때문에 그 서명 날짜는 '1956년 1월 16일'로 기록될 수밖에 없었다. 이로써 박대헌이 소장하고 있는 『선시집』은 1956년 1월 초 산호장에서 간행된 양장본 시집이라는 것이 보다 분명해진다.

한편 장만영의 다음과 같은 증언에서도 첫 번째 『선시집』의 출판사가 산호장이 아니었다는 점을 확인할 수 있다.

> 어느 날 좀체 안 나가는 명동에 나갔다가 우연히 그를 만났더니 마침 잘 나왔다 하면서, 이번에 『선시집』을 내는데, 꼭 산호장 이름으로 내고 싶다고 한다. 그때 내가 가지고 있는 출판사 산호장은 등록뿐으로 별로 출판을 하지 못하고 있었다. 허나 그가 여기서 꼭 책을 내겠다는 그 마음을 이해할 수 있어 쾌히 승낙했던 것이다. 얼마 뒤에 책은 나왔고, 우리는 그를 위해 출판 기념회를 마련했었다. 그날 밤 부인이랑 애들을 데리고 나온 그는 몹시 행복해 보였다. 그러나 이것이 처음 겸 마지막 출판기념회가 될 줄을 누가 알았으랴.[40]

이 증언을 잘 살펴보면 장만영은 첫 번째 『선시집』이 화재로 소실되었다는 점에 거의 주목하지 않는다는 것을 알 수 있다. 그보다는 박인환이 『선시집』을 출간해 달라고 부탁하기 전까지는 거의 출판을 하지 못했다는 점을 강조할 뿐이다. 출판을 거의 하지 못하는 상황에서 제본 과정의 『선시집』이 화재로 소실되었다면 산호장은 매우 심각한 타

---

40 장만영, 「박인환 회고」, 『그리운 날에』, 한일출판사, 1962.12.5, 191~192쪽.

격을 입었을 것이다. 그런데 장만영이 이에 대해 아무런 언급을 하지 않은 것으로 미루어 볼 때 산호장에서 간행한 『선시집』은 화재로 회진되지 않았을 가능성이 높다. 또한 『선시집』을 발행한 직후에 출판기념회가 열렸다는 증언에서도 『선시집』의 출판 과정에서 화재와 같은 큰 사고가 있었음을 짐작하기는 어려워 보인다.

그렇다면 첫 번째 『선시집』의 간행을 담당한 곳은 어디일까? 화재로 회진되어 전해지지 않는 이 시집은 시작사詩作社에서 출간될 예정이었다. 그 유력한 근거는 『시작詩作』 5집의 뒤표지 안쪽 면에 게재된 『선시집』의 발행 광고이다. 여기에는 "박인환朴寅煥 저著 선시집選詩集 국판菊版 250면面 모조양장模造洋裝 값 700환 시작사詩作社 발행發行"41이라는 광고 내용이 수록되어 있다.

시작사는 본래 고원이 시 잡지 『시작』을 발행하던 곳이었지만 1950년대에 몇 권의 시집을 펴내기도 했다. 『이율의 항변』(고원, 1954. 12. 15), 『호흡』(이덕성, 1954. 12. 20), 『종려』(석용원, 1955. 2. 29), 『선시집』(박인환, 1955. 10. 15), 『하나의 행렬』(박치원, 1955. 10. 15), 『파충류의 합창』(장호, 1957. 12. 5), 『회색의 거리를 걸어간다』(김경옥, 1958. 1. 10) 등이 그것이다. 이 시집들의 저자들은 『시작』을 주재(고원)했거나, 편집위원(박인환, 장호)이었고, 필진(이덕성, 석용원, 박치원, 김경옥)으로 참여했다는 공통점이 있다. 박인환의 경우 『시작』 2집에서 5집까지 매호 시와 평론을 발표했으며, 특히 4집과 5집은 편집위원으로도 활동했다. 이런 연유로 해서 박인환은 시작사에서 『선시집』을 간행하게 된 것이다.

---

41 『시작』 5집, 시작사, 1955. 10. 9.

물론 광고의 게재 여부를 시집의 발행 문제와 무조건적으로 등식화할 수는 없다. 1954년 간행될 예정이었던 박인환의 『검은 준열의 시대』가 그 대표적인 사례이다. 그러나 주목해야 할 것은 『선시집』의 발행 광고가 이 시집과 발행소가 같은 『시작』 5집에 게재되었고, 『시작』 5집과 『선시집』의 발행일도 불과 6일밖에 차이나지 않는다는 사실이다. 이것은 『시작』 5집이 발행될 즈음 『선시집』 역시 출간 준비가 완료되었음을 의미한다. 더욱이 『시작』 5집에는 『선시집』 이외에 "박치원朴致遠 시집詩集 하나의 행렬行列 국판菊版 300환 시작사詩作社 발행發行"이라는 광고도 함께 게재되었다. 『선시집』과 『하나의 행렬』의 발행일이 동일한 점은 『선시집』이 시작사에서 출간되었음을 입증하는 결정적인 근거가 된다. 같은 출판사에서 같은 날 나오기로 한 시집이 불과 6일 사이에 어느 것은 원래대로 출간되고, 어느 것은 출판사(산호장)를 바꾸어 출간될 리 만무하기 때문이다.

따라서 배포 전에 제본소의 화재로 회진되기는 했지만 첫 번째 『선시집』은 시작사에서 인쇄까지 완료된 것이 분명하다. 그리고 장만영의 도움을 얻어 1956년 1월 산호장에서 간행한 두 번째 『선시집』은 원래의 발행일자인 '1956년 10월 15일'을 고수한 채 양장본과 호부장본 두 종으로 제작되었다. 즉 현존하는 『선시집』은 산호장 발행본이며, 이 책은 본래의 간행기록보다 3개월 늦게 발행된 두 번째 판본인 것이다.

4. 남은 과제와 전망

지금까지 나온 박인환 전집의 성과를 무시할 수는 없지만 새로운 전집의 필요성 역시 상존하는 것이 사실이다. 문제는 새로운 전집에 무엇을 어떻게 담을 수 있는가 하는 점일 것이다. 앞에서 언급한 것처럼 새로운 박인환 전집에는 지금까지 밝혀지지 않았던 작품 7편을 더 수록하는 것 이외에도 전집의 편찬방식과 관련한 많은 고민의 결과들을 함께 반영하고자 노력했다. 특히 정밀한 이본 대조를 통해 정본을 확정하려고 한 점, 정본을 현대어로 변형하는 과정에서 최대한 일관성을 지키려고 한 점, 작품의 배열 순서를 발표순으로 한 점, 원본과 이본을 함께 수록하고 이본 대조표를 제시한 점, 방대하고 정확한 문헌 정보를 바탕으로 작가 연보를 새롭게 기술한 점, 다양한 사진 자료를 제공한 점 등은 새로운 전집이 갖는 장점들이라고 생각한다.

하지만 이것으로 박인환 전집의 편찬과 관련한 모든 문제점들이 해결되었다고 할 수는 없다. 아직도 최초 발표본이 따로 있을 것으로 판단되는 작품 5편이 남아 있기 때문이다. 그중에서 『1954연간시집』에 수록된 「목마와 숙녀」는 발표지가 『국제보도國際報道』라고 밝혀져 있지만 작품의 실물을 확인하지 못했다.

또한 발표지의 문헌적인 특성상 최초 발표본이 있을 것으로 추측되는 시 작품의 목록은 다음과 같다.

이들 작품이 실린 『현대국문학수』, 『한국시집』 상, 『현대시인선집』 하, 『1954연간시집』 등은 모두 기존에 발표한 시 작품들을 재수록하고

연번	작품명	출전	발행연월일
1	자본가資本家에게[1]	현대국문학수	1952.11.5
	자본가資本家에게[2]	선시집	1955.10.15
2	낙하落下[1]	현대국문학수	1952.11.5
	낙하落下[2]	선시집	1955.10.15
3	세사람의 가족家族[1]	한국시집 상	1952.12.31
	세사람의 가족家族[2]	선시집	1955.10.15
4	부드러운 목소리로 이야기 할때[1]	현대시인선집 하	1954.2.5
	부드러운 목소리로 이야기할 때[2]	선시집	1955.10.15

있다. 조향이 편집을 맡은 『현대국문학수』(1952.11.5)에는 박인환의 작품 「열차」, 「최후의 회화」, 「자본가에게」, 「종말」, 「낙하」, 「회상의 긴 계곡」이 수록되었다. 이 작품들 중 「열차」는 『개벽』 81호(1949.3.25)에 처음 발표된 뒤 『새로운 도시와 시민들의 합창』(1949.4.5)과 『현대국문학수』에 다시 실렸다. 그리고 「최후의 회화」는 『신조新調』 2호(1951.7.25)에, 「종말」은 『신경향』 4-1호(1952.6.1)에, 「회상의 긴 계곡」은 『경향신문』(1951.6.2)에 최초로 발표된 뒤 『현대국문학수』와 『선시집』에 재수록되었다. 따라서 「자본가에게」와 「낙하」 역시 최초 발표본이 존재할 것으로 추정된다.

또한 이한직이 편집을 맡은 『한국시집』 상(1952.12.31)에는 「세 사람의 가족」, 「검은 신이여」, 「회상의 긴 계곡」 등이 수록되었다. 이 중에서 「회상의 긴 계곡」은 『경향신문』(1951.6.2)에 최초로 발표된 뒤 『현대국문학수』, 『한국시집』 상, 『선시집』에 차례로 수록되었고, 「검은 신이여」는 『주간국제』 3호(1952.2.15) 발표 이후 『한국시집』 상, 『전시 한국문학선 시편』(1955.6.25), 『선시집』에 잇달아 실렸다. 따라서 「세사람의 가족」 역시 최초 발표본이 있을 것으로 짐작된다.

김용호와 이설주가 편한 『현대시인선집』 하(1954.2.5)에는 「최후의 회화」와 「부드러운 목소리로 이야기할 때」 등이 실려 있다. 앞에서 언급했듯이 「최후의 회화」는 『신조』 2호에 최초로 발표었으며 『애국시 삼십삼인집』(1952.3.5), 『현대국문학수』, 『현대시인선집』 하에 차례로 재수록되었다. 따라서 「부드러운 목소리로 이야기할 때」도 최초 발표본이 존재할 것으로 여겨진다.

이 밖에도 「검은 준열의 시대」와 같이 작품 제목은 남아 있지만 실제로 그 작품이 존재하는지의 여부조차 확인되지 않는 경우도 있다. 한국전쟁 중 서울에 체류했던 박인환의 수기인 「암흑과 더불어 삼 개월」(『여성계』 3-6호, 1954.6.1)을 참조하면 그는 이 기간 동안 「검은 준열의 시대」를 창작했다고 술회하고 있다. 또한 박인환이 1954년 시집 발행을 기획했을 때의 제목 역시 『검은 준열의 시대』이기도 하다. 이런 점을 참고할 때 이 작품이 창작된 것은 분명하지만 발표 여부나 실재 여부는 아직까지 알려지지 않고 있다.

앞으로 「목마와 숙녀」, 「자본가에게」, 「낙하」, 「세 사람의 가족」, 「부드러운 목소리로 이야기할 때」 등의 최초 발표본이 확인되기를 바라며, 「검은 준열의 시대」 등 새로운 작품이 발굴되어 박인환 시 세계의 전모가 확정되기를 기대한다.

5. 새로운 『박인환 문학전집 1－시』를 마무리하며

이 글의 1절 '새로운 전집의 간행 필요성'에서 기존 전집에 대한 공과를 살필 때 언급하고 싶었던 말들이 있다. 하지만 개인적인 정회를 드러내기에는 글의 맨 뒤가 나을 것 같아 이 자리를 빌린다.

「골키－의 달밤」이 실린 『신시론』 1집을 최초로 발굴한 이는 이 전집의 공동 편자 중 한 사람으로, 『신시론』 1집에 관한 연구 결과를 학위논문(「해방기 시의 모더니즘 지향성 연구－신시론 동인을 중심으로」, 중앙대 박사논문, 2006.12)을 통해 학계에 처음 제출한 바 있다. 그리고 『신시론 동인 연구』(태영출판사, 2007.4)의 말미에 『신시론』 1집을 영인하여 세상에 공표하기도 했다. 연구물과 자료집을 단행본으로 묶은 이유는 출처만 밝힌다면 이것을 누구든지 학문적으로 이용할 수 있게 하려 함이었다. 그럼에도 불구하고 『박인환 전집』(맹문재 편, 실천문학사, 2008.3)의 편자는 책을 출간하면서 마치 자신이 『신시론』 1집을 발굴한 것처럼 허위 선전을 서슴지 않았다. "그(맹문재)는 박인환이 김경린 · 김경희 · 김병욱 · 임호권 등과 함께 만든 동인지 『신시론』을 새로 발굴하고"(『연합뉴스』, 2008.3.19; 『한겨레신문』, 2008.3.19) 운운하는 기사가 아직도 온라인상에서 검색되고 있는 지경이다. 더군다나 그는 『박인환 전집』의 서문에서 "정직하게 시를 써야 하고, 시론을 정립해야 하고, 문학사를 정리해야 한다"라고 공언하기도 했다. 하지만 손바닥으로 하늘을 가릴 수는 없는 법이다. 만약 그가 이 전집을 찬찬히 살펴본다면 '정직함'이 무엇인지를 깨우침은 물론 과도한 욕심이 왜 사람을 부끄럽게 하는지 스스로 성찰할 수 있으리라.

마음을 해치는 자가 있다면 그 아픈 상처를 보듬어주는 사람이 있으므로 더디나마 한 걸음씩 삶의 길을 갈 수 있나 보다. 누가 『신시론』 1집을 최초로 발굴했는지에 대해 시시비비를 분명히 밝히고, '가로채기'에 능숙한 비학문적 행태를 엄정히 논박하고 싶은 마음이 한동안 극심했던 것이 사실이다. 그 고심을 추스를 수 있었던 것은 순전히 근대서지학회의 여러 회원 분들(김병호, 김현식, 박성모, 박태일, 서상진, 오영식, 이순욱, 이윤정, 전지니, 최철환, 아단문고) 덕택이다. 인생과 학문의 선배 혹은 동료로서 격려와 조언, 자료 제공에 이르기까지 늘 애써주신 점에 감사할 따름이다. 이분들 또한 새로운 『박인환 문학전집 1―시』의 공동 편자라고 해도 과언이 아닐 것이다. 더불어 이 전집을 마무리 하는 데 공력을 보탰으며, 곧이어 출간될 『박인환 문학전집 2―산문·번역』을 같이 편집하고 있는 동학 김낙현에게도 고마움을 전한다.

2015년 7월 엮은이들

차례

전후기(1954.2.5~1956.3.17)

기타

{ 제2부 원본原本 }

발굴 작품의 원본 이미지

{ 부록 }

제1부 정본定本

일러두기

1. 정본은 본문을 현대어로 표기하고, 특기사항을 각주로 정리한 것이다.
2. 정본은 최초 발표본의 발표 순서대로 배열하는 것을 원칙으로 한다.
3. 이본이 여럿인 경우에는 아래의 ①과 ②에 실린 작품들을 정본定本으로 삼으며, 여기에 수록되지 않은 작품은 최초 발표본을 정본으로 간주한다. 단 「세월이 가면」은 최초 발표본이 아닌 「세월이 가면」[3]을 정본으로 삼는다. 시인이 정식으로 발표하려고 한 작품이 「세월이 가면」[3]이기 때문이다. 이 점에 대해서는 제1부 정본의 각주 162와 제2부 원본의 각주 98을 참조하기 바란다.
    ① 신시론동인회(김경린, 임호권, 박인환, 김수영, 양병식), 『새로운 도시와 시민들의 합창』, 도시문화사, 1949. 4. 5.
    ② 박인환, 『선시집』, 산호장, 1955. 10. 15.
4. 정본의 본문을 현대어로 표기하는 원칙은 다음과 같다.
    ① 시의 표현은 다음과 같은 몇 가지 예외를 제외하고, 가능한 한 원문의 형태를 그대로 유지한다.
    • 오식이나 오기라고 분명하게 인정되는 경우
    • 동일한 시어인데도 여러 시편에서 표기 방식이 다르게 적용된 경우
    • 시인이 의도적으로 표현한 것이라기보다는 당시의 언어적 관습을 따른 것이라고 인정되는 경우
    • 문맥상 의미의 혼동을 일으키는 경우
    • 본용언과 보조용언을 띄어 쓰지 않은 경우
    • 준말의 표기가 국어 어문규정과 다른 경우
    • 외래어 표기가 국어 어문규정에 맞지 않은 경우
    ② 아라비아 숫자는 구체적인 연도와 일시를 나타낸 경우에만 표시하고 나머지는 모두 한글로 표기한다.
    ③ 한자어는 동음이의어나 잘 쓰이지 않는 글자에 한해 한글 뒤에 그보다 작은 글자체로 병기한다.
    ④ 작품 속 부호 「 」, 〈 〉, ( ) 등은 강조의 의미로 쓰인 경우 ' '로, 단행본이나 잡지, 신문의 경우 『 』로, 개별 작품인 경우 「 」로 표기한다. 외국 인명이나 지명에 있는 부호는 표기하지 않되, 시인이 본문 내용에 설명을 덧붙일 때 사용한 ( )는 원래대로 표기한다.
    ⑤ 작품 출전의 경우 단행본, 잡지, 신문 모두 『 』로 표기한다.
5. 각주에는 4-①항과 관련한 설명, 지명이나 인명과 관련한 설명, 잘 쓰이지 않는 단어에 대한 설명, 기존 전집의 오류나 미비점 등을 기술한다.

해방기

(1946.6.20~1950.5.16)

불행한 샹송[1]

산업은행 유리창 밑으로
대륙의 시민이 프롬나드[2]하던 지난해 겨울
전쟁을 피해 온 여인은
총소리가 들리지 않는 과거로
수태受胎하며[3] 뛰어다녔다.

폭풍의 뮤즈는 등화관제 속에
고요히 잠들고
이 밤 대륙은 한 개 과실처럼
대리석 위에 떨어졌다.

짓밟힌 나의 우월감이여
시민들은 한 사람 한 사람이 데모스테네스[4]
정치의 연출가는 도망한

---

1   이 작품의 이본으로 「단층」(『순수시선』, 팔월시회 조선청년문학가협회시부, 1946. 6. 20)이
    있다. 「단층」은 최초 발표본이 새롭게 발굴된 작품으로 현재까지 확인된 박인환의 최초 발표
    작이다. 『선시집』에 수록될 때 「불행한 샹송」으로 개제, 개작되었다.
2   promenade. 산책 또는 행진을 뜻하는 영어이다.
3   문승묵이 편집한 『사랑은 가고 과거는 남는 것』(박인환 전집, 예옥, 2006. 이하 '문승묵 본'으
    로 표기한다)에서는 '수태하여'로 잘못 표기했다.
4   Demosthenes. 고대 그리스의 웅변가이자 정치가이다. 아테네의 독립을 위해 마케도니아에
    맞서 싸우다 실패한 후 자살했다. 문승묵 본의 주석에서는 'Pemosthenes'로 잘못 표기했다.

아를캥[5]을 찾으러 돌아다닌다.

시장市長의 조마사調馬師는
밤에 가장 가까운 저녁때
웅계雄鷄가 노래하는 블루스에 화합되어
평행 면체의 도시계획을
코스모스가 피는 한촌寒村으로 안내하였다.

의상점에 신화神化한 마네킹
저 기적汽笛은 Express for Mukden[6]
마로니에는 창공에 동결되고
기적汽笛처럼 사라지는 여인의 그림자는
재스민의 향기를 남겨 주었다.

---

5 arlequin. 16~18세기의 이탈리아 가면 희극에 등장하는 광대를 뜻하는 프랑스어이다. 반들
   반들한 거울이나 금속 조각을 단 여러 가지 색의 옷을 입고 마름모꼴 얼룩무늬가 있는 타이츠
   를 신고 얼굴에는 검정 가면을 쓰고 등장하여 교활하면서도 익살스러운 연기를 한다.
6 'Mukden'은 중국 동북 지방의 중심 도시인 선양瀋陽의 만주어 명칭을 영문으로 표기한 것이다.

인천항

사진 잡지에서 본 향항香港[7] 야경을 기억하고 있다
그리고 중일전쟁 때
상해上海 부두를 슬퍼했다

서울에서 삼십 킬로를 떨어진 곳에
모든 해안선과 공통되어 있는
인천항이 있다

가난한 조선의 프로필을
여실히 표현한 인천 항구에는
상관商館도 없고
영사관도 없다

따뜻한 황해의 바람이
생활의 도움이 되고자
냅킨 같은 만내灣內에 뛰어들었다

---

7 '홍콩'의 한자어 표기이다.

해외에서 동포들이 고국을 찾아들 때
그들이 처음 상륙한 곳이
인천 항구이다

그러나 날이 갈수록
은주銀酒[8]와 아편과 호콩이 밀선密船에 실려 오고
태평양을 건너 무역풍을 탄 칠면조가
인천항으로 나침羅針을 돌렸다

서울에서 모여든 모리배는
중국서 온 헐벗은 동포의 보따리같이
화폐의 큰 뭉치를 등지고[9]
황혼의 부두를 방황했다

밤이 가까울수록
성조기가 퍼덕이는 숙사宿舍와
주둔소駐屯所의 네온사인은 붉고
정크[10]의 불빛은 푸르며
마치 유니언잭이 날리던
식민지 향항의 야경을 닮아 간다

---

8 중국에서는 생일날에 먹는 술을, 일본에서는 소주에 약간의 탄산과 과즙을 넣은 술을 일컫는
   다. 문맥상 전자의 뜻으로 보는 것이 타당하다. 중국에서는 색이 있는 술은 금주金酒로, 색이
   없는 술은 은주銀酒로 통칭한다.
9 문맥상 '등에 지고'의 뜻이다.
10 junk. 중국에서 연해나 하천에서 승객이나 화물을 실어 나르는 데 쓰는 작은 배를 뜻하는 영어
   이다. 원본에는 '짠그'로 표기되었다.

조선의 해항海港 인천의 부두가

중일전쟁 때 일본이 지배했던

상해의 밤을 소리 없이 닮아 간다

남풍[11]

거북이처럼 괴로운 세월이
바다에서 올라온다

일찍이 의복을 빼앗긴 토민土民
태양 없는 마레－[12]
너의 사랑이 백인白人의 고무원園에서
소형素馨[13]처럼 곱게 시들어졌다

민족의 운명이
크메르 신의 영광과 함께 사는
앙코르와트의 나라
월남 인민군
멀리 이 땅에도 들려오는
너희들의 항쟁의 총소리

가슴 부서질 듯 남풍이 분다

11 원본과 달리 문승묵 본에서는 "태양 없는 마레－" 다음 행에서 연을 잘못 나누었다.
12 '말레이시아'의 줄임말이다.
13 '재스민'을 뜻하는 한자어이다.

계절이 바뀌면 태풍은 온다

아시아 모든 위도緯度
잠든 사람이여
귀를 기울여라

눈을 뜨면
남방南方의 향기가
가난한 가슴팍으로 스며든다

사랑의 Parabola

어제의 날개는 망각 속으로 갔다.
부드러운 소리로 창을 두들기는 햇빛
바람과 공포를 넘고
밤에서 맨발로 오는 오늘의 사람아

떨리는 손으로 안개 낀 시간을 나는 지켰다.
희미한 등불을 던지고
열지 못할 가슴의 문을 부줬다.[14]

새벽처럼 지금 행복하다.
주위의 혈액은 살아 있는 인간의 진실로 흐르고
감정의 운하로 표류하던
나의 그림자는 지나간다.

내 사랑아
너는 찬 기후에서 긴 행로를 시작했다. 그러므로
폭풍우도 서슴지[15] 않고 참혹마저 무섭지 않다.

---

14 원본에는 '부셨다'로 표기되었다. 문맥상 '물건을 두드리거나 깨뜨려 못 쓰게 만들다'라는 뜻
이기 때문에 '부줬다'로 적는다.

짧은 하루 허나[16]

너와 나의 사랑의 포물선은

권력 없는 지구地球 끝으로

오늘의 위치의 연장선이

노래의 형식처럼 내일로

자유로운 내일로 ……

나의 생애에 흐르는 시간들

나의 생애에 흐르는 시간들
가느다란 일 년의 안젤루스[17]

어두워지면 길목에서 울었다
사랑하는 사람과

숲 속에서 들리는 목소리
그의 얼굴은 죽은 시인이었다

늙은 언덕 밑
피로한 계절과 부서진 악기

모이면 지난날을 이야기한다
누구나 저만이 슬프다고

가난을 등지고 노래도 잃은
안개 속으로 들어간 사람아

---

17 Angelus. 가톨릭에서 매일 오전·정오·오후 세 차례 종을 칠 때마다 드리는 삼종 기도, 혹은
   삼종 기도의 종소리를 뜻하는 영어이다. 원본에는 '안제라스'로 표기되었다.

이렇게 밝은 밤이면
빛나던 수목樹木이 그립다

바람이 찾아와 문은 열리고
찬 눈은 가슴에 떨어진다

힘없이 반항하던 나는
겨울이라 떠나지 못하겠다

밤새우는**18** 가로등
무엇을 기다리나

나도 서 있다
무한한 과실果實만 먹고

인도네시아 인민에게 주는 시

동양의 오케스트라
가믈란[19]의 반주악이 들려온다
오 약소민족
우리와 같은 식민지의 인도네시아

삼백 년 동안 너의 자원은
구미歐美 자본주의 국가에 빼앗기고
반면反面 비참한 희생을 받지 않으면
구라파歐羅巴의 반이나 되는 넓은 땅에서
살 수 없게 되었다 그러는 사이
가믈란은 미칠 듯이 울었다

홀란드[20]의 오십팔 배나 되는 면적에
홀란드인은 조금도 갖지 않은 슬픔을
밀림처럼 지니고
칠천 칠십삼만 인 중 한 사람도

---

19 gamelan. 타악기로 연주되는 인도네시아의 민속 음악이다.
20 Holland. '네덜란드'의 영어식 표기이다.『신천지』3-2호(1948. 2)에는 '오란다Olanda'(홀란드
    의 포르투갈어)로 표기되었다.

빛나는 남십자성은 처다보지도 못하며 살아왔다

수도 족자카르타[21]

상업항商業港 스라바야[22]

고원 분지의 중심지 반둥[23]의 시민이여

너희들의 습성이 용서하지 않는

남을 때리지 못하는 것은

회교 정신에서 온 것만이 아니라

동인도회사가 붕괴한 다음

홀란드의 식민 정책 밑에

모든 힘까지 빼앗긴 것이다

사나이는 일할 곳이 없었다 그러므로

약한 여자들이 백인白人 아래 눈물 흘렸다

수만의 혼혈아는

살길을 잃어[24] 아비를 찾았으나

스라바야를 떠나는 상선商船은

벌써 기적을 울렸다

홀란드인은 포르투갈이나 스페인처럼

사원寺院을 만들지 않았다

---

21 인도네시아 자바 섬의 서부 지역에 있는 도시이다.
22 인도네시아 자바 섬의 동부 지역에 있는 도시이다.
23 인도네시아 자바 섬의 서부 지역에 있는 도시이다.
24 원본에는 '잊어'로 표기되었지만 문맥상 '잃어'가 맞는 표현이다.

영국인처럼 은행도 세우지 않았다

토인土人은 저축심이 없을 뿐만 아니라

저축할 여유란 도무지 없었다

홀란드인은 옛날[25]처럼 도로를 닦고

아시아의 창고에서 임자 없는 사이

자원을 본국으로 끌고만 갔다

주거와 의식은 최저도最低度

노예적 지위는 더욱 심하고

옛과[26] 같은 창조적 혈액은 완전히 부패하였으나

인도네시아 인민이여

생의 영광은 홀란드의 소유만이 아니다

마땅히 요구할 수 있는 인민의 해방

세워야 할 늬들의[27] 나라

인도네시아 공화국은 성립하였다 그런데

연립 임시정부란 또다시 박해다

지배권을 회복하려는 모략을 부숴라

이제는 식민지의 고아가 되면 못쓴다

전 인민은 일치단결하여 스콜처럼 부서져라[28]

---

25 원본에는 '옛말처럼'으로 표기되었는데 문맥상 그 의미가 어색하다. '옛날처럼'의 오기 또는
    오식으로 추정된다.
26 국어 어문규정에 따르면 '예와'가 맞지만 원본의 느낌을 살리기 위해 '옛과'로 적는다.
27 국어 어문규정에 따르면 '너희의'가 맞지만 원본의 느낌을 살리기 위해 '늬들의'로 적는다.
28 문승묵 본은 특별한 이유 없이 다음 행에서 연을 나누고 있다. 문맥상 한 연으로 구성하는
    것이 적절하다.

국가 방위와 인민 전선을 위해 피를 뿌려라
삼백 년 동안 받아 온
눈물겨운 박해의 반응으로
너의 조상이 남겨 놓은
야자나무의 노래를 부르며
홀란드군의 기관총 진지에 뛰어들어라

제국주의의 야만적 제재는
너희뿐만 아니라 우리의 모욕
힘 있는 대로 영웅 되어 싸워라
자유와 자기 보존을 위해서만이 아니고
야욕과 폭압과 비민주적인
식민 정책을
지구에서 부숴 내기 위해
반항하는 인도네시아 인민이여
최후의 한 사람까지 싸워라

참혹한 몇 달이 지나면
피 흘린 자바 섬에는
붉은 칸나의 꽃이 피려니
죽음의 보람이 남해의 태양처럼
조선에 사는 우리에게도 비치려니[29]

---

[29] 원본에는 '빛이려니'로 표기되었다. '죽음의 보람이~빛이려니'보다는 '죽음의 보람이~비치려니'가 더 자연스럽기 때문에 '비치려니'로 적는다.

해류가 부딪치는 모든 육지에선
거룩한 인도네시아 인민의
내일을 축복하리라

사랑하는 인도네시아 인민이여
고대문화 대유적 보로부두르[30]의 밤
평화를 울리는 종소리와 함께
가믈란에 맞추어 스림피로
새로운 나라를 맞이하여라

스림피 …… 자바의 대표 무용

---

30 인도네시아 자바 섬 족자카르타의 북쪽에 있는 불교 유적이다.

지하실

황갈색 계단을 내려와
모인 사람은
도시의 지평에서 싸우고 왔다

눈앞에 어리는 푸른 시그널
그러나 떠날 수 없고
모두들 선명한 기억 속에 잠든다

달빛 아래
우물을 푸던 사람도
지하의 비밀은 알지 못했다

이미 밤은 기울어져 가고
하늘엔 청춘이 부서져
에메랄드의 불빛이 흐른다

겨울의 새벽이여
너에게도 지열地熱과 같은 따스함이 있다면
우리의 이름을 불러라

아직 바람과 같은
속력이 있고
투명한 감각이 좋다

고리키[31]의 달밤

기복起伏하던
청춘의 산맥은
파도 소리처럼 멀어졌다

바다를 헤쳐 나온 북서풍
죽음의 거리에서 헤매는
내 성격을 또다시 차디차게 한다

이러한 시간이라도
산간에서 남모르게 솟아 나온
샘물은
왼쪽 바다
황해로만 기울어진다

소낙비가 음향처럼 흘러간 다음
지금은 조용한

---

[31] 제1부 정본의 각주 32와 관련지어 본다면 러시아의 문인 '막심 고리키'를 연상시킨다. 물론 '고리키'를 공간과 연관하여 해석하는 것도 가능하다. 맹문재가 편집한 『박인환 전집』(실천 문학사, 2008. 이하 '맹문재 본'으로 표기한다)에서는 "모스크바에서 35킬로미터 떨어진 마을로 레닌이 휴식을 취한 곳이면서 생을 마감한 곳"이라고 설명했다.

고리키의 달밤

오막살이를 뛰어나온
파벨[32]들의 해머는
눈을 가로막은 안개를 부순다

새벽이 가까웠을 때
해변에는
발자국만이 남아 있었다

정박한 기선은 군대를 끌고
포탄처럼
내 가슴을 뚫고 떠났다

---

32 막심 고리키의 소설 『어머니』에 등장하는 '파벨 블라소프'를 지칭하는 것으로 볼 수 있다.

언덕

연 날리던 언덕
너는 떠나고
지금 구름 아래
연을 따른다
한 바람 두 바람
실은 풀리고
연이 떨어지는 곳
너의 잠든 곳

꽃이 지니
비가 오며 바람이 일고
겨울이니
언덕에는 눈이 쌓여서
누구 하나 오지 않아
네 생각하며
연이 떨어진 곳
너를 찾는다

전원田園

I

홀로 새우는 밤이었다.
지난 시인詩人의 걸어온 길을
나의 꿈길에서 부딪쳐[33] 본다.
적막한 곳엔 살 수 없고
겨울이면 눈이 쌓일 것이
걱정이다.
시간이 갈수록
바람이 모여들고
한 간 방은 잘 자리도 없이
좁아진다.
밖에는 우수수
낙엽 소리에
나의 몸은
점점 무거워진다.

---

33 원본에는 '부딛혀'로 표기되었다. 문맥상 화자의 주체적인 행위로 보는 것이 타당하기 때문에 '부딪쳐'로 적는다.

II

풍토의 냄새를

산마루에서

지킨다.

내 가슴보다도

더욱 쓰라린

늙은 농촌의 황혼

언제부터 시작되고

언제 그치는

나의 슬픔인가.

지금 쳐다보기도 싫은

기울어져 가는

만하晚夏.

전선 위에서

제비들은

바람처럼

나에게 작별한다.

III

찾아든 고독 속에서

가까이 들리는

바람 소리를 사랑하다.

창을 부수는 듯

별들이 보였다.

칠월의

저무는 전원

시인이 죽고

괴로운 세월은

어데론지[34] 떠났다.

비 나리면[35]

떠난 친구의 목소리가

강물보다도

내 귀에

서늘하게 들리고

여름의 호흡이

쉴 새 없이

눈앞으로 지난다.

IV

절름발이 내 어머니는

삭풍에 쓰러진

고목 옆에서 나를

불렀다.

얼마 지나

부서진 추억을 안고

---

34 국어 어문규정에 따르면 '어디론지'가 맞지만 원본의 느낌을 살리기 위해 '어데론지'로 적는
다. 이후 작품에 나오는 '어데', '어데로', '어데서나', '어데로인가'도 이 같이 표기한다.

35 국어 어문규정에 따르면 '내리면'이 맞지만 원본의 느낌을 살리기 위해 '나리면'으로 적는다.
이후 작품에 나오는 '나리면'과 '나리고', '나리는', '나리듯', '나리지'도 이 같이 표기한다.

염소처럼 나는
울었다.
마차가 넘어간
언덕에 앉아
지평에서 걸어오는
옛사람들의
모습을 본다.
생각이 타오르는
연기는
마을을 덮었다.

열차

궤도 위에 철의 풍경을 질주하면서
그는 야생한 신시대의 행복을 전개한다
스티븐 스펜더

폭풍이 머문 정거장 거기가 출발점

정력과 새로운 의욕 아래

열차는 움직인다

격동의 시간

꽃의 질서를 버리고

공규空閨한 나의 운명처럼

열차는 떠난다

검은 기억은 전원田園에 흘러가고

속력은 서슴없이 죽음[36]의 경사傾斜를 지난다

청춘의 복받침을

나의 시야에 던진 채

미래에의 외접선을 눈부시게 그으며

배경은 핑크빛 향기로운 대화

깨진 유리창 밖 황폐한 도시의 잡음을 차고

율동하는 풍경으로

---

[36] 『개벽』 81호(1949.3)에는 '축엄'으로, 『새로운 도시와 시민들의 합창』(1949.4)에는 '죽엄'으로
표기되었다. 문맥상 '죽음'이 적절한 표현이다. 『현대국문학수』(1952.11)에 발표된 이본에도
'죽음'으로 표기되었다.

활주하는 열차

가난한 사람들의 슬픈 관습과

봉건의 터널 특권의 장막을 뚫고

핏비린[37] 언덕 넘어[38] 곧

광선의 진로를 따른다

다음 헐벗은 수목의 집단 바람의 호흡을 안고[39]

눈이 타오르는 처음의 녹지대

거기엔 우리들의 황홀한 영원의 거리가 있고

밤이면 열차가 지나온

커다란 고난과 노동의 불이 빛난다

혜성보다도

아름다운 새날보담도[40] 밝게

---

37 국어 어문규정에 따르면 '피비린'이 맞지만 원본의 느낌을 살리기 위해 '핏비린'으로 적는다.
38 원본에는 '넘어'로, 문승묵 본과 맹문재 본에는 '너머'로 표기되었다. 문맥상 '기차가 언덕 너
    머에 있는 곧 광선의 진로를 따른다'보다는 '기차가 언덕을 넘어서 곧 광선의 진로를 따른다'
    로 해석하는 것이 적절하기 때문에 원본대로 '넘어'로 적는다.
39 『개벽』 81호와 『새로운 도시와 시민들의 합창』에는 '앉고'로 표기되었다. 문맥상 '안고'가 적
    절한 표현이다. 『현대국문학수』에 발표된 이본에도 '안고'라고 표기되었다.
40 『개벽』 81호와 『새로운 도시와 시민들의 합창』에는 '새날보담도'로, 『현대국문학수』에는 '새
    날보다도'로 표기되었다. 국어 어문규정에 따르면 비교의 뜻을 나타내는 조사로는 '보다'가
    맞지만 원본의 느낌을 살리기 위해 '새날보담도'로 적는다. 이후에 나오는 '보담'은 모두 이
    같이 표기한다. 문승묵 본에는 '새날보다도'로, 맹문재 본에는 '새날보담도'로 표기되었다.

정신의 행방을 찾아[41]

선량한 우리의 조상은
투르키스탄[42] 광막한 평지에서
근대정신을 발생시켰다.
그러므로 폭풍 속의 인류들이여
홍적세기洪績世紀의 자유롭던 수륙水陸 분포를
오늘의 문명 불모의 지구地球와 평가할 때
우리가 보유하여 온 순수한 객관성은 가치가 없다.

중화민국 광서성 북경 근교
자바(피테칸트로푸스)를 가리켜
전란과 망각의 토지라 함이
인류의 고뇌를 지적할 수 있는 것이다.
미래에의 수목樹木처럼 기억에 의지되어 세월을 등지고
육체와 노예—
어제도 오늘도 전지戰地에서 사라진 사고思考의 비극

---

41 문승묵 본에서는 제목을 '정신의 행방을 찾아서'로 잘못 표기했다.
42 Turkistan. 파미르 고원을 중심으로 한 중앙아시아 지역을 가리킨다. 이곳이 우리 민족의 발
    생지라는 주장이 있다.

영원의⁴³ 바다로 밀려간 반란의 눈물
화산처럼 열을 토하는 지구의 시민
냉혹한 자본의 권한에 시달려
또다시 자유정신의 행방을 찾아
추방, 기아飢餓
오 한없이 이동하는 운명의 순교자
사랑하는 사람의 의상衣裳마저
이미 생명의 외접선에서 폭풍에 날아갔다.

온 세상에 피의 비와 종소리가 그칠 때
시끄러운 시대는 어데로 가나
강렬한 싸움 속에서
자유와 민족이 이지러지고
모든 건축과 원시原始의 평화는
새로운 증오에 쓰러져 간다.
아 오늘날 모든 시민은
정막靜寞한 생명의 존속을 지킬 뿐이다.

---

43 맹문재 본에서는 '영원한'으로 잘못 표기했다.

1950년의 만가挽歌

불안한 언덕 위로
나는 바람에 날려 간다
헤아릴 수 없는 참혹한 기억 속으로
나는 죽어 간다
아 행복에서 차단된
지폐처럼 더럽힌 여름의 호반
석양처럼 타올랐던 나의 욕망과
예절 있는 숙녀들은 어데로 갔나
불안한 언덕에서
나는 음영처럼 쓰러져 간다
무거운 고뇌에서 단순으로
나는 죽어 간다
지금은 망각의 시간
서로 위기의 인식과 우애를 나누었던
아름다운 연대年代를 회상하면서
나는 하나의 모멸의 개념처럼 죽어 간다

전쟁기

(1951.6.2~1953.4.15)

회상의 긴 계곡

아름답고 사랑처럼 무한히 슬픈
회상의 긴 계곡
그랜드 쇼처럼 인간의 운명이 허물어지고
검은 연기여 올라라
검은 환영이여 살아라.[44]

안개 내린 시야에
신부新婦의 베일인가 가늘은[45] 생명의 연속이
최후의 송가와
불안한 발걸음에 맞추어
어데로인가
황폐한 토지의 외부로 떠나가는데
울음으로써 죽음을 대치하는
수없는 악기들은
고요한 이 계곡에서 더욱 서럽다.

---

44 『경향신문』(1951.6.2)과 『한국시집』 상(1952.12)에는 '사러라'로, 『현대국문학수』(1952.11)
와 『선시집』(1955.10)에는 '살아라'로 표기되었다. 문맥상 '살아라'가 적절한 표현이다.
45 국어 어문규정에 따르면 '가는'이 맞지만 원본의 느낌을 살리기 위해 '가늘은'으로 적는다.

강기슭에서 기약할 것 없이 쓰러지는
하루만의 인생
화려한 욕망
여권은 산산이 찢어지고
낙엽처럼 길 위에 떨어지는
캘린더의 향수鄕愁를 안고
자전거의 소녀여 나와 오늘을 살자.

군인이 피워 물던
물뿌리[46]와 검은 연기의 인상과
위기에 가득 찬 세계의 변경
이 회상의 긴 계곡 속에서도
열을 지어 죽음의 비탈을 지나는
서럽고 또한 환상에[47] 속은
어리석은 영원한 순교자.
우리들.

---

[46] 국어 어문규정에 따르면 '물부리'가 맞지만 원본의 느낌을 살리기 위해 '물뿌리'로 적는다. '물부리'는 '담배를 끼워서 빠는 물건'을 뜻한다.
[47] 이본들에는 모두 '환영幻影에'로 표기되었다.

최후의 회화會話

아무 잡음도 없이 멸망하는
도시의 그림자
무수한 인상과
전환하는 연대年代의 그늘에서
아 영원히 흘러가는 것
신문지의 경사傾斜에 얽혀진
그러한 불안의 격투.

함부로 개최되는 주장酒場의 사육제
흑인의 트럼펫
구라파歐羅巴 신부新婦의 비명
정신의 황제!
내 비밀을 누가 압니까?
체험만이 늘고
실내는 잔잔한 이러한
환영幻影의 침대**48**에서.

---

48 원본에는 '寢台'로 표기되었다. '寢台'는 '寢臺'의 일본식 한자 표기이다.

회상의 기원起源
오욕汚辱의 도시
황혼의 망명객
검은 외투에 목을 굽히면
들려오는 것
아 영원히 듣기 싫은 것
쉬어 빠진 진혼가
오늘의 폐허에서
우리는 또다시 만날 수 있을까
1950년의 사절단.

병든 배경의 바다에
국화가 피었다
폐쇄된 대학의 정원은
지금은 묘지
회화繪畫와 이성理性의 뒤에 오는 것
술 취한 수부水夫의 팔목에 끼어
파도처럼 밀려드는
불안한 최후의 회화會話.

무도회[49]

연기와 여자들 틈에 끼어
나는 무도회에 나갔다.

밤이 새도록 나는 광란의 춤을 추었다.
어떤 시체를 안고.

황제는 불안한 샹들리에와 함께 있었고
모든 물체는 회전하였다.

눈을 뜨니 운하는 흘렀다.
술보다 더욱 진한 피가 흘렀다.

이 시간 전쟁은 나와 관련이 없다.
광란된 의식意識과 불모의 육체 …… 그리고
일방적인 대화로 충만된 나의 무도회.

나는 더욱 밤 속에 가랁아[50] 간다.

---

49 원본에는 제목이 '舞踏會'로 표기되었다. '舞踏會'는 '舞蹈會'의 일본식 한자 표기이다.
50 문승묵 본에서는 '가라앉아'로, 맹문재 본에서는 '갈앉아'로 표기했다. 하지만 '가라앉아'의 경

석고의 여자를 힘 있게 껴안고

새벽에 돌아가는 길 나는 내 친우가
전사한 통지를 받았다.

우 운율상의 문제가, '갈앉아'의 경우 어원의 문제가 발생하기 때문에 원본대로 '가랁아'로 적
는다. 이후 작품에 나오는 '가랁아'와 '가란저'도 이 같이 표기한다.

문제 되는 것[51]

허무의 작가 김광주金光洲에게

평범한 풍경 속으로

손을 뻗치면

거기서 길게 설레이는[52]

문제 되는 것을 발견하였다.

죽는 즐거움보다도

나는 살아나가는 괴로움에

그 문제 되는 것이

틀림없이 실재 되어 있고 또한 그것은

나와 내 그림자 속에

넘쳐흐르고 있는 것을 알았다.

이 암흑의 세상에 허다한 그것들이

산재되어 있고

나는 또한 어두움을 찾아 걸어갔다.

아침이면

---

51 최초 발표본(『부산일보』, 1951.12.3)이 새롭게 발굴된 작품이다.

52 국어 어문규정에 따르면 '설레는'이 맞지만 원본의 느낌을 살리기 위해 '설레이는'으로 적는
다. 이후 작품에 나오는 '설레이고'와 '설레이며'도 이 같이 표기한다.

누구도 알지 못하는 나만의 비밀이
내 피곤한 발걸음을 최촉催促하였고
세계의 낙원이었던
대학의 정문은
지금 총칼로 무장되었다.

목수꾼[53] 정치가여
너의 얼굴은 황혼처럼 고웁다[54]
옛날 그 이름 모르는 토지에 태어나
굴욕과 권태로운 영상에 속아가며
네가 바란 것은 무엇이었더냐

문제 되는 것
평범한 죽음 옆에서
한없이 우리를 괴롭히는 것

나는 내 젊음의 절망과
이 처참이 이어 주는 생명과 함께
문제 되는 것만이
군집 되어 있는 것을 알았다.

---

53 '목수'라는 말에는 이미 '사람'의 의미가 담겨 있다. 따라서 굳이 '꾼'이라는 접미사를 쓸 필요
가 없다. 하지만 정치가에 대한 부정적인 생각을 표현하려고 한 시인의 의도를 고려하여 '목
수꾼'으로 적는다.
54 국어 어문규정에 따르면 '곱다'가 맞지만 원본의 느낌을 살리기 위해 '고웁다'로 적는다.

검은 신이여

저 묘지에서 우는 사람은 누구입니까.

저 파괴된 건물에서 나오는 사람은 누구입니까

검은 바다에서 연기처럼 꺼진 것은 무엇입니까

인간의 내부에서 사멸된 것은 무엇입니까.

일 년이 끝나고 그 다음에 시작되는 것은 무엇입니까.

전쟁이 뺏어 간 나의 친우는 어데서 만날 수 있습니까.

슬픔 대신에 나에게 죽음을 주시오.

인간을 대신하여 세상을 풍설로 뒤덮어 주시오.

건물과 창백한 묘지 있던 자리에

꽃이 피지 않도록.

하루의 일 년의 전쟁의 처참한 추억은

검은 신이여

그것은 당신의 주제일 것입니다.

서부전선에서

윤을수尹乙洙 신부神父에게

싸움이 다른 곳으로 이동한
이 작은 도시에
연기가 오른다.
종소리가 들린다.
희망의 내일이 오는가.
비참한 내일이 오는가.
아무도 확언하는 사람은 없었다.

그러나 연기 나는 집에는
흩어진 가족이 모여들었고
비 내린 황톳길을 걸어
여러 성직자는 옛날 교구로 돌아왔다.

'신이여 우리의 미래를 약속하시오
회한과 불안에 얽매인 우리에게 행복을 주시오'
주민은 오직 이것만을 원한다.

군대는 북으로 북으로 갔다.
토막土幕에서도 웃음이 들린다.

비둘기들이 화창한
봄의 햇볕을 쪼인다.

신호탄

수색대장 K중위는 신호탄을 올리며 적병
삼십 명과 함께 죽었다. 1951년 1월

위기와 영광을 고할 때
신호탄은 터진다.
바람과 함께 살던 유년幼年도
떠나간 행복의 시간도
무거운 복잡에서
더욱 단순으로 순화醇化하여 버린다.

옛날 식민지의 아들로
검은 땅덩어리를 밟고
그는 죽음[55]을 피해
태양 없는 처마 끝을 걸었다.

어두운 밤이여
마지막 작별의 노래를
그 무엇으로 표현하였는가.
슬픈 인간의 유형類型을 벗어나

---

[55] 원본에는 '주검'으로 표기되었다. 문맥상 "그는 송장(주검)을 피해 / 태양 없는 처마 끝을 걸었다"보다는 "그는 죽는 일(죽음)을 피해 / 태양 없는 처마 끝을 걸었다"로 해석하는 것이 적절하기 때문에 '죽음'으로 적는다.

참다운 해방을
그는 무엇으로 신호하였는가.

'적을 쏘라
침략자 공산군을 사격해라.
내 몸뚱어리가 벌집처럼 터지고
뻘건 피로 화할 때까지
자장가를 불러 주신 어머니
어머니 나를 중심으로 한 주변에
기총을 소사掃射하시오 적은 나를 둘러쌌소'

생과 사의 눈부신 외접선을 그으며
하늘에 구멍을 뚫은 신호탄
그가 침묵한 후
구멍으로 끊임없이 비가 내렸다.
단순에서 더욱 죽음[56]으로
그는 나와 자유의 그늘에서 산다.

---

[56] 제1부 정본의 각주 55의 용례에 따라 '죽음'으로 적는다.

종말

생애를 끝마칠
임종의 존엄을 앞두고
정치가와 회색 양복을 입은 교수와
물가지수를 논의하던
불안한 샹들리에 아래서
나는 웃고 있었다.

피로한 인생은
지나支那의 벽처럼 우수수 무너진다.
나도 이에 유형類型되어
나의 종말의 목표를 지향하고 있었다.
그러나 숨 가쁜 호흡은 끊기지 않고
의식은 죄수와도 같이 밝아질 뿐

밤마다 나는 장미를 꺾으러
금단의 계곡으로 내려가서
동란動亂을 겪은 인간처럼 온 손가락을 피로 물들이어
암흑을 덮어 주는 월광을 가리키었다.
나를 쫓는 꿈의 그림자

다음과 같이 그는 말하는 것이다.
…… 지옥에서 밀려 나간 운명의 패배자
너는 또다시 돌아올 수 없다……

…… 처녀의 손과 나의 장갑을
구름의 의상과 나의 더럽힌 입술을……
이런 유행가의 구절을
새벽녘 싸늘한 피부가 나의 육체와 마주칠 때까지
노래하였다.
노래가 멈춘 다음
내 죽음의 막이 오를 때

오 생애를 끝마칠 나의 최후의 주변에
양주 값을
구두 값을 책값을
네가 들어갈 관棺 값을 청산하여 달라고
(그들은 사회社會의 예절과 언어를 확실히 체득하고 있다)
달려든 지난날의 친우들.

죽을 수도 없고
옛이나[57] 현재나 변함이 없는 나
정치가와 회색 양복을 입은 교수의 부고訃告와

---

57 국어 어문규정에 따르면 '예나'가 맞지만 원본의 느낌을 살리기 위해 '옛이나'로 적는다.

그 상단에 보도되어 있는

어제의 물가 시세를 보고

세 사람이 논의하던 그 시절보다

모든 것이 천 배 이상이나 앙등되어 있는 것을 나는 알았다.

허나 봄이 되니 수목은 또다시 부풀어 오르고

나의 종말은 언제인가[58]

어두움처럼 생과 사의 구분 없이

항상 임종의 존엄만 앞두고

호수의 물결이나 또는 배처럼

한계만을 헤매이는[59]

지옥으로 돌아갈 수도 없는 자

이젠 얼굴도 이름도 스스로 기억지[60] 못하는

영원한 종말을

웃고 울며 헤매는 또 하나의 나.

---

58 맹문재 본에서는 다음 행에서 연 구분을 하지 않았다.
59 국어 어문규정에 따르면 '헤매는'이 맞지만 원본의 느낌을 살리기 위해 '헤매이는'으로 적는다.
60 원본에는 '기억ㅎ지'로 표기되었다. 본딧말은 '기억하지'이며 국어 어문규정에 따라 그 준말을 '기억지'로 적는다. 이후 작품에서 받침이 안울림소리로 끝나는 명사에 접미사 '−하다'가 결합하여 파생된 용언의 경우, 어간 끝음절 '하'가 아주 줄어든 단어들은 모두 이 같이 표기한다. 또한 받침이 울림소리로 끝나는 명사에 접미사 '−하다'가 결합하여 파생된 용언의 경우, 어간의 끝음절 '하'의 'ㅏ'가 줄고 'ㅎ'이 다음 음절의 첫소리와 어울려 거센소리로 바뀔 적에는 거센소리로 적는다.

약속[61]

먹을 것이 없어도

배가 고파도

우리는 살아 나갈 것을

약속합시다.

떨어진 신발

무릎팍[62]이 보이는 옷을 걸치고

우리는 열심히 배울 것을

약속합시다.

세상은 그리 아름답지

못하나

푸른 하늘과 내

마음은 영원한 것

오직 약속에서 오는

즐거움을 기다리면서

남보담 더욱 진실히

살아 나갈 것을

약속합시다.

---

61 이전의 작품집이나 전집에는 실려 있지 않은 새롭게 발굴된 작품이다.
62 국어 어문규정에 따르면 '무릎'이 맞지만 원본의 느낌을 살리기 위해 '무릎팍'으로 적는다.

미래의 창부娼婦[63]
새로운 신에게

여윈 목소리로 바람과 함께
우리는 내일을 약속지 않는다.
승객이 사라진 열차 안에서
오 그대 미래의 창부여
너의 희망은 나의 오해와
감흥만이다.

전쟁이 머무른 정원에
설레이며 다가드는
불운한 편력의 사람들
그 속에 나의 청춘이 자고
희망이 살던
오 그대 미래의 창부여
너의 욕망은
나의 질투와 발광만이다.

향기 짙은 젖가슴을

---

63 최초 발표본(『주간국제』 10호, 1952.7.15)이 새롭게 발굴된 작품이다.

총알로 구멍 내고
암흑의 지도地圖 고절孤絶된 치마 끝을
피와 눈물과
최후의 생명으로 이끌며
오 그대 미래의 창부여
너의 목표는 나의 무덤인가.
너의 종말도 영원한 과거인가.

바닷가의 무덤[64]

쏟아져 오는 바람에 기대어
나는 행복된 날을 생각한다
허나 떠날 수 없는 항구여
작별할 수 없는 육지여

나는 지금 병원선病院船의 네온을 바라보면서
짧은 인간의 운명에 있어
진실로 행복된 것이 무엇이었던가를 생각한다

평이한 죽음의 바다
갈매기 기적汽笛
시체와 같이 표정 없는 선박
사랑과 영광에 살던 가랋아 버린 풍경
좀처럼 나와는 가까이할 수 없는 돈과도 같이
이 불모의 토지에서
불행한 종말의 항구에 있어서
나에게도 행복된 날이 있었던 것인가

---

64 이전의 작품집이나 전집에는 실려 있지 않은 새롭게 발굴된 작품이다.

성하盛夏

구멍 난 하늘에선 비도 나리지 않고
내가 겨눈 최후의 화살은
신의 가슴을 찔렀다

어두운 밤이면
무덤과 같이 조용한 부산釜山의 시가를 벗어나
쏟아져 오는 바람에 기대어
떠나야 할 항구와
작별할 수밖에 없는 육지를
지나간 행복처럼 생각하는 것이다

구름과 장미[65]

구름은 자유스럽게
푸른 하늘 별빛 아래
흘러가고 있었다

장미는 고통스럽게
내리쪼이는[66] 태양 아래
홀로 피어 있었다

구름은 서로 손잡고
바람과 박해를 물리치며
더욱 멀리 흘러가고 있었다

장미는 향기 짙은 몸에 상처를 지니며
그의 눈물로 붉게 물들이고
침해하는 자에게 꺾이어 갔다

---

65 이전의 작품집이나 전집에는 실리지 않은 새롭게 발굴된 작품이다.
66 원본에는 '네려쪼이는'으로 표기되었다. '내려서 쪼이는'의 뜻을 가지지 않기 때문에 국어 어문 규정에 따라 '내리쪼이는'으로 적는다. 이후 작품에 나오는 '내려 쪼이는'도 이 같이 표기한다.

어느 날 나는 보았다

산과 바다가 정막靜寞에 잠겼을 때

구름은 흐르고

장미는 시들은[67] 것을……

---

67 국어 어문규정에 따르면 '시든'이 맞지만 원본의 느낌을 살리기 위해 '시들은'으로 표기한다.
    이후 작품에 나오는 '시들은'도 모두 이와 같이 표기한다.

살아 있는 것이 있다면

현재의 시간과 과거의 시간은
거의 모두가 미래의 시간 속에 나타난다
(T. S. 엘리엇)

살아 있는 것이 있다면
그것은 나와 우리들의 죽음보다도
더한 냉혹하고 절실한
회상과 체험일지도 모른다.

살아 있는 것이 있다면
여러 차례의 살육에 복종한 생명보다도
더한 복수와 고독을 아는
고뇌와 저항일지도 모른다.

한 걸음 한 걸음 나는 허물어지는
정적靜寂과 초연硝煙의 도시 그 암흑 속으로 ……
명상과 또다시 오지 않을 영원한 내일로 ……
살아 있는 것이 있다면
유형流刑의 애인처럼 손잡기 위하여
이미 소멸된 청춘의 반역을 회상하면서
회의懷疑와 불안만이 다정스러운
모멸[68]의 오늘을 살아 나간다.

…… 아 최후로 이 성자聖者의 세계에

살아 있는 것이 있다면 분명히

그것은 속죄의 회화繪畵 속의 나녀裸女와

회상도 고뇌도 이제는 망령에게 팔은[69]

철없는 시인

나의 눈감지 못한

단순한 상태의 시체일 것이다 ……

---

68 원본에는 '회멸悔蔑'로 표기되었는데 문맥상 그 의미가 어색하다. '모멸侮蔑'의 오기 또는 오식
으로 추정된다.
69 국어 어문규정에 따르면 '판'이 맞지만 원본의 느낌을 살리기 위해 '팔은'으로 적는다.

자본가에게

나는 너희들의 매니페스토의 결함을 지적한다
그리고 모든 자본이 붕괴한 다음
태풍처럼 너희들을 휩쓸어 갈
위험성이
파장波長처럼 가까워진다는 것도

옛날 기사技師가 도주하였을 때
비행장에 궂은비가 내리고
모두 목메어 부른 노래는
밤의 말로末路에 불과하였다.

그러므로 자본가여
새삼스럽게 문명을 말하지 말라
정신과 함께 태양이 도시를 떠난 오늘
허물어진 인간의 광장에는
비둘기 떼의 시체가 흩어져 있었다.

신작로를 바람처럼 굴러간
기체機體의 중축中軸은[70]

어두운 외계 절벽 밑으로 떨어지고
조종자의 얇은 작업복이
하늘의 구름처럼 남아 있었다.

잃어버린 일월日月의 선명한 표정들
인간이 죽은 토지에서
타산치 말라
문명의 모습이 숨어 버린 황량한 밤
성안成案은
꿈의 호텔처럼 부서지고
생활과 질서의 신조信條에서 어긋난
최후의 방랑은 끝났다.

지금 옛날 촌락을 흘려보낸71
슬픈 비는 내린다.

---

70 원본에는 '중유中軸는'으로 표기되었는데 문맥상 그 의미가 어색하다. '중축中軸은'의 오기 또는
    오식으로 추정된다. 『현대국문학수現代國文學粹』(1952. 11)에도 '중축中軸은'으로 표기되었다.
71 원본에는 '흘려버린'으로 표기되었다. 하지만 '흘려버린'의 사전적 의미는 '주의 깊게 듣지 아
    니하고 넘겨 버리다'이므로 문맥상 '흘러가는 것을 그냥 내버려 두다'는 뜻을 지닌 '흘려보낸'
    이 적절한 표현이다.

낙하

미끄럼판에서
나는 고독한 아킬레스처럼
불안의 깃발 날리는
땅 위에 떨어졌다
머리 위의 별을 헤아리면서

그 후 이십 년
나는 운명의 공원 뒷담 밑으로
영속된 죄의 그림자를 따랐다.

아 영원히 반복되는
미끄럼판의 승강昇降
친근에의 증오와 또한
불행과 비참과 굴욕에의 반항도 잊고
연기 흐르는 쪽으로 달려가면
오욕의 지난날이 나를 더욱 괴롭힐 뿐.

멀리선 회색 사면斜面과
불안한 밤의 전쟁

인류의 상흔과 고뇌만이 늘고
아무도 인식지 못할
망각의 이 지상에서
더욱 더욱 가랁아 간다.

처음 미끄럼판에서
내려 달린 쾌감도
미지의 숲 속을
나의 청춘과 도주하던 시간도
나의 낙하하는
비극의 그늘에 있다.

세 사람의 가족

나와 나의 청순한 아내
여름날 순백한 결혼식이 끝나고
우리는 유행품으로 화려한
상가의 쇼윈도를 바라보며 걸었다.

전쟁이 머물고
평온한 지평에서
모두의 단편적인 기억이
비둘기의 날개처럼 솟아나는 틈을 타서
우리는 내성內省과 회한에의 여행을 떠났다.

평범한 수확[72]의 가을
겨울은 백합처럼 향기를 풍기고 온다
죽은 사람들은 싸늘한 흙 속에 묻히고
우리의 가족은 세 사람.

---

[72] 원본에는 '수획收獲'으로 표기되었으나 문맥상 '가을걷이'를 뜻하는 '수확收穫'이 적절한 표현이다. 『한국시집』 상(1952.12.31)에도 '수획收獲'으로 표기되었다. 문승묵 본은 원본대로 '수획收獲'으로, 맹문재 본은 '수확'으로 고쳐서 썼다. 하지만 맹문재 본의 경우 시어의 교열에 대한 아무런 설명이 없다.

토르소의 그늘 밑에서
나의 불운한 편력인 일기책이 떨고
그 하나하나의 지면紙面은
음울한 회상의 지대로 날아갔다.

아 창백한 세상과 나의 생애에
종말이 오기 전에
나는 고독한 피로에서
빙화氷花처럼 잠든 지나간 세월을 위해
시를 써 본다.

그러나 창밖
암담한 상가
고통과 구토가 동결된 밤의 쇼윈도
그 곁에는
절망과 기아의 행렬이 밤을 새우고
내일이 온다면
이 정막靜寞의 거리에 폭풍이 분다.

서적과 풍경[73]

서적은 황폐한 인간의 풍경에 광채를 띠웠다.[74]
서적은 행복과 자유와 어떤 지혜를
인간에게 알려 주었다.

지금은 살육의 시대
침해된 토지에서는 인간이 죽고
서적만이
한없는 역사를 이야기해 준다.

오래도록 사회가 성장하는 동안
활자는 기술과 행렬의 혼란을 이루었다.
바람에 퍼덕이는 여러 페이지들
그 사이에는
자유 불란서 공화국의 수립
영국의 산업혁명
F. 루즈벨트 씨의 미소와 아울러

---

73 최초 발표본(『민주경찰』 32호, 1953.4)이 새롭게 발굴된 작품이다.
74 원본에는 '띠웠다'로 표기되었지만 문승묵 본에서는 '띄웠다'로, 맹문재 본에서는 '띠었다'로
    잘못 적었다. 문맥상 '광채를 띠게 했다'는 의미이기 때문에 원본대로 '띠웠다'로 적는다.

뉴기니아와 오키나와를 거쳐[75]
전함 미주리호[76]에 이르는 인류의 과정이
모두 가혹한 회상을 동반하며 나타나는 것이다.

내가 옛날 위대한 반항을 기도企圖하였을 때
서적은 백주白晝의 장미와 같은
창연하고도 아름다운 풍경을
마음속에 그려 주었다.
소련에서 돌아온 앙드레 지드 씨
그는 진리와 존엄에 빛나는 얼굴로
자유는 인간의 풍경 속에서
가장 중요한 요소이며
우리는 영원한 '풍경'을 위해
자유를 옹호하자고 말하고
한국에서의 전쟁이 치열의 고조에
달하였을 적에
모멸과 연옥煉獄의 풍경을
응시하며 떠났다.

1951년의 서적
나는 피로한 몸으로 백설을 밟고 가면서

---

75 원본에는 '걸처'로 표기되었다. '걸치다'는 '일정한 횟수나 시간, 공간을 거쳐 이어지다'라는
    뜻을 가진 말이다. 문맥상 '뉴기니아와 오키나와를 지나서 미주리함에 이르다'는 의미이므로
    '오가는 도중에 어디를 지나거나 들르다'라는 뜻을 지닌 '거치다'의 활용형인 '거쳐'로 적는다.
76 2차 세계대전 당시 일본의 항복 문서 조인식이 거행되었던 미국 군함이다.

이 암흑의 세대를 휩쓰는

또 하나의 전율이

어데 있는가를 탐지하였다.

오래도록 인간의 힘으로 인간인 때문에

위기에 봉착된 인간의 최후를

공산주의의 심연에서 구출코자

현대의 이방인 자유의 용사는

세계의 한촌寒村 한국에서 죽는다.

스코틀랜드에서 애인과 작별한 R. 지미 군

잔 다르크의 전기를 쓴 페르디난트 씨

태평양의 밀림과 여러 호소湖沼의 질병과 싸우고

바탄과 코레히도르[77]의 준열의 신화를

자랑하던 톰 미첨 군

이들은 한 사람이 아니다. 신의 제단에서

인류만의 과감한 행동과 분노로

사랑도 기도祈禱도 없이

무명고지 또는 무명 계곡에서 죽었다.

나는 눈을 감는다.

평화롭던 날 나의 서재에 군집했던

서적의 이름을 외운다.[78]

---

77 필리핀의 수도 마닐라의 서쪽 해상에 위치해 있는 바탄 반도와 코레히도르 섬을 지칭한다. 태
    평양 전쟁 당시 일본이 이 지역을 점령하였으나 미국과 필리핀 연합군이 격전 끝에 탈환했다.
78 원본에는 '에운다'로 표기되었지만 문맥상 '외운다'가 적절한 표현이다. 『민주경찰』 32호
    (1953.4)에도 '외운다'로 표기되었다.

한 권 한 권이

인간처럼 개성이 있었고

죽어 간 병사처럼 나에게 눈물과

불멸의 정신을 알려 준 무수한 서적의 이름을……

이들은 모이면 인간이 살던

원야原野와 산과 바다와 구름과 같은

인상의 풍경을 내 마음에 투영해 주는 것이다.

지금 싸움은 지속된다.

서적은 불타오른다.

그러나 서적과 인상의 풍경이여

너의 구원久遠한 이야기와 표정은 너만의 것이 아니다.

F. 루스벨트 씨가 죽고

더글러스 맥아더가 육지에 오를 때

정의의 불을 토하던

여러 함정과 기총과 태평양의 파도는 잔잔하였다.

이러한 시간과 역사는

또다시 자유 인간이 참으로 보장될 때

반복될 것이다.

비참한 인류의

새로운 미주리호에의 과정이여

나의 서적과 풍경은

내 생명을 건 싸움 속에 있다.

전후기

(1954.2.5~1956.3.17)

부드러운 목소리로 이야기할 때

나는 언제나 샘물처럼 흐르는
그러한 인생의 복판에 서서
전쟁이나 금전이나 나를 괴롭히는 물상物象과
부드러운 목소리로 이야기할 때
한줄기 소낙비는 나의 얼굴을 적신다.

진정코[79] 내가 바라던 하늘과 그 계절은
푸르고 맑은 내 가슴을 눈물로 스치고
한때 청춘과 바꾼 반항도
이젠 서적처럼 불타 버렸다.

가고 오는 그러한 제상諸相과 평범 속에서
술과 어지러움을 한恨하는 나는
어느 해 여름처럼 공포에 시달려
지금은 하염없이 죽는다.

사라진 일체의 나의 애욕아

---

[79] 국어 어문규정에 따르면 '진정' 혹은 '진정으로'가 맞지만 원본의 느낌을 살리기 위해 '진정코'로 적는다.

지금 형태도 없이 정신을 잃고
이 쓸쓸한 들판
아니 이지러진 길목 처마 끝에서
부드러운 목소리로 이야기한들
우리들 또다시 살아 나갈 것인가.

정막靜寞처럼 잔잔한
그러한 인생의 복판에 서서
여러 남녀와 군인과 또는 학생과
이처럼 쇠퇴衰頹한 철없는 시인이
불안이다 또는 황폐롭다
부드러운 목소리로 이야기한들
광막한 나와 그대들의 기나긴 종말의 노정은
예나 지금이나 변함없노라.

오 난해한 세계
복잡한 생활 속에서
이처럼 알기 쉬운 몇 줄의 시와
말라 버린 나의 쓰디쓴 기억을 위하여
전쟁이나 사나운 애정을 잊고
넓고도 간혹 좁은 인간의 단상에 서서
내가 부드러운 목소리로 이야기할 때
우리는 서로 만난 것을 탓할 것인가
우리는 서로 헤어질 것을 원할 것인가.

눈을 뜨고도

우리들의 섬세한 추억에 관하여
확신할 수 있는 잠시
눈을 뜨고도
볼 수 없는 상태는 어찌할 수가 없었다.

진눈깨비처럼 아니
이지러진 사랑의 환영처럼
빛나면서도
암흑처럼 다가오는
오늘의 공포
거기 나의 기묘한 청춘은 자고
세월은 간다.

녹슬은[80] 흉부에
잔잔한 물결에 회상과 회한은 없다.

---

80 원본에는 '녹쓸은'으로 표기되었다. 국어 어문규정에 따르면 '녹슨'이 맞지만 원본의 느낌을
살리기 위해 '녹슬은'으로 적는다. '녹쓸은'으로 표기하지 않는 이유는 '녹슬은'으로 표기하더
라도 된소리되기 규칙에 따라 [녹쓰른]으로 발음되기 때문이다. 이후 작품에 나타나는 '녹슬
은', '녹쓸은', '녹쓰른'은 모두 '녹슬은'으로 표기한다.

푸른 하늘가를
기나긴 하계夏季의 비는 내렸다.
겨레와 울던 감상感傷의 날도
진실로
눈을 뜨고도 볼 수 없는 상태
우리는 결코
맹목의 시대에 살고 있는 것인가.
시력視力은 복종의 그늘을 찾고 있는 것인가

지금 우수에 잠긴 현창舷窓에 기대어
살아 있는 자의 선택과
죽어간 놈의 침묵처럼
보이지는 않으나 관능과 의지의
믿음만을 원하며
목을 굽히는 우리들
오, 인간의 가치와
조용한 지면地面에 파묻힌 사자死者들

또 하나의 환상과
나의 불길한 혐오
참으로 조소嘲笑로운 인간의 주검과
눈을 뜨고도
볼 수 없는 상태
얼마나 무서운 치욕이냐.

단지 존재와 부재의 사이에서

미스터 모某의 생과 사

입술에 피를 바르고
미스터 모는 죽는다.

어두운 표본실에서
그의 생존 시의 기억은
　　미스터 모의 여행을
　　기다리고 있었다.

원인도 없이
유산遺産은 더욱 없이
미스터 모는 생과 작별하는 것이다.

일상이 그러한 것과 같이
죽음[81]은 친우와도 같이
　　다정스러웠다.

---

81 원본과 문승묵 본 및 맹문재 본에는 '주검'으로 표기되었다. 제1부 정본의 각주 55와 마찬가지
로 문맥상 '죽는 일'이 '미스터 모에게는 친우처럼 다정스러웠다'는 의미이기 때문에 '죽음'으
로 적는다.

미스터 모의 생과 사는
신문이나 잡지의 대상이 못 된다.
오직 유식한 의학도의
일편一片의 소재로서
해부의 대臺에 그 여운을 남긴다.

무수한 촉광 아래
상흔은 확대되고
미스터 모는 죄가 많았다.
그의 청순한 아내
지금 행복은 의식意識의 중간을 흐르고 있다.

결코
평범한 그의 죽음을 비극이라 부를 수 없었다.
산산이 찢어진 불행과
결합된 생과 사와
이러한 고독의 존립을 피하며
미스터 모는
영원히 미소하는 심상心象을
손쉽게 잡을 수가 있었다.

봄은 왔노라

겨울의 괴로움에 살던 인생은 기다릴 수 있었다
마음이 아프고 세월은 가도 우리는 삼월을 기다렸노라.

사랑의 물결처럼
출렁거리며 인생의 허전한 마음을 슬기로운
태양만이 빛내 주노라.

전화戰火에 사라진
우리들의 터전에
페르스 네즈[82]의 꽃은 피려니
'세계가 꿈이 되고
꿈이 세계가 되는'
줄기찬 봄은 왔노라.

어두운 밤과 같은
고독에서 마음을
슬프게 피로疲勞시키던 겨울은

---

[82] perce neige. 이른 봄에 피는 작고 흰 백합과의 꽃을 뜻하는 프랑스어이다. 영어로는 스노드롭
snowdrop이라고 한다.

울음소리와 함께 그치고

단조로운 소녀의
노래와도 같이

그립던 평화의 날과도 같이

인생의 새로운 봄은 왔노라

페르스 네즈(Perce-neige)

밤의 미매장 未埋葬[83]

우리들을 괴롭히는 것은 주검이 아니라 장례식이다

당신과 내일부터는 만나지 맙시다.
나는 다음에 오는 시간부터는 인간의 가족이 아닙니다.
왜 그러할 것인지 모르나
지금처럼 행복해서는
조금 전처럼 착각이 생겨서는
다음부터는 피가 마르고 눈은 감길 것입니다.

사랑하는 당신의 침대[84] 위에서
내가 바랄 것이란 나의 비참이 연속되었던
수없는 음영의 연월年月이
이 행복의 순간처럼 속히 끝나 줄 것입니다.
…… 뇌우 속의 천사
그가 피를 토하며 알려 주는 나의 위치는
광막한 황지荒地에 세워진 궁전보다도 더욱 꿈같고
나의 편력처럼 애처롭다는 것입니다.

---

83 『현대예술』 2호(1954.6)에 수록된 작품은 단연으로 구성되었으며, 작품 말미에 "MAY 1951"
   이라는 창작 시기가 부기되었다.
84 제1부 정본의 각주 48과 마찬가지로 원본에는 '寢台'로 표기되었다.

사랑하는 당신의 부드러운 젖과 가슴을 내 품 안에 안고
나는 당신이 죽는 곳에서 내가 살며
내가 죽는 곳에서 당신의 출발이 시작된다고 ……
황홀히 생각합니다.
그리고 저기 무지개처럼 허공에 그려진
감촉과 향기만이 짙었던 청춘의 날을 바라봅니다.

당신은 나의 품속에서 신비와 아름다운 육체를
숨김없이 보이며 잠이 들었습니다.
불멸의 생명과 나의 사랑을 대치하셨습니다.
호흡이 끊긴 불행한 천사 ……
당신은 빙화氷花처럼 차가우면서도
아름답게 행복의 어두움 속으로 떠나셨습니다.
고독과 함께 남아 있는 나와
희미한 감응感應의 시간과는 이젠 헤어집니다
장송곡을 연주하는 관악기 모양
최종 열차의 기적汽笛이 정신을 두드립니다.
시체인 당신과
벌거벗은 나와의 사실을
불안한 지구地區에 남기고
모든 것은 물과 같이 사라집니다.

사랑하는 순수한 불행이여 비참이여 착각이여
결코 그대만은

언제까지나 나와 함께 있어 주시오

내가 의식하였던

감미甘味한 육체와 회색 사랑과

관능적인 시간은 참으로 짧았습니다.

잃어버린 것과

욕망에 살던 것은……

사랑의 자체姿體와 함께 소멸되었고

나는 다음에 오는 시간부터는 인간의 가족이 아닙니다.

영원한 밤

영원한 육체

영원한 밤의 미매장

나는 이국異國의 여행자처럼

무덤에 핀 차가운 흑장미를 가슴에 답니다.

그리고 불안과 공포에 펄떡이는

사자死者의 의상을 몸에 휘감고

바다와 같은 묘망渺茫한 암흑 속으로 뒤돌아 갑니다.[85]

허나 당신은 나의 품 안에서 의식은 회복지 못합니다.

---

[85] 문승묵 본에서는 '뒤돌아갑니다'로 표기했다. 문맥상 '뒤돌아서 갑니다'의 의미를 지니기 때문에 띄어서 적는다.

센티멘털 저니

주말여행
엽서 …… 낙엽
낡은 유행가의 설움에 맞추어
피폐한 소설을 읽던 소녀.

이태백의 달은
울고 떠나고
너는 벽화에 기대어
담배를 피우는 숙녀.

카프리 섬의 원정園丁
파이프의 향기를 날려 보내라
이브는 내 마음에 살고
나는 그림자를 잡는다.

세월은 관념
독서는 위장
거저[86] 죽기 싫은 예술가.

오늘이 가고 또 하루가 온들
도시에 분수는 시들고
어제와 지금의 사람은
천상天上 유사有事를 모른다.

술을 마시면 즐겁고
비가 내리면 서럽고
분별이여 구분이여.

수목은 외롭다
혼자 길을 가는 여자와 같이
정다운 것은 죽고
다리 아래 강은 흐른다.

지금 수목에서 떨어지는 엽서
긴 사연은
구름에 걸린 달 속에 묻히고
우리들은 여행을 떠난다
주말여행
별말씀
거저 옛날로 가는 것이다.

---

86 『신태양』 3-7호(1954.7)와 『1954년 연간시집』(1955.6)에는 '그저'로, 『선시집』(1955.10)에는
'거저'로 표기되었다. 시인이 의도적으로 선택한 시어라고 판단되기 때문에 '거저'로 적는다.
'그저'로 발표되었다가 『선시집』에 '거저'로 바뀌어 수록된 경우는 모두 이와 같이 표기한다.

아 센티멘털 저니
센티멘털 저니

가을의 유혹[87]

가을은 내 마음에

유혹의 길을 가리킨다

숙녀들과 바람의 이야기를 하면

가을은 다정한 피리를 불면서

회상의 풍경으로 지나가는 것이다.

전쟁이 길게 머무른 서울의 노대露臺[88]에서

나는 모딜리아니의 화첩을 뒤적거리며

정막靜寞한 하나의 생애의 한시름을

찾아보는 것이다

그러한 순간

가을은 청춘의 그림자처럼 또는

낙엽 모양 나의 발목을 끌고

즐겁고 어두운 사념思念의 세계로 가는 것이다.

즐겁고 어두운 가을의 이야기를 할 때

---

87 최초 발표본(『민주경찰』 43호, 1954.9)이 새롭게 발굴된 작품이다.
88 원본에는 '露台'로 표기되었다. 제1부 정본의 각주 48과 각주 84의 경우와 마찬가지로 '台'는 '臺'의 일본식 한자 표기이기 때문에 '露臺'로 적는다.

목메인[89] 소리로 나는 사랑의 말을 한다

그것은 폐원廢園[90]에 있던 벤치에 앉아

고갈된 분수를 바라보며

지금은 죽은 소녀의 팔목을 잡던 것과 같이

쓸쓸한 옛날의 일이며

여름은 느리고 인생은 가고

가을은 또다시 오는 것이다.

회색 양복과 목관악기는 어울리지 않는다

그저 목을 늘어트리고[91]

눈을 감으면

가을의 유혹은 나로 하여금 잊을 수 없는

사랑의 사람으로 한다

눈물 젖은 눈동자로 앞을 바라보면

인간이 매몰될 낙엽이

바람에 날리어 나의 주변을 휘돌고 있다.

---

89 국어 어문규정에 따르면 '목멘'이 맞지만 원본의 느낌을 살리기 위해 '목메인'으로 표기한다.

90 문승묵 본에서는 한자를 '폐원廢院'으로 잘못 표기했다.

91 원본에는 '느러트리고'로, 『목마와 숙녀』(1976. 3. 10)에는 '늘어뜨리고'로 표기되었지만 원본의 느낌을 살리기 위해 '늘어트리고'로 표기한다. 국어 어문규정에 따르면 '늘어트리고'와 '늘어뜨리고'는 복수 표준어이다.

행복

노인은 육지에서 살았다.
하늘을 바라보며 담배를 피우고
시들은 풀잎에 앉아
손금도 보았다.
차 한 잔을 마시고
정사情死한 여자의 이야기를
신문에서 읽을 때
비둘기는 지붕 위에서 휠휠 날았다.
노인은 한숨도 쉬지 않고
더욱 아무것도 바라지 않으며
성서를 외우고[92] 불을 끈다.
그는 행복이라는 것을 말하지 않았다.
거저 고요히 잠드는 것이다.

노인은 꿈을 꾼다.
여러 친구와 술을 나누고
그들이 죽음[93]의 길을 바라보던 전날을.

---

92 『동아일보』(1955.2.17)와 『전시 한국문학선 시편』(1955.6)에는 '외우고'로, 『선시집』(1955.10)
에는 '에우고'로 표기되었다. 문맥상 '외우고'가 적절한 표현이다.

노인은 입술에 미소를 띠우고[94]

쓰디쓴 감정을 억제할 수가 있다.

그는 지금의 어떠한 순간도

증오할 수가 없었다.

노인은 죽음을 원하기 전에

옛날이 더욱 영원한 것처럼 생각되며

자기와 가까이 있는 것이

멀어져 가는 것을

분간할 수가 있었다.

93 『동아일보』와 『전시 한국문학선 시편』에는 '죽엄'으로, 『선시집』에는 '죽음'으로 표기되었
다. 이것은 제1부 정본의 각주 55 · 56 · 81 등과 함께 박인환 시에 빈번하게 나타나는 '죽엄'이
'주검'이 아닌 '죽음'의 의미임을 입증하는 단서가 된다.

94 원본에는 '띠우고'로, 문승묵 본에는 '띠고'로, 맹문재 본에는 '띄우고'로 표기되었다. 문맥상
'사람이 감정이나 기운 따위를 감지할 수 있을 만큼 드러내다'의 뜻일 뿐 사동의 의미를 지니
지는 않는다. 따라서 국어 어문규정에 따르면 '띠고'가 맞지만 원본의 느낌을 살리기 위해 '띠
우고'로 적는다. 맹문재 본의 표기인 '띄우고'는 '뜨게 하고'의 뜻이므로 '띠다'와는 의미상 관
련이 없다.

봄 이야기

농부가 술을 마실 때 나무에서 새가 날았다.
봄날. 언젠가 사나운 겨울이 가고 봄은 왔단다.
사랑이 싹트고 웃음이 우거지는 전원.
조마사調馬師와 수녀
풍경 속에서 종이 울린다.

주장酒場의 작부酌婦와 손을 맞잡고
꽃 이야기는 어울리지 않는다. 그저
옛날이 아니면 내일의 거짓말을 하면서
이날을 보내는 것이다.

술을 마시고 나면 아무에게나 인사해도 좋다.
산과 강물은 푸르고 인생은 젊었다.
농부의 말은 숲속으로 달아나고
옷 벗은 수녀는 수치를 모른다.

황혼. 연지와 같이 고운 하늘은 멀다.
물방아는 돌고 바람은 가슴을 찌른다.
그럴 때 새가 재잘거리는 것처럼

사람들은 휘파람에 맞추어 노래한다.

…… 봄은 진정 즐거운 것인가 …… 고.

교회의 종소리가 어두움을 알린다.

새벽 한 시의 시詩

대낮보다도 눈부신
포틀랜드의 밤거리에
단조로운 글렌 밀러[95]의 랩소디가 들린다.
쇼윈도에서 울고 있는 마네킹.

앞으로 남지 않은 나의 잠시를 위하여
기념이라고 진피즈[96]를 마시면
녹슬은 가슴과 뇌수에 차디찬 비가 내린다.

나는 돌아가도 친구들에게 얘기할 것이 없구나
유리로 만든 인간의 묘지와
벽돌과 콘크리트 속에 있던
도시의 계곡에서
흐느껴 울었다는 것 외에는 ……..

천사처럼
나를 매혹시키는 허영의 네온.

---

95 Glenn Miller(1904~1944). 1930년대 미국에서 유행한 스윙 재즈 음악의 대가이다.
96 진에 설탕, 얼음, 레몬을 넣고 탄산수를 부어서 만든 칵테일을 가리킨다.

너에게는 안구眼球가 없고 정서情抒가 없다.
여기선 인간이 생명을 노래하지 않고
침울한 상념만이 나를 구한다.

바람에 날려 온 먼지와 같이
이 이국의 땅에선 나는 하나의 미생물이다.
아니 나는 바람에 날려 와
새벽 한 시 기묘한 의식意識으로
그래도 좋았던
부식腐蝕된 과거로
돌아가는 것이다.

(포틀랜드에서)

충혈된 눈동자

STRAIT OF JUAN DE FUCA[97]를 어제 나는
지났다.
눈동자에 바람이 휘도는
이국의 항구 올림피아
피를 토하며 잠자지 못하던 사람들이
행복이나 기다리는 듯이 거리에 나간다.

착각이 만든 네온의 거리
원색原色과 혈관은 내 눈엔 보이지 않는다.
거품에 넘치는 술을 마시고
정욕에 불타는 여자를 보아야 한다.
그의 떨리는 손가락이 가리키는
무거운 침묵 속으로 나는
발버둥 치며 달아나야 한다.

세상은 좋았다
피의 비가 나리고

---

[97] 캐나다 밴쿠버 섬과 미국 국경 사이에 있는 후안데푸카 해협을 가리킨다.

주검의 재가 날리는 태평양을 건너서
다시 올 수 없는 사람은 떠나야 한다
아니 세상은 불행하다고 나는 하늘에
고함친다
몸에서
베고니아처럼 화끈거리는 욕망을 위해
거짓과 진실을 마음대로 써야 한다.

젊음과 그가 가지는 기적奇蹟은
내 허리에 비애의 그림자를 던졌고
도시의 계곡 사이를 달음박질치는
육중한 바람을
충혈된 눈동자는 바라다보고 있었다.

(올림피아에서)

주말

산길을 넘어가면
별장.
주말의 노래를 부르며
우리는 술을 마시고
주인은
얇은 소설을 읽는다
오늘의 뱀[98]아
저기 쏟아지는 분수를 마셔

그늘이 가린 언덕 아래
어린 여자의 묘지
거기서 들려오는
찬미가.
칫솔로 이를 닦는
이름 없는 영화배우
······ 공포의 보수報酬[99] ······

---

[98] 원본에는 '뱀(蛇)'으로 표기되었다. 한자를 노출시키지 않아도 '뱀'의 의미가 분명하게 드러나기 때문에 한자는 표기하지 않는다.
[99] 프랑스의 앙리 조르주 클루조 감독이 1953년에 제작한 스릴러 영화의 제목이다. 니트로글리세린, 선인장 등의 시어는 이 영화에 사용된 소재들이다.

…… 니트로글리세린 ……

…… 과테말라 공화국의 선인장 ……

일요판 『닛폰 타임스』의 잉크 냄새.

별장에도

폭포는 요란하고

라디오의 찢어진 음악이 그칠 줄[100] 모른다

주인은 잠이 들었고

우리는 산길을 내려간다.

---

[100] 원본에는 '끝일줄'로, 문승묵 본과 맹문재 본에는 '끊일 줄'로 표기되었다. 원본의 표기인 '끝
일줄'은 이어서 발음하면 '끄틸줄 → 끄칠줄'이 되기 때문에 국어 어문규정에 따라 '그칠 줄'로
적는다.

목마와 숙녀

한 잔의 술을 마시고

우리는 버지니아 울프의 생애와

목마를 타고 떠난 숙녀의 옷자락을 이야기한다

목마는 주인을 버리고 거저 방울 소리만 울리며

가을 속으로 떠났다 술병에서 별이 떨어진다

상심한 별은 내 가슴에 가벼웁게[101] 부서진다

그러한 잠시 내가 알던 소녀는

정원의 초목 옆에서 자라고

문학이 죽고 인생이 죽고

사랑의 진리마저 애증의 그림자를 버릴 때

목마를 탄 사랑의 사람은 보이지 않는다

세월은 가고 오는 것

한때는 고립을 피하여 시들어 가고

이제 우리는 작별하여야 한다

술병이 바람에 쓰러지는 소리를 들으며

늙은 여류 작가의 눈을 바라다보아야 한다

······ 등대에 ······

---

[101] 국어 어문규정에 따르면 '가볍게'가 맞지만 원본의 느낌을 살리기 위해 '가벼웁게'로 적는다.
이후에 나오는 '가벼웁고'도 이 같이 표기한다.

불이 보이지 않아도

거저 간직한 페시미즘의 미래를 위하여

우리는 처량한 목마 소리를 기억하여야 한다

모든 것이 떠나든 죽든

거저 가슴에 남은 희미한 의식意識을 붙잡고

우리는 버지니아 울프의 서러운 이야기를 들어야 한다

두 개의 바위틈을 지나 청춘을 찾은 뱀과 같이

눈을 뜨고 한 잔의 술을 마셔야 한다

인생은 외롭지도 않고

거저 잡지의 표지처럼 통속하거늘

한탄할 그 무엇이 무서워서 우리는 떠나는 것일까

목마는 하늘에 있고

방울 소리는 귓전에 철렁거리는데

가을바람[102] 소리는

내 쓰러진 술병 속에서 목메어[103] 우는데

---

102 문승묵 본에서는 '가을 바람소리'로, 맹문재 본에서는 '가을 바람 소리'로 표기했다. '가을바람
   의 소리'라는 뜻이기 때문에 '가을바람 소리'로 적는다.
103 『1954연간시집』(1955.6)에는 '목메여'로, 『시작』 5집(1955.10)에는 '목메어'로, 『선시집』
   (1955.10)에는 '목매어'로 표기되었다. 문맥상 '설움 따위의 감정이 복받쳐서 목구멍이 막히
   거나 잠기다'라는 뜻이기 때문에 '목메어'로 적는다. 문승묵 본에서는 '목 메어'로 적고 있는데
   이것은 합성어이므로 '목메어'로 붙여 쓰는 것이 적절한 표현이다.

여행

나는 나도 모르는 사이에 먼 나라로
여행의 길을 떠났다.
수중엔 돈도 없이
집엔 쌀도 없는 시인이
누구의 속임인가
나의 환상인가
거저 배를 타고
많은 인간이 죽은 바다를 건너
낯설은[104] 나라를 돌아다니게 되었다.

비가 내리는 주립 공원을 바라보면서
이백 년 전
이 다리 아래를 흘러간 사람의 이름을
수첩에 적는다.
캡틴 ××
그 사람과 나는 관련이 없건만
우연히 온 사람과 죽은 사람은

---

[104] 국어 어문규정에 따르면 '낯선'이 맞지만 원본의 느낌을 살리기 위해 '낯설은'으로 적는다.

저기 푸르게 잠든 호수의 수심[105]을
잊을 수 없는 것일까.

거룩한 자유의 이름으로 알려진 토지
무성한 삼림이 있고
비렴 계관飛廉桂舘[106]과 같은 집이
연이어 있는 아메리카의 도시
시애틀의 네온이 붉은 거리를
실신한 나는 간다
아니 나는 더욱 선명한 정신으로
태번[107]에 들어가 향수鄕愁를 본다.

이지러진 회상回想
불멸의 고독
구두에 남은 한국의 진흙과
상표도 없는 '공작孔雀'[108]의 연기
그것은 나의 자랑이다
나의 외로움이다.

또 밤거리

---

105 『희망』 48호(1955.7)의 한자 표기는 '수심水心'이다.
106 '비렴飛廉'과 '계관桂舘'은 중국 한나라 무제가 장안에 건립한 도관道觀을 가리킨다. 문맥상 화
　　려한 건물을 뜻한다.
107 tavern. '선술집' 혹은 '여인숙'을 뜻하는 영어이다.
108 해방 이후에 생산된 국산 담배의 상표이다.

거리의 음료수를 마시는

포틀랜드의 이방인

저기

가는 사람은 나를 무엇으로 보고 있는가.

(포틀랜드에서)

태평양에서

갈매기와 하나의 물체
'고독'
연월^{年月}도 없고 태양은 차갑다.
나는 아무 욕망도 갖지 않겠다.
더욱이 낭만과 정서는
저기 부서지는 거품 속에 있어라.

죽어간 자의 표정처럼
무겁고 침울한 파도 그것이 노할 때
나는 살아 있는 자라고 외칠 수 없었다.
거저 의지의 믿음만을 위하여
심유深幽한 바다 위를 흘러가는 것이다.

태평양에 안개가 끼고 비가 내릴 때
검은 날개에 검은 입술을 가진[109]
갈매기들이 나의 가까운 시야에서 나를 조롱한다.
'환상'

---

[109] 문승묵 본의 주석에는 『희망』 48호(1955.7)에 "껌은 날개에 입술을 가진"으로 표기되었다는
설명이 있다. 하지만 원본의 실제 표기는 "껌은 날개에 껌은 입술을 가진"이다.

나는 남아 있는 것과

잃어버린 것과의 비례를 모른다.

옛날 불안을 이야기했었을 때

이 바다에선 포함砲艦이 가라앉고

수십만의 인간이 죽었다.

어둠침침한 조용한 바다에서 모든 것은 잠이 들었다.

그렇다. 나는 지금 무엇을 의식하고 있는가?

단지 살아 있다는 것만으로서.

바람이 분다.

마음대로 불어라. 나는 덱110에 매달려

기념紀念111이라고 담배를 피운다.

무한한 고독. 저 연기는 어디로 가나.

밤이여. 무한한 하늘과 물과 그 사이에

나를 잠들게 해라.

(태평양에서)

---

110 deck. 갑판을 뜻하는 영어이다. 원본에는 '덱키'로 표기되었지만 국어 어문규정에 따라 '덱'으로 적는다.
111 『선시집』(1955. 10)에는 한자 '紀'의 '己'가 '巳'로 잘못 표기되었다. 오식으로 추정된다. 『희망』 48호의 한자 표기는 '記念'이다.

어느 날

4월 10일의 부활제[112]를 위하여
포도주 한 병을 산 흑인과
빌딩의 숲 속을 지나
에이브러햄 링컨의 이야기를 하며
영화관의 스틸 광고를 본다.
······ 카르멘 존스[113] ······

미스터-몬은 트럭을 끌고
그의 아내는 쿡과 입을 맞추고
나는 지렛 회사의 텔레비전을 본다.

한국에서 전사한 중위의 어머니는
이제 처음 보는 한국 사람이라고 내 손을 잡고
시애틀 시가를 구경시킨다.

많은 사람이 살고

---

112 『희망』 48호(1955.7)에는 '이스타-'로 표기되었다. 원어는 '부활절'을 뜻하는 '이스터ester'이다.
113 〈Carmen Jones〉. 오토 프레밍거 감독이 1954년에 제작한 영화의 제목이다. 맹문재 본에서는
    제작 연도를 1945년으로 잘못 표기했다.

많은 사람이 울어야 하는
아메리카의 하늘에 흰 구름.
그것은 무엇을 의미하는가.

나는 들었다 나는 보았다
모든 비애와 환희를.

아메리카는 휘트먼의 나라로 알았건만
아메리카는 링컨의 나라로 알았건만
쓴 눈물을 흘리며
브라보 …… 코리언 하고
흑인은 술을 마신다.

(에버렛에서)

수부水夫들

수부들은 갑판에서

갈매기와 이야기한다

…… 너희들은 어데서 왔니 ……

화란和蘭[114] 성냥으로 담배를 붙이고

싱가포르 밤거리의 여자

지금도 생각이 난다.

동상처럼 서서 부두에서 기다리겠다는

얼굴이 까만 입술이 짙은 여자

파도여 꿈과 같이 부서지라[115]

헤아릴 수 없는 순백한 밤이면

하모니카 소리도 처량하고나[116]

포틀랜드 좋은 고장 술집이 많아

크레용 칠한 듯이 네온이 밝은 밤

아리랑 소리나 한번 해 보자

　　　　　　　(포틀랜드에서 …… 이 시는 겨우 우리말을 쓸 수 있는

---

114 '네덜란드'의 한자어 표기이다.
115 문승묵 본에서는 원본대로 '부서지라'로, 맹문재 본에서는 국어 어문규정대로 '부서져라'로 표기했다. 원본의 느낌을 살리기 위해 '부서지라'로 적는다.
116 문승묵 본에서는 원본대로 '처량하고나'로, 맹문재 본에서는 국어 어문규정대로 '처량하구나'로 표기했다. 원본의 느낌을 살리기 위해 '처량하고나'로 적는다.

어떤 수부의 것을 내 이미지로 고쳤다)

에버렛의 일요일

분란인芬蘭人[117] 미스터 몬은
자동차를 타고 나를 데리러 왔다.
에버렛의 일요일
와이셔츠도 없이 나는 한국 노래를 했다.
거저 쓸쓸하게 가냘프게
노래를 부르면 된다.
…… 파파 러브스 맘보[118] ……
춤을 추는 돈나
개와 함께 어울려 호숫가를 걷는다.

텔레비전도 처음 보고
칼로리가 없는 맥주도 처음 마시는
마음만의 신사
즐거운 일인지 또는 슬픈 일인지
여기서 말해 주는 사람은 없다.

---

117 '핀란드인'의 한자어 표기이다.
118 〈Papa Loves Mambo〉. 미국의 대중가수 페리 코모(Pierino Ronald Como, 1912~2001)의 대표
　곡이다. 「투명한 버라이어티」 9연에도 곡명이 언급되고 있다.

석양.

낭만을 연상케 하는 시간.

미칠 듯이 고향 생각이 난다.

그래서 몬과 나는

이야기할 것이 없었다 이젠

헤져야 된다.

(에버렛에서)

십오일 간

깨끗한 시트 위에서
나는 몸부림을 쳐도 소용이 없다.
공간에서 들려오는 공포의 소리
좁은 방에서 나비들이 날은다[119].
그것을 들어야 하고
그것을 보아야 하는
의식儀式.
오늘은 어제와 분별이 없건만
내가 애태우는 사람은 날로 멀건만
죽음을 기다리는 수인囚人과 같이
권태로운 하품을 하여야 한다.

창밖에 나리는 미립자
거짓말이 많은 사전
할 수 없이 나는 그것을 본다
변화가 없는 바다와 하늘 아래서
욕할 수 있는 사람도 없고

---

[119] 국어 어문규정에 따르면 '난다'가 맞지만 원본의 느낌을 살리기 위해 '날은다'로 적는다.

알래스카에서 달려온 갈매기처럼
나의 환상幻想의 세계를 휘돌아야 한다.

위스키 한 병 담배 열 갑
아니 내 정신이 소모되어 간다. 시간은
십오일 간을 태평양에서는 의미가 없다.
하지만
고립과 콤플렉스의 향기는
내 얼굴과 금 간 육체에 젖어 버렸다.

바다는 노하고 나는 잠들려고 한다
누만 년累萬年의 자연 속에서 나는 자아를 꿈꾼다.
그것은 기묘한 욕망과
회상의 파편을 다듬는
음참陰慘한 망집妄執이기도 하다.

밤이 지나고 고뇌의 날이 온다.
척도를 위하여 커피를 마신다.
사변四邊은 철鐵과 거대한 비애에 잠긴
하늘과 바다.
그래서 나는 어제 외롭지 않았다.

(태평양에서)

영원한 일요일

날개 없는 여신이 죽어 버린 아침
나는 폭풍에 싸여
주검의 일요일을 올라간다.

파란 의상을 감은 목사와
죽어 가는 놈의
숨 가쁜 울음을 따라
비탈에서 절름거리며 오는
나의 형제들.

절망과 자유로운
모든 것을……

싸늘한 교외의 사구砂丘**120**에서
모진 소낙비에 으끄러지며
자라지 못하는 유용식물有用植物.

---

120 문승묵 본에서는 '사구사구'로 잘못 표기했다.

낡은 회귀의 공포와 함께
예절처럼 떠나 버리는 태양.

수인囚人이여
지금은 희미한 철형凸形의 시간
오늘은 일요일
너희들은 다행하게도
다음 날에의
비밀을 갖지 못했다.

절름거리며 교회에 모인 사람과
수족이 완전함에 불구하고
복음도 기도도 없이
떠나가는 사람과

상풍傷風[121]된 사람들이여
영원한 일요일이여

---

[121] '바람을 쏘여서 생기는 병'을 뜻하는 한의학 용어이다.

일곱 개의 층계

가만히 눈을 감고 생각하니
지난 하루하루가 무서웠다.
무엇이나 거리낌 없이 말했고
아무에게도 협의해 본 일이 없던
불행한 연대年代였다.

비가 줄줄 내리는 새벽
바로 그때이다
죽어 간 청춘이
땅 속에서 솟아 나오는 것이 ……
그러나 나는 뛰어들어
서슴없이 어깨를 거느리고
악수한 채 피 묻은 손목으로
우리는 암담한 일곱 개의 층계를 내려갔다.

『인간의 조건』의 앙드레 말로
『아름다운 지구地區』의 아라공
모두들 나와 허물없던 우인友人
황혼이면 피곤한 육체로

우리의 개념이 즐거이 이름 불렀던
'정신과 관련의 호텔'에서
말로는 이 빠진 정부情婦와
아라공은 절름발이 사상과
나는 이들을 응시하면서 ······
이러한 바람의 낮과 애욕의 밤이
회상의 사진처럼
부질하게122 내 눈앞에 오고 간다.

또 다른 그날
가로수 그늘에서 울던 아이는
옛날 강가에 내가 버린 영아嬰兒
쓰러지는 건물 아래
슬픔에 죽어 가던 소녀도
오늘 환영幻影처럼 살았다
이름이 무엇인지
나라를 애태우는지
분별할 의식조차 내게는 없다

시달림과 증오의 육지
패배의 폭풍을 뚫고
나의 영원한 작별의 노래가

---

122 제1부 정본의 각주 181의 용례를 참조하면 '부질하게'는 '부질없게'의 뜻이다.

안개 속에 울리고
지난날의 무거운 회상을 더듬으며
벽에 귀를 기대면
머나먼
운명의 도시 한복판
희미한 달을 바라
울며 울며 일곱 개의 층계를 오르는
그 아이의 방향은
어데인가.

기적奇蹟인 현대

장미는 강가에 핀 나의 이름
집집 굴뚝에서 솟아나는 문명文明의 안개
'시인' 가엾은 곤충이여
너의 울음이 도시에 들린다.

오래토록[123] 네 욕망은 사라진 회화繪畫
무성한 잡초원雜草園에서
환영幻影과 애정과 비벼 대던
그 연대年代의 이름도
허망한 어젯밤 버러지.

사랑은 조각에 나타난 추억
이녕泥濘과 작별의 여로에서
기대었던 수목은 썩어지고
전신電信처럼 가벼웁고 재빠른
불안한 속력은 어데서 오나.

---

123 국어 어문규정에 따르면 '오래도록'이 맞지만 원본의 느낌을 살리기 위해 '오래토록'으로 적
   는다.

침묵의 공포와 눈짓하던
그 무렵의 나의 운명은
기적인
동양의 하늘을 헤매고 있다.

불행한 신

오늘 나는 모든 욕망과
사물에 작별하였습니다.
그래서 더욱 친한 죽음과 가까워집니다.
과거는 무수한 내일에
잠이 들었습니다.
불행한 신
어데서나 나와 함께 사는
불행한 신
당신은 나와 단둘이서
얼굴을 비벼 대고 비밀을 터놓고
오해나
인간의 체험이나
고절孤節된 의식意識에
후회치 않을 것입니다.
또다시 우리는 결속되었습니다.
황제의 신하처럼 우리는 죽음을 약속합니다.
지금 저 광장의 전주電柱처럼 우리는 존재됩니다.
쉴 새 없이 내 귀에 울려오는 것은
불행한 신 당신이 부르시는

폭풍입니다.
그러나 허망한 천지 사이를
내가 있고 엄연히 주검이 가로놓이고
불행한 당신이 있으므로
나는 최후의 안정을 즐깁니다.

밤의 노래

정막靜寞한 가운데
인광처럼 비치는 무수한 눈
암흑의 지평은
자유에의 경계境界를 만든다.

사랑은 주검의 사면斜面으로 달리고
취약하게 조직된
나의 내면은
지금은 고독한 술병.

밤은 이 어두운 밤은
안테나로 형성되었다
구름과 감정의 경위도經緯度에서
나는 영원히 약속될
미래에의 절망에 관하여 이야기도 하였다.

또한 끝없이 들려오는 불안한 파장波長
내가 아는 단어와
나의 평범한 의식意識은

밝아 올 날의 영역으로
위태롭게 인접되어 간다.

가느다란 노래도 없이
길목에선 갈대가 죽고
욱어진[124] 이신異神의 날개들이
깊은 밤
저 기아飢餓의 별을 향하여 작별한다.

고막을 깨뜨릴 듯이
달려오는 전파電波
그것이 가끔 교회의 종소리에 합쳐
선을 그리며
내 가슴의 운석에 가랁아 버린다.

---

124 문맥상 '우거지다'보다는 '기운이 줄어지다' 혹은 '안쪽으로 조금 우그러져 있다'의 뜻을 지닌
  '욱다'의 피동형으로 해석하는 것이 적절하다.

벽

그것은 분명히 어제의 것이다
나와는 관련이 없는 것이다
우리들이 헤어질 때에
그것은 너무도 무정하였다.

하루 종일 나는 그것과 만난다
피하면 피할수록
더욱 접근하는 것
그것은 너무도 불길不吉을 상징하고 있다
옛날 그 위에 명화가 그려졌다 하여
즐거워하던 예술가들은
모조리 죽었다.

지금 거기엔 파리와
아무도 읽지 않고
아무도 바라보지 않는
격문과 정치 포스터가 붙어 있을 뿐
나와는 아무 인연이 없다.

그것은 감성도 이성도 잃은
멸망의 그림자
그것은 문명과 진화를 장해하는
사탄의 사도使徒
나는 그것이 보기 싫다.
그것이 밤낮으로
나를 가로막기 때문에
나는 한 점의 피도 없이
말라 버리고
여왕이 부르시는 노래와
나의 이름도 듣지 못한다.

불신의 사람

나는 바람이 길게 멈출 때
항구의 등불과
그 위대한 의지意志의 설움이
불멸의 씨를 뿌리는 것을 보았다.

폐에 밀려드는 싸늘한 물결처럼
불신의 사람과 망각의 잠을 이룬다.[125]

피와 외로운 세월과
투영되는 일체一切의 환상과
시詩보다도 더욱 가난한 사랑과
떠나는 행복과 같이
속삭이는 바람과
오 공동묘지에서 퍼덕이는
시발과 종말의 깃발과
지금 밀폐된 이런 세계에서
권태롭게

---

[125] 문승묵 본에서는 2연과 3연을 하나의 연으로 잘못 구성했다.

우리는 무엇을 이야기하는가.

등불이 꺼진 항구에
마지막 조용한 의지意志의 비는 나리고
내 불신의 사람은 오지 않았다.
내 불신의 사람은 오지 않았다.

1953년의 여자에게

유행은 섭섭하게도
여자들에게서 떠났다.
왜?
그것은 스스로의 기원을 찾기 위하여

어떠한 날
구름과 환상의 접경을 더듬으며
여자들은
불길한 옷자락을 벗어 버린다.

회상의 푸른 물결처럼
고독은 세월에 살고
혼자서 흐느끼는
해변의 여신과도 같이
여자들은 완전한 시간을 본다.

황막한 연대年代여
거품과 같은 허영이여
그것은 깨어진 거울의 여윈 인상.

필요한 것과
소모의 비례比例를 위하여
전쟁은 여자들의 눈을 감시한다.
코르셋으로 침해된 건강은
또한 유행은 정신의 방향을 봉쇄한다.

여기서 최후의 길손을 바라볼 때
허약한 바늘처럼
바람에 쓰러지는
무수한 육체
그것은 카인의 정부情婦보다
사나운 독을 풍긴다.

출발도 없이
종말도 없이
생명은 부질하게도[126]
여자들에게서 어두움처럼 떠나는 것이다.
왜?
그것을 대답하기에는
너무도 준열한 사회가 있었다.

---

[126] 제1부 정본의 각주 181의 용례를 참조하면 '부질하게도'는 '부질없게도'라는 뜻이다.

의혹의 기旗

얇은 고독처럼 퍼덕이는 기
그것은 주검과 관념의 거리를 알린다.

허망한 시간
또는 줄기찬 행운의 순시瞬時
우리는 도립倒立된 석고처럼
불길不吉을 바라볼 수 있었다.

낙엽처럼 싸움과 청년은 흩어지고
오늘과 그 미래는 확립된 사념思念이 없다.

바람 속의 내성內省
허나 우리는 죽음을 원치 않는다.
피폐한 토지에선
한 줄기 연기가 오르고
우리는 아무 말도 없이 눈을 감았다.

최후처럼 인상印象은 외롭다.
안구眼球처럼 의욕은 숨길 수가 없다.

이러한 중간의 면적에
우리는 떨고 있으며
떨리는 깃발 속에
모든 인상과 의욕은 그 모습을 찾는다.

195 …… 년의 여름과 가을에 걸쳐서
애정의 뱀은 어두움에서 암흑으로
세월과 함께 성숙하여 갔다.
그리하여 나는 비틀거리며
뱀이 걸어간 길을 피했다.

잊을 수 없는 의혹의 기
잊을 수 없는 환상의 기
이러한 혼란된 의식 아래서
아폴론은 위기의 병을 껴안고
고갈된 세계에 가랁아 간다.

어느 날의 시가 되지 않는 시

당신은 일본인이지요?
차이니스? 하고 물을 때
나는 불쾌하게 웃었다.
거품이 많은 술을 마시면서
나도 물었다
당신은 아메리카 시민입니까?

나는 거짓말 같은 낡아 빠진 역사와
우리 민족과 말이 단일하다는 것을
자랑스럽게 말했다.
황혼.
태번 구석에서 흑인은 구두를 닦고
거리의 소년이 즐겁게 담배를 피우고 있다.

여우女優 가르보[127]의 전기 책傳記冊이 놓여 있고
그 옆에는 디텍티브 스토리가 쌓여 있는
서점의 쇼윈도

---

[127] Greta Garbo(1905~1990). 스웨덴에서 태어나 주로 미국에서 활동한 영화배우이다.

손님이 많은 가게 안을 나는 들어가지 않았다.

비가 내린다.
내 모자 위에 중량이 없는 억압이 있다.
그래서 뒷길을 걸으며
서울로 빨리 가고 싶다고
센티멘털한 소리를 한다.

(에버렛에서)

다리 위의 사람

다리 위의 사람은
애증과 부채負債를 자기 나라에 남기고
암벽에 부딪히는 파도 소리에 놀라
바늘과 같은 손가락은
난간을 쥐었다.
차디찬 철鐵의 고체固體
쓰디쓴 눈물을 마시며
혼란된 의식에 가랁아 버리는
다리 위의 사람은
긴 항로 끝에 이르른 정막靜寞한 토지에서
신의 이름을 부른다.

그가 살아오는 동안
풍파와 고절孤絶은 그칠 줄 몰랐고
오랜 세월을 두고
DECEPTION PASS[128]에도
비와 눈이 내렸다.

---

[128] 시애틀을 둘러싸고 있는 바다와 섬 사이의 물길을 가리킨다.

또다시 헤어질 숙명이기에
만나야만 되는 것과 같이
지금 다리 위의 사람은
로사리오 해협에서 불어오는
처량한 바람을 잊으려고 한다.
잊으려고 할 때 두 눈을 가로막는
새로운 불안
화끈거리는 머리
절벽 밑으로 그의 의식意識은 떨어진다.

태양이 레몬과 같이 물결에 흔들거리고
주립 공원 하늘에는
에메랄드처럼 빤짝거리는 기계가 간다.
변함없이 다리 아래 물이 흐른다
절망된 사람의 피와도 같이
파란 물이 흐른다
다리 위의 사람은
흔들리는 발걸음을 걷잡을 수가 없었다.

(아나코테스에서)

투명한 버라이어티

녹슬은
은행과 영화관과 전기세탁기.

럭키 스트라이크
VANCE 호텔 BINGO 게임.

영사관 로비에서
눈부신 백화점에서
부활제의 카드가
RAINIER 맥주가.

나는 옛날을 생각하면서
텔레비전의 LATE NIGHT NEWS를 본다.
캐나다 CBC 방송국의
광란한 음악
입 맞추는 신사와 창부娼婦.
조준은 젖가슴
아메리카 워싱턴 주.

비에 젖은 소년과 담배

고절孤節된 도서관

오늘 올드미스는 월경月經이다.

희극 여우喜劇女優처럼 눈살을 피면서[129]

최현배 박사의 『우리말본』을

핸드백 옆에 놓는다.

타이프라이터의 신경질

기계 속에서 나무는 자라고

엔진으로부터 탄생된 사람들.

신문과 숙녀의 옷자락이 길을 막는다.

여송연을 물은[130] 전 수상前首相은

아메리카의 여자를 사랑하는지?

식민지의 오후처럼

회사의 깃발이 퍼덕거리고

페리 코모의 〈파파 러브스 맘보〉

찢어진 트럼펫

129 문승묵 본에서는 '피면서'로, 맹문재 본에서는 '펴면서'로 표기했다. 문맥상 '펴면서'의 뜻을 지니
지만 '눈살을 피다'(윤흥길의 「완장」)와 같은 용례가 있기 때문에 원본대로 '피면서'로 적는다.
130 국어 어문규정에 따르면 '문'이 맞지만 원본의 느낌을 살리기 위해 '물은'으로 적는다.

구겨진 애욕.

데모크라시와 옷 벗은 여신과
칼로리가 없는 맥주와 유행과
유행에서 정신을 희열하는
디자이너와
표정이 경련하는 나와.

트렁크 위에 장미는 시들고
문명文明은 은근한 곡선을 긋는다.

조류鳥類는 잠들고
우리는 페인트칠한 잔디밭을 본다
달리는 유니온 퍼시픽 안에서
상인商人은 쓸쓸한 혼약의 꿈을 꾼다.

반항적인 M. 먼로의
날개 돋친 의상.

교회의 일본어 선전물에서는
크레졸 냄새가 나고
옛날
루돌프 알폰소 발렌티노[131]의 주검을
비탄으로 맞이한 나라

그때의 숙녀는 늙고
아메리카는 청춘의 음영을 잊지 못했다.

스트립쇼
담배 연기의 암흑
시력視力이 없는 네온사인.

그렇다 '성性의 십년'이 떠난 후
전장戰場에서 청년은 다시 도망쳐 왔다
자신自信[132]과 영예榮譽와
구라파의 달을 바라다보던 사람은……

혼란과 질서의 반복이
물결치는 거리에
고백의 시간은 간다.

집요하게 태양은 내리쪼이고[133]
MT. HOOT의 눈은 변함이 없다.

연필처럼 가느다란 내 목구멍에서

---

131 Rudolph Valentino(1895~1926). 이탈리아에서 태어나 미국에서 활동하며 1920년대를 풍미
했던 영화배우이다.
132 문승묵 본에서는 한자를 '自身'으로 잘못 표기했다.
133 『선시집』(1955.10)에는 '내려쪼이고'로, 『현대문학』 1-11호(1955.11)에는 '네려쪼이고'로, 문
승묵 본에는 '내려 쪼이고'로 표기되었다. 제1부 정본의 각주 66의 용례와 국어 어문규정에
따라 '내리쪼이고'로 적는다.

내일이면 가치가 없는 비애로운 소리가 난다.

빈약한 사념思念

아메리카   모나리자

필립 모리스   모리스 브리지

비정한 행복이라도 좋다
4월 10일의 부활제가 오기 전에
굿 바이
굿 앤드 굿 바이

> VANCE 호텔 …… 시애틀에 있음.
>
> 파파 러브스 맘보 …… 최근의 유행곡.
>
> 모리스 브리지 …… 포틀랜드에 있음.

어린 딸에게

기총과 포성의 요란함을 받아가면서
너는 세상에 태어났다 주검의 세계로
그리하여 너는 잘 울지도 못하고
힘없이 자란다.

엄마는 너를 껴안고 삼 개월 간에
일곱 번이나 이사를 했다.

서울에 피의 비와
눈바람이 섞여 추위가 닥쳐오던 날
너는 입은 옷도 없이 벌거숭이로
화차貨車 위 별을 헤아리면서 남南으로 왔다.

나의 어린 딸이여 고통스러워도 애소哀訴도 없이
그대로 젖만 먹고 웃으며 자라는 너는
무엇을 그리우느냐.[134]

---

134 문맥상 '그리 우느냐'보다 '그리워하느냐'로 해석하는 것이 적절하다.

너의 호수처럼 푸른 눈

지금 멀리 적을 격멸하러 바늘처럼 가느다란 기계는 간다. 그러나 그림자는 없다.[135]

엄마는 전쟁이 끝나면 너를 호강시킨다 하나

언제 전쟁이 끝날 것이며

나의 어린 딸이여 너는 언제까지나

행복할 것인가.

전쟁이 끝나면 너는 더욱 자라고

우리들이 서울에 남은 집에 돌아갈 적에

너는 네가 어데서 태어났는지도 모르는

그런 계집애.

나의 어린 딸이여

너의 고향과 너의 나라가 어데 있느냐

그때까지 너에게 알려 줄 사람이

살아 있을 것인가.

---

135 문승묵 본과 맹문재 본에서는 "지금 멀리 적을 격멸하러 바늘처럼 가느다란 / 기계는 간다. 그러나 그림자는 없다."는 구절을 2행으로 나누었다. 『선시집』(1955.10)도 행이 구분된 것처럼 배열되었지만 후행인 '기계는 간다. 그러나 그림자는 없다.' 부분이 다른 행과는 달리 들여 쓰기 되어 있다. 또한 문맥상으로도 '가느다란'과 '기계' 사이에서 행을 나눌 이유가 없기 때문에 한 행으로 처리하는 것이 적절하다. 물론 이럴 경우 한 행이 지나치게 길어져서 호흡이 가빠진다는 문제점이 발생한다. 하지만 이는 한 행에 마침표를 두 개 둔 것에서 알 수 있듯이 시인이 의도적으로 행의 길이를 늘여 놓은 것으로 볼 수 있다.

한줄기 눈물도 없이[136]

음산한 잡초가 무성한 들판에
용사가 누워 있었다.
구름 속에 장미가 피고
비둘기는 야전병원 지붕에서 울었다.

존엄한 죽음을 기다리는
용사는 대열을 지어
전선으로 나가는 뜨거운 구두 소리를 듣는다.
아 창문을 닫으시오

고지 탈환전
제트기 박격포 수류탄
'어머니' 마지막 그가 부를 때
하늘에서 비가 내리기 시작했다.

옛날은 화려한 그림책
한 장 한 장마다 그리운 이야기

---

136 『선시집』(1955. 10)에는 제목이 「한줄기 눈물도 없어」로 표기되었지만, 목차와 본문을 참조하면
'몰'과 '어'는 '물'과 '이'의 오식이 분명하다. 따라서 올바른 시 제목은 「한줄기 눈물도 없이」이다.

만세 소리도 없이 떠나
흰 붕대에 감겨
그는 남모르는 토지에서 죽는다.

한줄기 눈물도 없이
인간이라는 이름으로서
그는 피와 청춘을
자유를 위해 바[137]쳤다.

음산한 잡초가 무성한 들판엔
지금 찾아오는 사람도 없다.

---

137 『선시집』에는 '비'로 표기되었지만 이는 '바'의 오식이다.

잠을 이루지 못하는 밤

넓고 개체 많은 토지에서
나는 더욱 고독하였다.
힘없이 집에 돌아오면 세 사람의 가족이
나를 쳐다보았다. 그러나
나는 차디찬 벽에 붙어 회상에 잠긴다.

전쟁 때문에 나의 재산과 친우가 떠났다.
인간의 이지理知를 위한 서적 그것은 잿더미가 되고
지난날의 영광도 날아가 버렸다.
그렇게 다정했던 친우도 서로 갈라지고
간혹 이름을 불러도 울림조차 없다.
오늘도 비행기의 폭음이 귀에 잠겨
잠이 오지 않는다.

잠을 이루지 못하는 밤을 위해 시를 읽으면
공백한 종이 위에
그의 부드럽고 원만하던 얼굴이 환상처럼 어린다.
미래에의 기약도 없이 흩어진 친우는
공산주의자에게 납치되었다.

그는 사자死者만이 갖는 속도로
고뇌의 세계에서 탈주하였으리라.

정의의 전쟁은 나로 하여금 잠을 깨운다.
오래도록 나는 망각의 피안에서 술을 마셨다.
하루하루가 나에게 있어서는
비참한 축제이었다.
그러나 부단한 자유의 이름으로서
우리의 뜰 앞에서 벌어진 싸움을 통찰할 때
나는 내 출발이 늦은 것을 고한다.

나의 재산… 이것은 부스럭지[138]
나의 생명… 이것도 부스럭지
아 파멸한다는 것이 얼마나 위대한 일이냐.

마음은 옛과는 다르다. 그러나
내게 달린 가족을 위해 나는 참으로 비겁하다
그에게 나는 왜 머리를 숙이며 왜 떠드는 것일까.
나는 나의 말로를 바라본다.
그리하여 나는 혼자서 운다.

이 넓고 개체 많은 토지에서

---

138 국어 어문규정에 따르면 '부스러기'가 맞지만 원본의 느낌을 살리기 위해 '부스럭지'로 표기
한다.

나만이 지각이다.
언제 죽을지도 모르는 나는
생에 한없는 애착을 갖는다.

검은 강

신이란 이름으로서
우리는 최종의 노정을 찾아보았다.

어느 날 역전에서 들려오는
군대의 합창을 귀에 받으며
우리는 죽으러 가는 자와는
반대 방향의 열차에 앉아
정욕처럼 피폐한 소설에 눈을 흘겼다.

지금 바람처럼 교차하는 지대
거기엔 일체의 불순한 욕망이 반사되고
농부의 아들은 표정도 없이
폭음과 초연硝煙이 가득 찬
생과 사의 경지에 떠난다.

날은 정막靜寞보다도 더욱 처량하다.
멀리 우리의 시선을 집중한
인간의 피로 이룬
자유의 성채

그것은 우리와 같이 퇴각하는 자와는 관련이 없었다.

신이란 이름으로서
우리는 저 달 속에
암담한 검은 강이 흐르는 것을 보았다.

고향에 가서

갈대만이 한없이 무성한 토지가
지금은 내 고향.

산과 강물은 어느 날의 회화繪畵
피 묻은 전신주 위에
태극기 또는 작업모가 걸렸다.

학교도 군청도 내 집도
무수한 포탄의 작렬과 함께
세상엔 없다.

인간이 사라진 고독한 신의 토지
거기 나는 동상처럼 서 있었다.
내 귓전엔 싸늘한 바람이 설레이고
그림자는 망령과도 같이 무섭다.

어려서 그땐 확실히 평화로웠다.
운동장을 뛰다니며[139]
미래와 살던 나와 내 동무들은

지금은 없고
연기 한 줄기 나지 않는다.

황혼 속으로
감상感傷 속으로
차는 달린다.
가슴속에 흐느끼는 갈대의 소리
그것은 비창悲愴한 합창과도 같다.

밝은 달빛
은하수와 토끼
고향은 어려서 노래 부르던
그것뿐이다.

비 내리는 사경斜傾의 십자가와
아메리카 공병工兵이
나에게 손짓을 해 준다.

새로운 결의를 위하여

나의 나라 나의 마을 사람들은
아무 회한도 거리낌도 없이 거저
적의 침략을 쳐부수기 위하여
신부新婦와 그의 집을 뒤에 남기고
건조한 산악에서 싸웠다 그래서
그들의 운명은 노호怒號했다
그들에겐 언제나 축복된 시간이 있었으나
최초의 피는 장미와 같이 가슴에서 흘렀다.
새로운 역사를 찾기 위한
오랜 침묵과 명상 그러나
죽은 자와 날개 없는 승리
이런 것을 나는 믿고 싶지가 않다.

더욱 세월이 흘렀다고 하자
누가 그들을 기억할 것이냐.
단지 자유라는 것만이 남아 있는 거리와
용사의 마을에서는
신부는 늙고 아비 없는 어린것들은
풀과 같이

바람 속에서 자란다.

옛날이 아니라 거저 절실한 어제의 이야기
침략자는 아직도 살아 있고
싸우러 나간 사람은 돌아오지 않고
무거운 공포의 시대는 우리를 지배한다.
아 복종과 다름이 없는 지금의 시간
의의를 잃은 싸움의 보람
나의 분노와 남아 있는 인간의 설움은
하늘을 찌른다.

폐허와 배고픈 거리에는
지나간 싸움을 비웃듯이 비가 내리고
우리들은 울고 있다
어찌하여?
소기所期의 것은 아무것도 얻지 못했다.
원수들은 아직도 살아 있지 않는가.**140**

---

140 국어 어문규정에 따르면 '않은가'가 맞지만 원본의 느낌을 살리기 위해 '않는가'로 적는다. 문
승묵 본에서는 '않는가'로, 맹문재 본에서는 '않은가'로 표기했다.

식물

태양은 모든 식물에게 인사한다

식물은 이십사 시간 행복하였다.

식물 위에 여자가 앉았고
여자는 반역한 환영幻影을 생각했다.

향기로운 식물의 바람이 도시에 분다.

모두들 창을 열고 태양에게 인사한다.

식물은 이십사 시간 잠들지 못했다.

서정가抒情歌

실신한 듯이 목욕하는 청년

꿈에 본 조셉 베르네[141]의 바다

반半 연체동물의 울음이 들린다

새너토리엄[142]에 모여든 숙녀들

사랑하는 여자는 층계에서 내려온다

니자미[143]의 시집보다도 비장한 이야기

냅킨이 가벼운 인사를 하고

성하盛夏의 낙엽은 내 가슴을 덮는다.

---

141 Claude Joseph Vernet(1714~1789). 19세기 풍경화의 발전에 선구적인 역할을 한 프랑스 화가이다.
142 Sanatorium. 결핵 환자나 각종 신경병 환자를 치료하기 위해 마련된 요양소 혹은 휴양지를 뜻하는 영어이다.
143 Nizami Ganjawi(1141~1209). 페르시아의 유명 시인으로 대표작에 장편 서사시 『함세*Khamseh*』 가 있다.

식민항植民港의 밤

향연饗宴의 밤
영사領事 부인에게 아시아의 전설을 말했다.

자동차도 인력거도 정차되었으므로
신성한 땅 위를 나는 걸었다.

은행 지배인이 동반한 꽃 파는 소녀
그는 일찍이 자기의 몸값보다
꽃 값이 비쌌다는 것을 안다.

육전대陸戰隊[144]의 연주회를 듣고 오던 주민은
적개심으로 식민지의 애가哀歌를 불렀다.

삼각주의 달빛
백주白晝의 유혈流血을 밟으며 찬 해풍이 나의 얼굴을
적신다.

---

[144] '해병대'의 이전 말로 한국전쟁 시에도 '육전대'로 호칭되었다.

장미의 온도

나신裸身과 같은 흰 구름이 흐르는 밤
실험실 창밖
과실의 생명은
화폐 모양 권태하고 있다.
밤은 깊어 가고
나의 찢어진 애욕은
수목樹木이 방탕하는 포도鋪道에 질주한다.

나팔 소리도 폭풍의 부감俯瞰도
화판花瓣¹⁴⁵의 모습을 찾으며
무장한 거리를 헤맸다.

태양이 추억을 품고
안벽岸壁을 지나던 아침
요리의 위대한 평범을
Close-up한 원시림의
장미의 온도

---

145 『선시집(1955.10)에는 '花辮'으로 표기되었지만 '꽃잎'을 뜻하는 단어인 '花瓣'의 오기 또는 오
식으로 추정된다.

구름

어린 생각이 부서진 하늘에
어머니 구름 작은 구름들이
사나운 바람을 벗어난다.

밤비는
구름의 층계를 뛰어내려
우리에게 봄을 알려 주고
모든 것이 생명을 찾았을 때
달빛은 구름 사이로
지상의 행복을 빌어 주었다.

새벽 문을 여니
안개보다 따스한 호흡으로
나를 안아 주던 구름이여
시간은 흘러가
네 모습은 또다시 하늘에
어느 곳에서도 바라볼 수 있는
우리의 전형
서로 손잡고 모이면

크게 한 몸이 되어
산다는 괴로움으로 흘러가는 구름
그러나 자유 속에서
아름다운 석양 옆에서
헤매는 것이
얼마나 좋으니

무희舞姬가 온다 하지만[146]

유리창 밖에는

바람이 부는 계절이 있었다.

그러한 날

몇 잔의 양주를 마시고

아메리카에서 오는 무희의 이야기를

우리는 하고 있는 것이다

보잘것없는 시인과 정다운

이야기를 주고받는 젊은 경찰관은 마치 그레이엄 그린[147]의 주인공

스코비[148]와 같은 웃음을 띤다.

---

[146] 이전의 작품집이나 전집에는 실리지 않은 새롭게 발굴된 작품이다.

[147] Graham Greene(1904~1991). 영국의 소설가이자 극작가, 문학 평론가이다. 대표작으로『제3
의 사나이』가 있다.

[148] 한국전쟁 이후 박인환도 다른 문인들과 마찬가지로 외국문학 번역에 많은 관심을 기울였다.
완역한 작품에는 소설「새벽의 사선死線」(윌리엄 아이리시 원작.『희망』2-8호, 1952.9)과「
백주白晝의 악마惡魔」(아가사 크리스티 원작.『아리랑』2-2호, 1956.2) 및 시「도시都市의 여자
女子들을 위한 노래」(알렉스 컴포트 원작.『시작』2집, 1954.7)가 있다. 또한 기행문『소련의
내막內幕』(존 스타인벡 원작. 백조사, 1954.5), 희곡『욕망慾望의 이름이라는 전차電車』(테네시
윌리엄스 원작. 발행처 및 발행연도 미상), 소설『이별』(윌러 캐더 원작. 법문사, 1959.10) 등
의 빈역서를 펴내기도 했다. 그 밖에 소설「우리들은 한사람이 아니다」(제임스 힐턴 원작.
『신태양』21호, 1954.5),「사건事件의 핵심核心」(그레이엄 그린 원작.『민주경찰』44호,
1954.10),「바다의 살인殺人」(어니스트 헤밍웨이 원작.『신태양』28호, 1954.12),「자랑스러운
마음」(펄 벅 원작.『여원』2-2호, 1956.2) 등을 명작 해설 형태로 초역하기도 했다. '스코비'는
이 중 그레이엄 그린의 소설『사건의 핵심The Heart of the Matter』에 등장하는 주인공의 이름이다.
한편『세월이 가면』(근역서재, 1982)에도「스코비의 자살」이란 글이 실려 있는데, 그 내용을
대비해 보면 이것은「사건事件의 핵심核心」을 다시 축약한 것이 틀림없다. 하지만「스코비의
자살」의 원 출전이나『세월이 가면』에 수록된 경위에 대해서는 밝혀진 것이 없다.

아메리카에서 오는 무희는
유리창 밖에 오지는 않을 것이다
저 들창에는 아직 즐거움은
나타난 적이 없으며
우리는 결코 바라지도 못하는 일이다.
몇 잔의 술의 힘을 빌리어
거저 나는 젊은 경찰관에게
스코비처럼 자살해 보라고
외쳐 보았다.

손쉽게 말하면
그분은 결혼도 하지 못했고
밀수업자나 정부情婦를 알지 못한다
나의 시를 읽고
가을 속에 바람을 따르며
청춘이 가는 것을 안다.
그리고 그 어떠한 날
몇 잔의 양주를 마시고
지성知性이나 무희나 그리고 금전金錢이 괴롭히는
세상 얘기를 했을 베고이다.[149]
창밖에는
어두움이 깊었다

---

[149] '베고이다'의 정확한 뜻은 미상이다.

하늘 아래서[150]

멕시칸 Jade[151]와 같은 하늘 아래서
우리는 담배를 피우며 죽은 자의 얘기를 한다.

a 그들은 회색의 그림자
b 돌아오지 않는 사람들

a 웃어 주는 숙녀도 없고
b 거기엔 그저 신비한 것이 있었다.

a 바람은 한숨을 먹겨[152] 주면 고맙다
b 고통의 살결과 고뇌의 날에.

a 그들은 하늘과 함께 추위와 싸울 것이다.
b 그들은 하늘과 함께 태양과 싸울 것이다.

a 아 에메랄드처럼 반짝거리는 얼굴

---

[150] 이전의 작품집이나 전집에는 실리지 않은 새롭게 발굴된 작품이다.
[151] 옥이나 비취를 뜻하는 영어이다.
[152] '먹겨'의 정확한 뜻은 미상이다.

b 그들은 비처럼 나리는 별 하늘에 잠이 들었다.

환영幻影의 사람[153]

그 눈 나리는 창窓가에
행복은 오지 않았다. 허나
사람아 환영의 사람아
너는 떠났다
나리는 눈과도 같이.

젊은 날
그리고 애달픈 사랑의 날
나는 아무 말도 없이
웃고 있었다
내 머리에 조소嘲笑로운
눈이 나리듯
환영의 사람아
너는 지금 내 눈에 산다.

---

153 이전의 작품집이나 전집에는 실리지 않은 새롭게 발굴된 작품이다.

봄의 바람 속에[154]

경사진 도시의 한복판에
또는
줄기찬 혹한을 벗어난
봄의 바람 속에
우리의 암담한 청춘은 간다.

노래를 잊은 시인과 같이
그 바람에는 흐뭇한 감정도 없고
오랜 음영陰影에 시달린
여윈 소래[155]만이 흘렀다.

나는 보았다
길목에서 낡은 신문 쪼각[156]을.
그리고 이 차디찬 세계의 여운을
품안에 안고
그 봄의 바람이 떠나는 것을.

---

154 이전의 작품집이나 전집에는 실려 있지 않은 새롭게 발굴된 작품이다.
155 국어 어문규정에 따르면 '소리'가 맞지만 원본의 느낌을 살리기 위해 '소래'로 적는다.
156 국어 어문규정에 따르면 '조각'이 맞지만 원본의 느낌을 살리기 위해 '쪼각'으로 적는다.

전연 삭풍이라고 불리우던[157] 것이

경사된 도시의 한복판에

계절의 태양이 오면

봄의 바람이 되고

지금 이지러진 청춘 때문에

나는 그것이 부드럽게 생각이 된다

---

157 국어 어문규정에 따르면 '불리던'이 맞지만 원본의 느낌을 살리기 위해 '불리우던'으로 적는다.

인제 麟蹄

인제
봄이면 진달래가 피었고
설악산 눈이 녹으면
천렵[158] 가던 시절도
이젠 추억.

아무도 모르는 산간벽촌에
나는 자라서
고향을 생각하며 지금 시를 쓰는
사나이
나의 기묘한 꿈이라 할까
부질없고나[159].

그곳은
전란으로 폐허가 된 도읍
인간의 이름이 남지 않은 토지

---

158 원본에는 '철렵'으로 표기되었다. 이는 '천렵'을 소리 나는 대로 적은 것이기 때문에 국어 어문
규정에 따라 '천렵'으로 적는다.
159 원본에는 '부지럽고나'로 표기되었다. 문맥상 '부질없다'는 뜻이기 때문에 국어 어문규정에
따르면 '부질없구나'가 맞지만 원본의 느낌을 살리기 위해 '부질없고나'로 표기한다.

하늘엔 구름도 없고
나는 삭풍 속에서 울었다
어느 곳에 태어났으며
우리 조상들에게 무슨 죄가 있던가.

눈이여
옛날 시몽의 얼굴을 곱게 덮어 준[160]
눈이여
너에게는 정서와 사랑이 있었다 하더라.

나의 가난한 고장
인제
봄이여
빨리 오거라.[161]

---

160 원본에는 '덮혀준'으로 표기되었다. 문맥상 '덮어 주다'의 뜻이기 때문에 국어 어문규정에 따라 '덮어 준'으로 표기한다.
161 국어 어문규정에 따르면 '오너라'가 맞지만 원본의 느낌을 살리기 위해 '오거라'로 적는다.

세월이 가면[162]

지금 그 사람 이름은 잊었지만

그 눈동자 입술은

내 가슴에 있네

바람이 불고

비가 올 때도

나는

저 유리창 밖 가로등

그늘의 밤을 잊지 못하지

사랑은 가고 옛날은 남는 것

여름날의 호숫가 가을의 공원

그 벤치 위에

나뭇잎은 떨어지고

나뭇잎은 흙이 되고

---

162 최초 발표본이 새롭게 발굴된 작품이다. 이 작품은 『주간희망』 12호(1956.3.12)에 처음 소개
되었고, 동지 16호(1956.4.3)에 재수록되기도 했다. 하지만 이 두 이본은 송지영의 수필이나
지인의 회고문 속에 삽입된 것으로 박인환이 직접 공개한 작품은 아니다. 박인환이 정식으로
발표하려고 한 작품은 '모더니스트 박인환의 유작(시)'으로 『아리랑』 2-6호(1956.6)에 게재
되었다. 따라서 「세월이 가면」은 『아리랑』 2-6호에 수록된 것을 정본定本으로 삼는 것이 마땅
하다. 이에 대한 자세한 경위는 제2부 원본의 각주 98과 작가 연보를 참조하기 바란다.

나뭇잎에 덮여서
우리들 사랑이
사라진다 해도……

지금 그 사람 이름은 잊었지만
그 눈동자 입술은
내 가슴에 있네

내 서늘한 가슴에 있네

죽은 아폴론

이상李箱 그가 떠난 날에

오늘은 삼월 열이렛날

그래서 나는 망각의 술을 마셔야 한다

여급女給 '마유미'[163]가 없어도

오후 세 시 이십오 분에는

벗들과 '제비'[164]의 이야기를 하여야 한다

그날 당신은

동경제국대학 부속병원에서

천당과 지옥의 접경으로 여행을 하고

허망한 서울의 하늘에는 비가 내렸다.

운명이여

얼마나 애타운[165] 일이냐

권태와 인간의 날개

당신은 싸늘한 지하에 있으면서도

---

[163] 이상李箱의 소설 「지주회시䵷䵷會豕」에 등장하는 인물이다.
[164] '이상李箱'이 운영했던 다방의 이름이다.
[165] 문승묵 본에서는 '애타운'으로, 맹문재 본에서는 '애태운'으로 표기했다. 문맥상 '안타까워 속이 끓는 듯하다'라는 뜻이기 때문에 국어 어문규정에 따르면 '애타는'이 맞지만 원본의 느낌을 살리기 위해 '애타운'으로 적는다.

성좌를 간직하고 있다.

정신의 수렵을 위해 죽은
랭보와도 같이
당신은 나에게
환상과 흥분과
열병과 착각을 알려 주고
그 빈사의 구렁텅이에서
우리 문학에
따뜻한 손을 빌려 준
정신의 황제.

무한한 수면睡眠
반역과 영광
임종의 눈물을 흘리며 결코
당신은 하나의 증명을 갖고 있었다
'이상李箱'이라고.

기타

뇌호내해瀬戸內海[166]

그날은 삼월
율리시스가 잠자듯이
나는 이 바다에서 잠든다.

태양은 레몬[167]
그 향기를 품에 안고
조용한 바다 위를 흐른다.

인생은 표류
작은 어선들이
과거를 헤맨다.

이국異國의 바다 섬들 속에 있는
세토 나이카이 그 물결 위에
나의 회한이 간다.

---

166 일본어로는 '세토 나이카이'라고 읽는다. 일본 혼슈 서부와 규슈, 시코쿠에 둘러싸인 내해內海
로 일본의 지중해라고 불린다. 문승묵 본에서는 '세토나이카이瀬戸內海'로, 맹문재 본에서는
'세토 내해瀬戸內海'로 시 제목을 바꾸어 표기했다. 하지만 원제목을 바꾸기보다는 주석에서
발음과 뜻을 밝혀 주는 것이 바람직하다. '뢰瀬'는 국어 어문규정에 따라 '뇌'로 적는다.
167 문승묵 본에는 '때론'으로 잘못 표기되었다.

침울한 바다

그러한 잠시
그 들창에서 울던 숙녀는
오늘의 사람이 아니다.

목마의 방울 소리
또한 번갯불
이지러진 길목
다시 돌아온다 해도
그것은 사랑을 지니지 못했다.

해야 새로운 암흑아
네 모습에
살던 사랑도
죽던 사람도
잊어버렸고나.[168]

침울한 바다

---

[168] 국어 어문규정에 따르면 '잊어버렸구나'가 맞지만 원본의 느낌을 살리기 위해 '잊어버렸고나'
로 적는다.

사랑처럼 보기 싫은
오늘의 사람.

그 들창에
지나간 날과 침울한 바다와 같은
나만이 있다.

이국異國 항구

에버렛 이국의 항구
그날 봄비가 내릴 때
돈나 캠벨 잘 있거라

바람에 펄덕이는**169** 너의 잿빛 머리
열병에 걸린 사람처럼
내 머리는 화끈거린다

몸부림쳐도 소용없는
사랑이라는 것을 서로 알면서도
젊음의 눈동자는 막지 못하는 것

처량한 기적汽笛
덱에 기대어 담배를 피우고
이제 나는 육지와 작별을 한다

눈물과 신화의 바다 태평양

---

169 국어 어문규정에 따르면 '펄럭이는'이 맞지만 원본의 느낌을 살리기 위해 '펄덕이는'으로 적
는다.

주검처럼 어두운 노도怒濤를 헤치며

남해호南海號의 우렁찬 엔진은 울린다

사랑이여 불행한 날이여

이 넓은 바다에서

돈나 캠벨—170 불러도 대답은 없다

【편집자 주】이 시는 지난 3월 20일 작고한 필자가 지니고 있던 미발표의 작품이다.

---

170 문승묵 본과 맹문재 본에서는 부호 '—'를 '!'로 잘못 표기했다.

옛날의 사람들에게
물고[171] 작가物故作家 추도회의 밤에

당신들은 살아 있었을 때
불행하였고
당신들은 살아 있었을 때
즐거운 말이 없었고
당신들은 살아 있었을 때
사랑해 주던 사람이 없었습니다.

나라가 해방이 되고
하늘에 자유의 깃발 퍼덕거릴 때
당신들은
오랜 고난과 압박의 병균에
몸을 좀먹혀
진실한 이야기도
사랑의 노래도 잊어버리고
옛날의 사람이 되었습니다.

나는 지금 당신들이 죽어서 이 노래를

---

171 '물고物故'는 사회적으로 유명한 사람의 죽음을 뜻한다.

부르는 것이 아닙니다.
당신들의 호흡이 지금 끊어졌다 해도
거룩한 정신과
그 예술의 금자탑은
밤낮으로 나를 가로막고 있으며
내 마음이 서운할 때에
나는 당신들이 만든 문화의 화단 속에서 즐길 수 있기 때문입니다.[172]

당신들은 살아 있는 우리들의
푸른 '시그널'
우리는 그 불빛이 가리키는 방향으로
당신들의 유지를 받들어 가고 있습니다.

사랑하는 당신들이여
가난과 고통과 멸시를 무릅쓰면서
당신들의 싸움은 끝이 났습니다.

승리가 온 것인지
패배가 온 것인지
그것은 오직 미래만이 알며
남아 있는 우리들은
못 잊는 이름이기에

---

172 맹문재 본에서는 이 행을 별다른 이유 없이 2개의 행으로 나누었다.

당신들 우리 문화의 선구자들을
이 한자리에 모셨습니다.

당신들은 살아 있었을 때
불행하였고
당신들은 살아 있었을 때
즐거운 말이 없었고
당신들은 살아 있었을 때
사랑해 주던 사람이 없었습니다.

허나 지금
당신들은 불행하지 않으며
우리의 말은 빛나며
오늘 이처럼 많은 사람들이 모여
당신들을 사랑하고 있습니다.

【편집자 주】이 1편의 시는 고 박인환 시인이 세상을 떠나기 사흘 전, 자유문협 주최의 '물고 작가 추념제'를 위하여 자신이 당일 낭독하려고 지어 두었던 유고이다. 박 시인은 이제 자기 스스로 물고 작가의 한 사람이 되어 이날 제전에서 자신이 읽으려던 도시悼詩를 명계冥界의 혼이 되어 듣는 사람이 되리라고는 꿈에도 생각지 못하였을 것이다.

오월의 바람

그 바람은
세월을 알리고

그 바람은
내가 쓸쓸할 때 불어온다

그 바람은
나에게 젊음을 가르치고

그 바람은
봄이 떠나는 것을 말한다

그 바람은
눈물과 즐거움을 갖고 있다

그 바람은
오월의 바람

3·1절의 노래

즐겁게 3·1절을 노래했던 해부터 지금 십 년이 지났다
독립이 있었고
눈보라 치던 피난을 겪으며
곤란과 서러움의 십 년이 지났다.

변함없이 푸르른 하늘
그때의 사람과
그때의 깃발을
하늘은 잊지 않는다.
아니 내 아버지와 내 가슴에
저항의 피가 흐른다.

지금 우리는 소리 없이 노래 부른다
노래를 부르지 않아도 좋다.
그것은 무거웁게[173] 민족의 마음에
간직되어 있고
우리는 또한 싸움의 십 년을 보냈다.

---

173 국어 어문규정에 따르면 '무겁게'가 맞지만 원본의 느낌을 살리기 위해 '무거웁게'로 적는다.

우리는 보지 못했어도
저 하늘은 선열의 주검을 보았고
그때의 태양은
지금의 태양

삼월 초하루가 온다.
맑은 하늘과 우리의 마음에
독립과 자유를 절규하던
그리운 날이 온다.

【편집자 주】작자 박인환은 1956년 3월 32세를 일기로 서거. 저서로 『선시집』이 있고
이 시는 사거死去 2개월 전에 쓴 작품임.

거리[174]

나의 시간에 스콜과 같은 슬픔이 있다
붉은 지붕 밑으로 향수鄕愁가 광선을 따라가고
한없이 아름다운 계절이
운하의 물결에 씻겨 갔다

아무 말도 하지 말고
지나간 날의 동화童話를 운율에 맞춰
거리에 화액花液을 뿌리자
따뜻한 풀잎은 젊은 너의 탄력같이
밤을 지구 밖으로 끌고 간다

지금 그곳에는 코코아의 시장市場이 있고

---

174 「단층」의 발굴로 「거리」가 박인환의 최초 발표작이 아님은 분명해졌다. 「거리」가 문헌에 처음
등장한 것은 박인환 사후 20주기를 추모하여 유족들이 엮은 『목마와 숙녀』(1976)에서이다. 여
기에는 작품 말미에 '1946.12'이라는 창작 연월일이 부기되어 있을 뿐이다. 그런데 문학세계사
발행본 『박인환 전집』(1986)에서는 「거리」를 1946년 12월 『국제신보』에 발표된 것으로 확정하
고, 이것을 박인환의 등단 작품으로 간주했다. 이후의 연구 논문과 전집들도 문학세계사 발행
본 『박인환 전집』의 견해를 무비판적으로 수용했다. 그 결과 박인환의 등단 작품과 관련하여
「거리」의 『국제신보』(1946.12) 발표설이 대세를 이루게 된 것이다. 하지만 『국제신보』는 1946
년 12월에 발행된 적이 없다. 즉 「거리」가 『국제신보』에 발표되었다는 주장은 문헌학적으로
성립되지 않는다. 현재로서는 「거리」를 「이 거리는 환영한다」와 「어떠한 날까지」와 마찬가지
로 『목마와 숙녀』에 처음 발표된 작품으로 간주하는 것이 타당하다. 「거리」의 『국제신보』 발표
설이 생산되는 과정과 그 주장의 허구성에 대해서는 작가 연보를 참고하기 바란다.

과실果實처럼 기억만을 아는 너의 음향이 들린다

소년들은 뒷골목을 지나 교회에 몸을 감춘다

아세틸렌 냄새는 내가 가는 곳마다

음영陰影같이 따른다.[175]

거리는 매일 맥박을 닮아 갔다

베링 해안 같은 나의 마을이

떨어지는 꽃을 그리워한다

황혼처럼 장식한 여인들은 언덕을 지나

바다로 가는 거리를 순백한 식장式場으로 만든다

전정戰庭의 수목 같은 나의 가슴은

베고니아를 끼어안고[176] 기류氣流 속을 나온다

망원경으로 보던 천만千萬[177]의 미소를 회색 외투에

싸아[178]

얼은[179] 크리스마스의 밤길로 걸어 보내자

【편집자 주】 1946. 12.

---

175 문승묵 본에서는 2연과 3연을 구분하지 않은 채 한 연으로 취급했다. 하지만 각 연이 대체로
    5행 이내로 구성된다는 점을 감안하면 "지금 그곳에는 코코아의 시장이 있고"에서 연을 나누
    는 것이 적절하다.
176 국어 어문규정에 따르면 '껴안고'가 맞지만 원본의 느낌을 살리기 위해 '끼어안고'로 적는다.
177 문승묵 본에서는 '수만'으로 잘못 표기했다.
178 국어 어문규정에 따르면 '싸'가 맞지만 원본의 느낌을 살리기 위해 '싸아'로 적는다.
179 국어 어문규정에 따르면 '언'이 맞지만 원본의 느낌을 살리기 위해 '얼은'으로 적는다.

이 거리는 환영한다
반공 청년에게 주는 노래

어느 문이나
열리어 있다
식탁 위엔
장미와 술이
흐르고

깨끗한 옷도
걸려 있다
이 거리에는
채찍도
철조망도
설득 공작도
없다

이 거리에는
독재도
모해도
강제 노동도
없다

가고 싶은
거리에서
거리에로
가라
어데서나
가난한
이 민족
따스한 표정으로

어데서나
서러운
그대들의
지나간 질곡을
위로할 것이니

가고 싶은
거리에서
네 활개 치고
가라
이 거리는
찬란한 자유의
고장

이 거리는

그대들의
새로운 출발점
이제 또다시
막을 자는
아무도 없다
넓은 하늘
저 구름처럼
자유롭게
또한
뭉쳐 흘러라

어느 문이나
열리어 있다
깨끗한 옷에
장미를 꽂고
술을 마셔라

어떠한 날까지

이 중위의 만가輓歌를 대신하여

−형님 저는 담배를
피우게 되었습니다−
이런 이야기를 하던 날
바다가 반사된 하늘에서
평면의 심장을 뒤흔드는
가늘한[180] 기계의 비명이 들려왔다
이십 세의 해병대 중위는
담배를 피우듯이
태연한 작별을 했다.

그가 서부 전선 무명無名의 계곡에서
복잡으로부터
단순을 지향하던 날
운명의 부질함[181]과
생명과 그 애정을 위하여
나는 이단異端의 술을 마셨다.

---

180 국어 어문규정에 따르면 '가는'이 맞지만 원본의 느낌을 살리기 위해 '가늘한'으로 적는다.
181 문맥상 '부질없음'의 뜻이다.

우리의 일상과 신변에
우리의 그림자는
명확한 위기를 말한다
나와 싸움과 자유의 한계는
가까우면서도
망원경이 아니면 알 수 없는
생명의 고집에 젖어 버렸다
죽음이여
회한과 내성內省의 절박한 시간이여
적은 바로
나와 나의 일상과 그림자를 말한다.

연기와 같은 검은 피를 토하며 ……
안개 자욱한 젊은 연령의 음영陰影에 ……
청춘과
자유의 존엄을 제시한
영원한 미성년
우리의 처참한 기억이
어떠한 날까지 이어갈 때
싸움과 단절의 들판에서
나는 홀로 이단의 존재처럼
떨고 있음을 투시한다.

【편집자 주】 1952. 11. 20.

제2부 원본原本

일러두기

1. 원본은 최초 발표본의 발표 순서대로 배열하되, 최초 발표본 다음에 이본을 함께 제시한다.
2. 다음의 작품들을 원본原本으로 간주한다.
   ① 박인환이 생전에 신문과 잡지에 발표한 작품
   ② 박인환이 생전에 간행한 동인지와 시집에 수록된 작품
   • 新詩論同人會(金暻麟, 金景熹, 金秉旭, 朴寅煥, 林虎權), 『新詩論』 1집, 珊瑚莊, 1948. 4. 20.
   • 新詩論同人會(金暻麟, 林虎權, 朴寅煥, 金洙暎, 梁秉植), 『새로운 都市와 市民들의 合唱』, 都市文化社, 1949. 4. 5.
   • 朴寅煥, 『選詩集』, 珊瑚莊, 1955. 10. 15.
   ③ 박인환 생전에 간행된 사화집에 수록된 작품
   • 康世均 編, 『愛國詩三十三人集』, 大韓軍事援護文化社, 1952. 3. 5.
   • 李相魯 編, 『蒼穹』, 空軍本部政訓監室, 1952. 5.
   • 趙鄕 編, 『現代國文學粹』, 自由莊, 1952. 11. 5.
   • 李漢稷 編, 『韓國詩集』 上, 大洋出版社, 1952. 12. 31.
   • 金容浩・李雪舟 編, 『現代詩人選集』 下, 文星堂, 1954. 2. 5.
   • 柳致煥・李雪舟 編, 『1954年刊詩集』, 文星堂, 1955. 6. 20.
   • 金宗文 編, 『戰時 韓國文學選 詩篇』, 國防部政訓局, 1955. 6. 25.
   ④ 박인환 사후에 발표된 유고 작품
   ⑤ 박인환 사후에 간행된 시집에 수록된 미발표 작품
   • 『木馬와 淑女』, 朴寅煥, 槿域書齋, 1976. 3. 10.
   『木馬와 淑女』에는 일러두기 2항의 ①, ②, ③, ④에 해당되지 않는 「거리」, 「이 거리는 歡迎한다」, 「어떠한 날까지」, 「歲月이 가면」, 「가을의 誘惑」 등 5편이 처음 수록된 것으로 알려져 왔다. 이 전집을 엮으면서 편자들에 의해 「가을의 誘惑」과 「歲月이 가면」의 최초 발표본이 발굴되었기 때문에 ⑤의 원칙대로라면 「거리」, 「이 거리는 歡迎한다」, 「어떠한 날까지」 등 3편만이 편집 대상이 된다. 하지만 「가을의 誘惑」과 「歲月이 가면」도 이본 대조가 필요하다고 판단되어 『木馬와 淑女』에 실린 작품을 「가을의 誘惑」[2]와 「歲月이 가면」[4]로 표시하여 수록한다.
3. 원본을 수록하는 방법은 다음과 같다.
   ① 제목과 본문 내용의 표기법(맞춤법, 띄어쓰기, 기호 등)은 발표 지면의 것을 그대로 따른다.
   ② 발표 지면의 표기가 확실하게 오식이나 오자라고 판단된 경우, 본문에서는 발표 지면대로 표기하고 각주에서 그 오류를 바로잡는다. 반면에 발표 지면의 표기가 인쇄상 불완전한 경우, 본문에서는 이를 바로잡아 표기하고 각주에서 발표 지면의 인쇄 상태를 밝혀 적는다.
   ③ 원본의 제목에 부기된 [숫자는 이본異本의 발표 순서를 표기한 것이다. 제목 뒤에 숫자 표시가 없는 것은 한 번만 발표된 작품으로 이본이 없는 경우이며, 2~5까지 표시된 것은 여러 번 발표되어 이본이 존재하는 경우이다.
   ④ 원본의 본문에 부기된 [숫자는 발표 지면의 면수를 표기한 것이다.
4. 각주에서는 발표 지면의 특이점, 이본 대조를 통해 명백하게 오자 또는 오식임을 확인된 사항, 작품의 전체 구성이 크게 달라진 점, 기존 전집에 나타난 서지 사항의 오류 등을 기술한다.

斷層[1]

産業銀行 유리窓밑으로
大陸의 市民이 푸르므나ー드하든
지난해 겨울

戰爭을 피해온 女人은
銃소리가 들리지않은 過去를
受胎하며 뛰여다녔다.

暴風의 Muse는 燈火管制속에
고요히 잠들고
이 밤 大陸은 한개 果實같이
大理石우에 떠러젔다.

짓밟힌 나의 優越感이여
市民들은 한사람한사람이 Demosthenes
政治의 演出家는 逃亡한 Arlequin을 찾으러 도
라다닌다.

市長의 調馬師는
밤에 가장 가까운 저녁때
雄鷄가 노래하는 Bluse에 化合되여
平行面體의 都市計劃을
Cosmos가 피는 寒村으로 案內하였다.

衣裳店에 神化한 Mannequin
저 汽笛은 Express for Mukden
Marronnier는 蒼空에 凍結되였다.
汽笛같이 사라지는 女人의 그림자는
香氣로운 Jasmin의 香氣를 남겨놓았다.[17]

城壁인양 잠들은 大陸의 王者여
꿈을 모르는 부헝이처럼
女人은 고요히 고요히 몸섰다.[2][18]

『純粹詩選』(1946.6.20)

不幸한 산송

産業銀行 유리窓 밑으로
大陸의 市民이 푸르므나아드하던 지난해 겨울
戰爭을 피해온 女人은
銃소리가 들리지 않는 過去로
受胎하며 뛰어 다녔다.

暴風의 뮤스는 燈火管制 속에[220]
고요히 잠 들고
이 밤 大陸은 한개 果實처럼
大理石 위에 떨어졌다.

짓밟힌 나의 優越感이여
市民들은 한사람 한사람이 〈데모스테데네스〉
政治의 演出家는 逃亡한

---

1   이 작품은 현재까지 확인된 박인환의 최초 발표작
    이다. 1946년 6월 20일 '청년문학가협회 시부靑年文
    學家協會 詩部'와 '팔월시회八月詩會'가 주최한 '예술
    의 밤' 행사에서 낭독되었으며, 원문은 이 행사의 입
    장권으로 사용된 『순수시선純粹詩選』에 실렸다.
    「불행不幸한 산송」으로 개제, 개작되어 『선시집選
    詩集』에 수록되었다.

2   「불행不幸한 산송」에서는 7연 전체가 삭제되었다.

아르르캉을 찾으러 돌아다닌다.

市長의 調馬師는[221]
밤에 가장 가까운 저녁때
雄鶏가 노래하는 브루우스에 化合되어
平行 面體의 都市計劃을
코스모스가 피는 寒村으로 案內하였다.

衣裳店에 神化한 마네킹
저 汽笛은 Express for Mukden
마로니에는 蒼空에 凍結되고
汽笛처럼 사라지는 女人의 그림자는
쨔스민의 香氣를 남겨 주었다.[222]

『選詩集』(1955.10.15)

仁川港[1]

寫眞雜誌에서본 香港夜景을 記憶하고있다
그리고 中日戰爭때 上海埠頭를 슬퍼했다

서울에서 三十키로ー를 떨어진 땅에 모든 海
岸線과 共通된 仁川港이있다

가난한 朝鮮의印象을 如實이 말하든 仁川港
口에는 商館도없고 領事館도없다

따뜻한 黃海의 바람이 生活의 도움이되고저
나푸킨같은 灣內로 뛰여들었다

海外에서 同胞들이 故國을 찾아들때 그들이
처음上陸한 곳이 仁川港이다[78]

그러나 날이 갈수록 銀酒와 阿片과 호콩이 密
船에 실려오고 太平洋을 건너 貿易風을탄 七面鳥
가 仁川港으로 羅針을 돌린다

서울에서 모여든 謀利輩는 中國서온 헐벗은
同胞의 보따리 같이 貨幣의 큰 뭉치를 등지고 埠
頭를 彷徨했다

웬사람이 이같이 많이 걸어다니는 것이냐 船
夫들인가 아니 담배를 살라고 軍服과 담요와 또
는 캔디를 살라고ー그렇지만 食料品만은 七面鳥
와함께 配給을 한다[3]

밤이 가까울수록 星條旗가 퍼덕이는 宿舍와
駐屯所의 네온 · 싸인은 붉고 짠그의 불빛은 푸
르며 마치 유니온 · 짝크가 날리는 植民地 香港
의 夜景을 닮어간다 朝鮮의海港 仁川의 埠頭가 中
日戰爭때 日本이 支配했든 上海의밤을 소리없이
닮어간다.[79]

『新朝鮮』개제3호[4](1947.4.20)

3 『신조선新朝鮮』 수록분은 전 9연으로 구성되었지
  만, 『새로운 도시都市와 시민市民들의 합창合唱』 수
  록분은 이 연이 생략된 채 전 8연으로 편성되었다.
4 『신조선新朝鮮』은 3호(창간호 1945.12.1, 2호 1946.7.1,
  3호 1946.10.15)까지 간행된 『신문예新文藝』를 개제하
  여 발행한 잡지이다. 그러나 『신조선』 첫 호는 개제
  1호가 아닌 『신조선』 4호(1947.2.10)로 명기된 채 간
  행되었으며, 2호(1947.3.20)부터 호수에 '개제'를 표기
  했다. 『신조선』은 개제된 후 5호(개제3호 1947.4.20,
  개제4호 1947.5.20, 개제5호 1947.6.20)가 간행되었
  기 때문에 『신문예』와 『신조선』의 통권은 8호이다.

仁川港[2]

寫眞雜誌에서본 香港夜景을 記憶하고있다
그리고 中日戰爭때
上海埠頭를 슬퍼했다

서울에서 三十키로―를 떨어진곳에
모든 海岸線과 共通되여있는
仁川港이 있다[61]

가난한 朝鮮의 푸로횔을
여실히 表現한 仁川港口에는
商館도없고
領事館도없다

따뜻한 黃海의 바람이
生活의 도음⁵이 되고져
나푸킨같은 灣內에 뛰여드렀다[62]

海外에서 同胞들이 故國을 찾어들때
그들이 처음上陸한 곳이
仁川港口이다

그러나 날이 갈수록
銀酒와 阿片과 호콩이 密船에 실려오고
太平洋을 건너 貿易風을탄 七面鳥가
仁川港으로 羅針을 돌렀다

서울에서 모여든 謀利輩는[63]

---

5 이본을 참조하면 '움'의 오자 또는 오식이다.

中國서온 헐벗은同胞의 보따리같이
貨幣의 큰 뭉치를 등지고
黃昏의埠頭를 彷徨했다

밤이 가까울수록
星條旗가 퍼덕이는 宿舍와
駐屯所의 네온·싸인은 붉고
짠그의 불빛은 푸르며
마치 유니온·짝크가 날리든
植民地 香港의夜景을 닮어간다[64]
朝鮮의海港 仁川의 埠頭가
中日戰爭때 日本이支配했든
上海의밤을 소리없이 닮어간다[65]

『새로운 都市와 市民들의 合唱』(1949.4.5)

南風[1]

거북이처럼 괴로운 세월이
바다에서 올러온다

일직이 의복을 빼앗긴 土民
태양없는 마레―
너의사랑이 白人의 고무園에서
素馨저스민처럼 곱게 시드러졌다

민족의 운명이
꾸멜神의 榮光과함게 사는
안콜,왓트의나라
越南人民軍

멀리 이땅에도 들려오는
너이들의 抗爭의 총소리

가슴 부서질듯 南風이분다
季節이 바뀌면 颱風은온다

亞細亞 모든緯度
잠든 사람이여
귀를 기우려라

눈을뜨면
南方의 향기가
가난한 가슴팩으로 슴여든다

(五月)[13]

『新天地』 2-6호(1947.7.1)

越南人民軍
멀리 이땅에도 들려오는
너이들의 抗爭의 銃소리

가슴 부서질듯 南風이분다
季節이 바뀌면 颱風은온다[67]

亞細亞 모든緯度
잠든 사람이어
귀를 기우려라

눈을뜨면
南方의 향기가
가난한 가슴팩으로 슴여든다[68]

『새로운 都市와 市民들의 合唱』(1949.4.5)

南風[2]

거북이처럼 괴로운 세월이
바다에서 올러온다

일즉이 衣服을 빼앗긴 土民
태양없는 마레―
너의사랑이 白人의 고무園에서
素馨자스민처럼 곱게 시드러졌다[66]

民族의 運命이
꾸멜神의 榮光과함께 사는
안콜·왔트의나라

사랑의 Parabola[1]

어제의날개는 忘却속으로갔다
부드러운 소리로 窓을 두들기는햇빛
바람과 恐怖를넘고
밤에서 맨발로오는 오늘의 사람아

떨리는손으로 안개긴時間을 나는직혔다
히미한 등불을 던지고
열지못할 가슴의문을 부셨다

새벽처럼 지금 幸福하다
周圍의 血液은 사라있는 人間의 眞實로 흐르고

感情의 運河로 漂流하든
나의 그림자는 지나간다

내사랑아
너는 찬氣候에서
긴 行路를 시작했다
그러므로
暴風雨도 서슴치않고
殘酷마저 무섭지않다[22]

짧은하로 그러나
너와나의 사랑의 抛物線은
權力없는 地球끝으로—
오늘의 位置의延長線이
노래의 形式처럼
來日로 自由로운 來日로—[23]

『새한민보』 11호(1947.10.10)

새벽처럼 지금 幸福하다.
周圍의 血液은 살아 있는 人間의 眞實로 흐르고
感情의 運河로 漂流하던
나의 그림자는 지나간다.

내 사랑아
너는 찬氣候에서 긴 行路를 시작했다. 그러므로
暴風雨도 서슴치 않고 慘酷마저 무섭지 않
다.[224]

짧은 하루 허나
너와 나의 사랑의 抛物線은
權力 없는 地球 끝으로
오늘의 位置의 延長線이
노래의 形式처럼 來日로
自由로운 來日로 ……[225]

『選詩集』(1955.10.15)

사랑의 Parabola[2]

어제의 날개는 忘却 속으로 갔다.
부드러운 소리로 窓을 두들기는 햇빛
바람과 恐怖를 넘고
밤에서 맨발로 오는 오늘의 사람아

떨리는 손으로 안개 긴 時間을 나는 지켰다.
희미한 등불을 던지고[223]
열지 못할 가슴의 門을 부셨다.

나의生涯에 흐르는時間들[1]

나의生涯에 흐르는 時間들
가느란 一年의 안제라스

어두워지면 길목에서 우렀다
사랑하는 사람과

숲속에서 들리는 목소리
그의얼골은 죽은 詩人이었다

늙은언덕밑
疲勞한季節과 부서진樂器

모이면 지낸날을 이야기한다
누구나 저만이슬프다고

가난을등지고 노래도잃은
안개속으로 드러간 사람아

이렇게 밝은밤이면
빛나든 樹木이 그립다

바람이찾어와 문은열리고
찬눈은 가슴에 떨어지다

힘없이 反抗하든 나는
겨울이라 떠나지 못하겟다

밤새우는 街路燈
무었을 기다리나

나도 서있다
無限한 果實만먹고

『世界日報』(1948.1.1)

나의 生涯에 흐르는 時間들[2]

나의 生涯에 흐르는 時間들
가느다란 一年의 안제라스

어드워지면 길목에서 울었다
사랑하는 사람과

숲 속에서 들리는 목소리[216]
그의 얼굴은 죽은 詩人이었다

늙은 언덕 밑
疲勞한 季節과 부서진 樂器

모이면 지낸 날을 이야기한다
누구나 저만이 슬프다고

가난을 등지고 노래도 잃은
안개 속으로 들어간 사람아[217]

이렇게 밝은 밤이면
빛나는 樹木이 그립다

바람이 찾아와 문은 열리고
찬 눈은 가슴에 떨어진다

힘 없이 反抗하던 나는
겨울이라 떠나지 못하겠다[6][218]

밤 새우는 街路燈
무엇을 기다리나

나도 서 있다
無限한 果實만 먹고[219]

『選詩集』(1955.10.15)

---

6   열람한 판본의 '다'가 불완전하게 인쇄되었다.

인도네시아 人民에게 주는 詩[1]

東洋의 오-케스트라
가메란의 伴奏樂이 들려온다
오 弱小民族
우리와같은 植民地의 인도네시야

三百年동안 너의資源은
歐美資本主義國家에 빼앗기고
反面 悲慘한犧牲을 받지않으면
歐羅巴의半이나되는 넓은땅에서
살수없게 되였다
그러는사히 가메란은 미칠듯이 우렀다

오란다의 五十八倍나되는 面積에
오란다人은 조금도 갖지않은 슬픔을
密林처럼 지니고
六千七十三萬人中 한사람도 빛나는 南十字
星은 처다보지도못하며 살어왔다

首都바다비아 商業港 스라바야 高原盆地의
中心地 반돈의 市民이어
너의들의 習性이 용서되지않는
남을 때리지못하는것은 回教서온것만이아
니라
東印度會社가 崩壞한다음
오란다의 植民政策밑에 모든 힘까지도 빼앗
긴것이다

사나히는 일할곳이 없었다 그러므로 弱한여
자들은 白人아래 눈물흘렸다

數萬의混血兒는 살길을잃어 애비를 찾었으나
스라바야를 떠나는商船은
벌서 汽笛을 울렸다

오란다人은 폴도갈이나 스페인처럼
寺院을 만들지는 않었다
英國人처럼 銀行도 세우지않었다
土人은 貯蓄心이 없을뿐만아니라
貯蓄할餘裕란 도모지없었다
오란다人은 옛말처럼 道路를닥고
亞細亞의倉庫에서 임자없는사히
寶物을 本國으로 끌고만갔다[124]

住居와衣食은 最低度
奴隷的地位는 더욱甚하고
옛과같은 創造의血液은 完全히 腐敗하였으나
인도네시야人民이어
生의榮光은 그놈들의 所有만이 아니다

마땅히 要求할수있는 人民의解放
세워야할 늬들의나라
인도네시야共和國은 成立하였다 그런데 聯
立臨時政府란 또다시 迫害다
支配權을 恢復할려는謀略을 부셔라
이제는 植民地의孤兒가되면 못쓴다
全人民은 一致團結하여 스콜처럼 부서저라
國家防衛와 人民戰線을위해 피를 뿌려라
三百年동안 받어온 눈물겨운 迫害의 反應으
로너의祖上이 남겨놓은 저椰子나무의노래를 부
르며
오란다軍의 機關銃陣地에 뛰여드러라

帝國主義의 野蠻的制裁는
너이뿐만아니라 우리의 侮辱
힘있는데로 英雄되어 싸워라
自由와 自己保存을 위해서만이 아니고
野慾과 暴壓과 非民主的인 植[7]民政策을 地球
에서 부서내기위해
反抗하는 인도네시야人民이여
最後의 한사람까지 싸위[8]라

慘酷한 몃달이 지나면
피흘린 자바섬(島)에는
붉은 간나꽃이 피려니
죽엄의보람은 南海의太陽처럼
朝鮮에사는 우리에게도 빛이려니
海流가 부디치는 모든 陸地에선
거룩한 인도네시야人民의 來日을 祝福하리라

사랑하는 인도네시야人民이여
古代文化의 大遺蹟 보로·보도울의밤
平和를 울리는 鐘소리와함게
가메란에 맞추어 스림피로
새로운 나라를 마지하여라

"스림피" — 자바의代表舞踊
(一九四七,七,二六)[125]

『新天地』 3-2호(1948.2.1)

인도네시아人民에게주는詩[2]

東洋의 오-케스트라
가메란의 伴奏樂이 들려온다
오 弱小民族
우리와같은 植民地의 인도네시아

三百年동안 너의資源은
歐美資本主義國家에 뺏았기고[69]
反面 悲慘한犧牲을 받지않으면
歐羅巴의 半이나되는 넓은땅에서
살수없게 되였다 그러는사히
가메란은 미칠듯이 우렀다

홀랜드의 五十八倍나되는 面積에
홀랜드人은 조금도 갖이않은 슬픔을
密林처럼 지니고
七千七十三萬人中 한사람도
빛나는 南十字星은 처다보지도못하며 살어
왔다[70]

首都 족자카로타
商業港 스라바야
高原盆地의中心地 반돈의 市民이어
너이들의 習性이 용서지지않는
남을 때리지못하는것은
回敎精神에서 온것만이 아니라
東印度會社가 崩壞한다음
홀랜드의 植民政策밑에
모든 힘까지 빼앗긴것이다[71]

---

7 이본을 참조하면 '植' 자가 빠진 채 인쇄되었다.
8 이본을 참조하면 '위'의 오자 또는 오식이다.

사나히는 일할곳이 없었다 그러므로
弱한여자들이 白人아래 눈물흘렸다
數萬의混血兒는
살길을잊어 애비를 찾었스나
스라바야를 떠나는 商船은
벌서 汽笛을 울렸다

홀랜드人은 폴도갈이나 스페인처럼
寺院을 만들지 않었다[72]
英國人처럼 銀行도 세우지않었다
土人은 貯蓄心이 없을뿐만아니라
貯蓄할 餘裕란 도모지없었다
홀랜드人은 옛말처럼 道路를닥고
亞細亞의倉庫에서 임자없는사히
資源을 本國으로 끌고만갔다

住居와衣食은 最低度
奴隷의地位는 더욱甚하고
엣과같은 創造的血液은 完全히 腐敗하였스
나[73]
인도네시아人民이여
生의榮光은 홀랜드의 所有만이 아니다

마땅히 要求할수잇는 人民의解放
세워야할 늬들의나라
인도네시아共和國은 成立하였다 그런데
聯立臨時政府란 또다시 迫害다
支配權을 回復할랴는 謀略을 부셔라
이제는 植民地의孤兒가되면 못쓴다
全人民은一致團結하야 스콜처럼 부서저라[74]
國家防衛와 人民戰線을위해 피를뿌리려
三百年동안 받어온

눈물겨운 迫害의反應으로
너의祖上이 남겨놓은
椰子나무의노래를 부르며
홀랜드軍의 機關銃陣地에 뛰여드러라

帝國主義의 野蠻的制裁는
너이뿐만아니라 우리의侮辱
힘있는데로 英雄되여 싸워라[75]
自由와 自己保存을 위해서만이 아니고
野慾과 暴壓과 非民主的인
植民政策을
地球에서 부서내기위해
反抗하는 인도네시아人民이여
最後의 한사람까지 싸워라

慘酷한 몇달이 지나면
피흘린 자바섬(島)에는
붉은 간나의꽃이 피려니[76]
죽엄의보람이 南海의太陽처럼
朝鮮에사는 우리에게도 빛이려니
海流가 부디치는 모든 陸地에선
거룩한 인도네시아人民의
來日을 祝福하리라

사랑하는 인도네시아人民이여
古代文化의 大遺蹟 보로·보드울의밤
平和를 울리는 鐘소리와함께
가메란에 맞추어 스림피로[77]
새로운 나라를 마지하여라

　　　"스림피"—자바의代表舞踊—[78]

　　『새로운 都市와 市民들의 合唱』(1949.4.5)

257

地下室[1]

黃褐色階段을 네려와
모인사람은
都市의地坪에서 싸우고왔다

눈앞에 어리는 프른시그날
그러나 떠날수없고
모다들 鮮明한 記憶속에 잠든다

달빛아래
움물을푸든 사람도
地下의秘密은 알지못했다

이미 밤은 기우러저가고
하늘엔 靑春이부서저
에메랄드의 불빛이 흐른다

겨울의 새벽이여
너에게도 地熱과같은 따스함이있다면
우리의이름을 불러라

아직 바람과같은
速力이 있고
透明한 感覺이 좋다[83]

『民聲』 4-3호(1948.3.1)

地下室[2]

黃褐色階段을 네려와
모인사람은
都市의地坪에서 싸우고왔다

눈앞에 어리는 프른시그날
그러나 떠날수없고
모다들 鮮明한 記憶속에 잠든다[58]

달빛아래
우물을푸든 사람도
地下의秘密은 알지못했다

이미 밤은 기우러져가고
하늘엔 靑春이 부서저
에메랄트의 불빛이 흐른다

겨울의 새벽이어[59]
너에게도 地熱과같은 따스함이있다면
우리의이름을 불러라

아직 바람과같은
速力이 있고
透明한 感覺이 좋다[60]

『새로운 都市와 市民들의 合唱』 (1949.4.5)

골키-의달밤　　　　　　　　　　　　　　　　　　『新詩論』1집(1948.4.20)

起伏하던
靑春의山脈은
파도소리처럼 멀어졌다

바다를 헤처나온 北西風
죽엄의 거리에서 헤매는
내 性格을 또다시 차디차게 한다

이러한 時間이라도
山間에서 남모르게 소사나온
샘물은
왼쪽바다
黃海로만 기우러진다[14]

소낙비가 音響처럼 흘러간다음
지금은 조용한
골키-의 달밤

오막사리를 뛰여나온
파펠들의 함마는
눈을 가로막은 안개를 부신다

새벽이 가까웠을때
海邊에는
발자죽만이 남어있었다

碇泊한汽船은 軍隊를 끌고
砲彈처럼
내가슴을 뚫고 떠났다[15]

동시 언덕

연날리든 언덕
너는 떠나고
지금 구름아래
연을 따른다
한바람 두바람
실은 풀리고
연이 떠러지는곳
너의 잠든곳

꼿이지니
비가오며 바람이일고
겨울이니
언덕에는 눈이싸여서
누구하나 오지안어
네생각 하며
연이 떠러진곳
너를 찾는다

『自由新聞』(1948.11.25)

田園詩抄[1]

(1)

홀로 새우는 밤이였다
지난 詩人이 거러온 길을
나의 꿈길에서 부디쳐본다

적막한곳엔 살수없고
겨울이면 눈이쌓일것이
걱정이다

시간이 갈수록
바람은 모여들고
한간방은 잘자리도없이

좁아진다[9]

밖에는 우수수
落葉소리에
나의몸은
점점 무거워진다

(2)
風土의 냄새를
산 마루에서
지킨다

내가슴보담도
더욱 쓰라린
늙은 농촌의 黃昏

언제부터 시작되고
언제나 끝이는
나의 슬픔인가
지금 처다보기도 싫은
기우러져가는
晩夏

전선우에서
비들기는
바람처럼 나에게 작별을한다

(3)
찾어든 고독속에서
가까히 들리는
바람소리를 사랑하다

窓을 부시는듯
별들이 보였다

七月의 저무는 전원
詩人이죽고
괴로운 세월은
어데론지 떠났다

비나리면
떠난동무의 목소리가
江물보다도

---

9 문맥상 3연에 이어지지만 발표 지면대로 연을 나누
어 표기한다.

내귀에
서늘하게 들리었다

여름의 呼吸이
쉴새없이
눈앞으로 지낸다

(4)
절눔바리 내어머니는
朔風에 쓰러진
枯木옆에서 나를불렀다

얼마지나
부서진 追憶을안고
염소처럼 나는울었다

馬車가 넘어간
언덕에 앉어
地平에서 거러오는
옛사람들의
모습을본다

生覺이 타오르는
연기는
마을을 덮었다[42]

『婦人』17호(1948.12.15)

田園[2]

I
홀로 새우는 밤이었다.
지난 詩人의 걸어온 길을
나의 꿈길에서 부딛혀 본다.
적막한 곳엔 살 수 없고
겨울이면 눈이 쌓일 것이
걱정이다.[229]
시간이 갈쑤록
바람은 모여 들고
한간 방은 잘 자리도 없이
좁아진다.
밖에는 우수수
落葉 소리에
나의 몸은
점점 무거워진다.[230]

II
風土의 냄새를
산 마루에서
지킨다.
내가슴 보다도
더욱 쓰라린
늙은 농촌의 황혼
언제부터 시작 되고
언제 그치는
나의 슬픔인가.[231]
지금 쳐다 보기도 싫은
기울어져 가는
晩夏.

전선 위에서
제비들은
바람 처럼
나에게 작별한다.[232]

III
찾아든 고독 속에서
가까이 들리는
바람소리를 사랑하다.
窓을 부시는듯
별들이 보였다.
七月의
저무는 전원
詩人이 죽고
괴로운 세월은[233]
어데론지 떠났다.
비 나리면
떠난 친구의 목소리가
江물 보다도
내 귀에
서늘하게 들리고
여름의 호흡이
쉴 새 없이
눈 앞으로 지낸다.[234]

IV
절름발이 내 어머니는
朔風에 쓰러진
고목 옆에서 나를
불렀다.
얼마 지나
부서진 추억을 안고

염소 처럼 나는
울었다.[235]
馬車가 넘어간
언덕에 앉아
지평에서 걸어오는
옛 사람들의
모습을 본다.
생각이 타 오르는
연기는
마을을 덮었다.[236]

『選詩集』(1955.10.15)

列車[1]

> 軌道우에 鐵의風景을 疾走하면서
> 그는 野生한新時代의 幸福을 展開한다
> 스티-븐·스펜터-

暴風이 머문 정거장 거기가 出發點
精力과 새로운意慾아래
列車는 움지긴다
激動의時間-
꽃의秩序를 버리고
空闊한 나의運命처럼
列車는 떠난다
검은記憶은 田園에 흘러가고
速力은 서슴없이 축[10]엄의傾斜를 지난다

靑春의복바침을
나의 視野에 던진채

---
10 이본을 참조하면 '죽'의 오자 또는 오식이다.

未來에의 外接線을 눈부시게 그으며
背景은 핑크빛 香기로운 對話
깨진 유리창밖 荒廢한都市의 雜音을차고
律動하는 風景으로
滑走하는 列車

가난한 사람들의 슬픈 慣習과
封建의턴넬 特權의帳幕을 뚫고
핏비린 언덕넘어 곧
光線의進路를 따른다
다음 홀버슨 樹木의集團 바람의呼吸을앉고
눈이 타오르는 처음의 綠地帶
거기엔 우리들의 恍惚한 永遠의거리가 있고
밤이면 列車가 지나온
커다란 苦難과 勞動의 불이 빛난다
彗星보다도
아름다운 새날보담도 밝게[75]

『開闢』81호(1949.3.25)

列車[2]

> 軌道우에 鐵의風景을 疾走하면서
> 그는 野生한新時代의 幸福을 展開한다
> 스티―분·스펜더어

暴風이 머문 정거장 거기가 出發點
精力과 새로운意慾아래
列車는 움지긴다
激動의時間
꽃의秩序를 버리고[54]
空闊한 나의運命처럼
列車는 떠난다

검은記憶은 田園에 흘러가고
速力은 서슴없이 죽엄의傾斜를 지난다

靑春의복바침을
나의 視野에 던진채
未來에의 外接線을 눈부시게 그으며
背景은 핑크빛 香기로운 對話
깨진 유리창밖 荒廢한都市의 雜音을차고[55]
律動하는 風景으로
滑走하는 列車

가난한 사람들의 슬픈 慣習과
封建의턴넬 特權의帳幕을 뚫코
핏비린 언덕넘어 곧
光線의進路를 따른다
다음 헐버슨 樹木의集團 바람의呼吸을앉고
눈이 타오르는 처음의 綠地帶[56]
거기엔 우리들의 恍惚한 永遠의거리가 있고
밤이면 列車가 지나온
커다란 苦難과 勞動의 불이 빛난다
彗星보다도
아름다운 새날보담도 밝게[57]

『새로운 都市와 市民들의 合唱』(1949.4.5)

列車[3]

> 軌道 우에 鐵의 風景을 疾走하면서
> 그는 野生한 新時代의 幸福을 展開한다.
> ─ 스티이본·스펜더어 ─

폭풍이 머문 정거장 거기가 出發點
精力과 새로운 의욕 아래

열차는 움직인다
激動의 시간
꽃의 秩序를 버리고
空閨한 나의 운명처럼
열차는 떠난다
검은 記憶은 田園에 흘러 가고
속력은 서슴 없이 죽음의 傾斜를 지난다[176]

청춘의 복바침을
나의 視野에 던진 채
未來에의 外接線을 눈부시게 그으며
背景은 핑크 빛 향기로운 對話
깨진 유리창 밖 荒廢한 都市의 雜音을 차고
律動하는 풍경으로
滑走하는 列車

가난한 사람들의 슬픈 慣習과
封建의 턴넬 特權의 帳幕을 뚫고
피 비린 언덕 넘어 곧
光線의 進路를 따른다
다음 헐벗은 樹木의 集團 바람의 呼吸을 안고
눈이 타 오르는 처음의 綠地帶
거기엔 우리들의 황홀한 영원의 거리가 있고
밤이면 列車가 지나 온
커다란 苦難과 노동의 불이 빛난다
慧[11]星보다도
아름다운 새날보다도 밝게.[177]

『現代國文學粹』(1952.11.5)

---

11 이본들을 참조하면 '彗'의 오자 또는 오식이다.

精神의 行方을 찾아

善良한 우리의 祖上은
트리키스탄 廣漠한 平地에서
近代精神을 發生시켰다.
그러므로 暴風 속의 人類들이어
洪績世紀의 自由롭던 水陸分布를
오늘의 文明 不毛의 地球와 評價할 때
우리가 保有하여온 純粹한 客觀性은 價値가
없다.

中華民國 廣西省 北京近郊
자바 (피데칸트 롭스) 를 가르쳐
戰亂과 忘却의 土地라 함이
人類의 苦惱를 指摘할 수 있는 것이다.
未來에의 樹木처럼 記憶에 依支되어 歲月을
등지고
肉體와 奴隷 ──
어제도 오늘도 戰地에서 사라진 思考의 悲劇

永遠의 바다로 밀려간 叛亂의 눈물
火山처럼 熱을 吐하는 地球의 市民
冷酷한 資本의 權限에 시달려
또 다시 自由精神의 行方을 찾아
追放, 飢餓
오 限 없이 移動하는 運命의 殉敎者
사랑하는 사람의 衣裳마저
이미 生命의 外接線에서 暴風에 날아갔다.

온 世上에 피의 비와 鍾소리가 끄칠 때
시끄러운 時代는 어데로 가나

強烈한 싸움 속에서
自由와 民族이 이지러지고
모든 建築과 原始의 平和는
새로운 憎惡에 쓰러져간다.
아 오늘날 모든 市民은
靜寞한 生命의 存續을 지킬 뿐이다.[47]

『民聲』 5-4호(1949.3.26)

一九五〇年의挽[12]歌

不安한 언덕 위에로
나는 바람에 날려간다
헤아릴수 없는 慘酷한 記憶속으로
나는 죽어간다
아 幸福에서 遮斷된
紙幣처럼 더럽힌 여름의 湖畔
夕陽처럼타올렀던 나의 慾望과
禮節있는 淑女들은 어데로갔나
不安한 언덕에서
나는 陰影처럼 쓰러져 간다
무거운 苦惱에서 單純으로
나는 죽어간다
지금은 忘却의 時間
서로 危機의認識과 友愛를 나누웠든
아름다운 年代를 回想하면서
나는 하나의侮蔑의槪念처럼 죽어간다

『京鄕新聞』(1950.5.16)

回想의 긴 溪谷[1]

아름답고 사랑처럼 無限이슬픈
回想의 긴 溪谷
그랜드・쇼―처럼
人間의 運命이 허무러지고
검은 煙氣여 올러라 검은 幻影이여사러라
안개내린 視野에
新婦의 벨인가 가느란 生命의連續이
最後의 頌歌와 不安한발거름에 마추어
어데로인가
荒廢한 土地의外部로 떠나가는데
우름으로서 죽엄을 代置하는
수없는 樂器들은
고요한 이溪谷에서 더욱 서럽다
江기슬에서 期約할것 없어 쓰러지는
하로만의 人生 華麗한慾望
旅券은 散々히 찢어지고
落葉처럼 길위에 떨어지는
카렌다―의 鄕愁를 안고
轉車[13]의 少女여 나와 오늘을 살자
軍人이 피워물던
물뿌리와 검은 煙氣의 印象과
危機에가득찬 세계의邊境
이 回想의 긴 溪谷속에서도
列을 지어 죽엄의 빗탈을 지나는
서럽고 또한 幻影에 속은
어리석은 永遠한 순敎者
우리들

---

12 문맥상 '輓'의 오자 또는 오식으로 추정된다.

13 이본들을 참조하면 '自' 자가 빠진 채 인쇄되었다.

『京鄕新聞』(1951.6.2)

回想의 긴 溪谷[2]

아름답고 사랑처럼 무한[14]히 슬픈
回想의 긴 계곡
그랜드·쇼오처럼 인간의 운명이 허무러지고
검은 연기여 올라라
검은 幻影이여 살아라[15]

안개 내린 視野에
新婦의 베·엘인가[16] 가느란 생명의 연속이
최후의 송가와
불안한 발걸음에 맞추어
어디로인가
황폐한 토지의 외부로 떠나가는데
울음으로서 죽음을 代置하는
수 없는 樂器들은
고요한 이 계곡에서 더욱 서럽다[182]

강 기슭에서 기약할 것 없어 쓰러지는
하루만의 인생 화려한 욕망
旅券은 산산히 찢어지고
낙엽처럼 길 위에 떨어지는

카렌더의 鄕愁를 안고

14　열람한 판본의 '한' 자가 불완전하게 인쇄되었다.
15　열람한 판본의 '라' 자가 불완전하게 인쇄되었다.
16　열람한 판본의 '가' 자가 불완전하게 인쇄되었다.

自轉車의 소녀여 나와 오늘을 살자

軍人이 피워 물던
물뿌리와 검은 연기의 인상과
危機에 가득찬 세계의 邊境
이 회상의 긴 溪谷 속에서도
열을 지어 주검의 비탈을 지나는
서럽고 또한 幻影에 속은
어리석은 영원한 殉敎者
우리들[183]

『現代國文學粹』(1952.11.5)

回想의 긴 溪谷[3]

아름답고 사랑처럼 無限히 슬픈
回想의 긴 溪谷
그랜드·쇼-처럼 人間의 運命이 허무러지고
검은 煙氣여 올러라
검은 幻影이여 사러라.

안개 내린 視野에
新婦의 베-르인가 가느란 生命의 連續이
最後의 頌歌와
不安한 발걸음에 맞추어
어데로인가[171]
荒廢한 土地의 外部로 떠나가는데
우름으로서 죽엄을 代置하는
수 없는 樂器들이
고요한 이 溪谷에서 더욱 서럽다.

江기슭에서 期約할것 없어 쓰러지는
하로만의 人生 華麗한 慾望
旅券은 散散히 찢어지고
落葉처럼 길위에 떨어지는
카렌다ー의 鄕愁를 안고
自轉車의 少女여 나와 오늘을 살자.

軍人이 피워물던
물뿌리와 검은 煙氣의 印象과[172]
危機에 가득찬 世界의 邊境
이 回想의 긴 溪谷속에서도
列을 지어 죽엄의 비탈을 지나는
서럽고 또한 幻影에 속은
어리석은 永遠한 殉敎者
우리들.[173]

　　　　　　　　　『韓國詩集』 上(1952.12.31)

回想의 긴 溪谷[4]

아름답고 사랑처럼 無限히 슬픈
回想의 긴 溪谷
그랜드 쇼오 처럼 人間의 運命이 허무러지고
검은 煙氣여 올라라
검은 幻影이여 살아라.[30]

안개 내린 視野에
新婦의 베에르인가 가늘은 生命의 連續이
最後의 頌歌와
不安한 발걸음에 맞추어

어데로인가
荒廢한 土地의 外部로 떠나 가는데
울음으로써 죽음을 代置하는
수 없는 樂器들은
고요한 이 溪谷에서 더욱 서럽다.[31]

江기슭에서 期約할 것 없이 쓰러지는
하루만의 人生
華麗한 慾望
旅券은 散散히 찢어지고
落葉처럼 길 위에 떨어지는
카렌다아의 鄕愁를 안고
自轉車의 少女여 나와 오늘을 살자.

軍人이 피워 물던
물뿌리와 검은 煙氣의 印象과[32]
危機에 가득찬 世界의 邊境
이 回想의 긴 溪谷 속에서도
列을 지어 죽음의 비탈을 지나는
서럽고 또한 幻影에 속은
어리석은 永遠한 殉敎者.
우리들.[33]

　　　　　　　　　『選詩集』(1955.10.15)

最後의 會話[1]

아무雜音도 없이 滅亡하는
都市의 그림자[28]
無수한 인상과

轉換하는 年[17]代의 그늘에서
아 永원히 흘러가는것
新聞지의 傾사에 얼켜진
그러한 不안의 格투

함부로 開催되는 酒場의 謝肉祭
흑인의 트람벹
歐羅과 新부의 비명
精神의 皇帝!
내 秘密을누가 압니까?
体驗만[18]이 늘고
室內는 잠잔한 이러한 幻影의 寢台에서[19]

回想의 起源
오욕의 都市
황혼의 亡명客
검은 外套에 목을 굽히면[20]
들려 오는 것
아 永원히 듣기 싫은것[21]
쉬어빠진 鎭魂歌
오늘의 폐허에서[29]
우리는 또다시 만날수 있을까
一九五〇年의 사節단

病든 背경의 바다에
국화가 피었다
閉鎖된 大학의 庭園은 지금은묘地

繪畵와 理性의 뒤에오는
술취한 水夫의 팔목에끼여
波도처럼 밀려드는
불안한 最後의 會話

(一九四九, 十一)[30]

『新潮』 2호(1951.7.25)

最後의 會話[2]

아무 雜音도 없이 滅亡하는
都市의 그림자
無數한 인상과
轉換하는 年代의 그늘에서
아 永遠히 흘러가는것
新聞紙의 傾斜에 얼켜진
그러한 不安의 格鬪

함부로 開催되는 酒場의 謝肉祭
黑人의 트람벹
歐羅巴 新婦의 悲鳴
精神의 皇帝![74]
내 秘密을 누가 압니까?
體驗만이 늘고
室內는 잠잠한 이러한 幻影의 寢台에서

回想의 起源
오욕의 都市
黃昏의 亡命客
검은 外套에 목을 굽히면

---

17 열람한 판본의 '年' 자가 불완전하게 인쇄되었다.
18 열람한 판본의 '만' 자가 불완전하게 인쇄되었다.
19 열람한 판본의 '서' 자가 불완전하게 인쇄되었다.
20 열람한 판본의 '면' 자가 불완전하게 인쇄되었다.
21 열람한 판본의 '것' 자가 불완전하게 인쇄되었다.

들려 오는것
아 永遠히 듣기 싫은것
쉬[22]어빠진 鎭魂歌
오늘의 폐허에서[75]
우리는 또다시 만날수 있을까
一九五〇年의 使節團

病든 背景의 바다에
菊花가 피었다
閉鎖된 大學의 庭園은 지금은 墓地
繪畵와 理性의 뒤에오는
술취한 水夫의 팔목[23]에 끼여
波濤처럼 밀려드는
不安한 最後의 會話[76]

『愛國詩三十三人集』(1952.3.5)

最後의 會話[3]

아무 잡음도 없이 멸망하는
都市의 그림자
무수한 印象과
轉換하는 年代의 그늘에서
아 영원히 흘러 가는 것
신문지의 傾斜에 얽혀진
그러한 不安의 격투

함부로 開催되는 酒場의 謝肉祭
黑人의 트람뻿[177]
歐羅巴 新婦의 悲鳴
精神의 皇帝!
내 비밀을 누가 압니까?
体驗만이 늘고
室內는 잠잠한 이러[24]한 幻影의 寢台에

回想의 起源
汚辱의 都市
황혼의 亡命客
검은 외투에 목을 굽히며
들려 오는 것
아 영원히 듣기 싫은 것
쉬어 빠진 鎭魂歌
오늘의 폐허에서
우리는 또 다시 만날 수 있을까
1950年의 使節團

병든 背景의 바다에
국화가 피었다
閉鎖된 大學의 庭園은 지금은 墓地
繪畵와 理性의 뒤에 오는
술 취한[25] 水夫의 팔목에 끼어
파도처럼 밀려 드는
불안한 最後의 會話[178]

『現代國文學粹』(1952.11.5)

---

22 활자가 90도 왼쪽으로 회전되어 'ㅲ'로 오식되었다.
23 이본들을 참조하면 '목'의 오자 또는 오식이다.
24 열람한 판본의 '러' 자가 불완전하게 인쇄되었다.
25 이본들을 참조하면 '한' 자가 빠진 채 인쇄되었다.

最後의 會話[4]

아무 雜音도 없이 滅亡하든[26]
都市의 그림자

無數한 인상과
轉換하는 年代의 그늘에서
아 永遠히 흘러 가는것
新聞紙의 傾射[27]에 얼켜진
그러한 不安의 格鬪[195]

함부로 開催되는 酒場의 謝肉祭
흑인의 트람펠
歐羅巴 新婦의 비명
精神의 皇帝!
내 秘密을 누가 압니까?
体驗만이 늘고
室內는 잠잔한 이러한 幻影의 寢台에서

回想의 起源
오욕의 都市
황혼의 亡命客
검은 外套에 목을 굽히면[196]
들려 오는 것
아 永遠히 듣기 싫은 것
쉬어 빠진 鎭魂歌
오늘의 폐허에서
우리는 또 다시 만날수 있을까

---

26 열람한 판본의 어절('滅亡하든') 전체가 불완전하
게 인쇄되었다.
27 이본들을 참조하면 '斜'의 오자 또는 오식이다.

一九五〇年의 使節團

病든 背景의 바다에
국화가 피었다
閉鎖된 大學의 庭園은 지금은 墓地
繪畵와 理性의 뒤에 오는
술 취한 水夫의 팔목에 끼어[197]
波濤처럼 밀려드는
불안한 最後의 會話[198]

『現代詩人選集』下(1954.2.5)

最後의 會話[5]

아무 雜音도 없이 滅亡하는
都市의 그림자
無數한 印象과
轉換하는 年代의 그늘에서
아 永遠히 흘러가는 것
新聞紙의 傾斜에 얽혀진
그러한 不安의 格鬪.[14]

함부로 開催되는 酒場의 謝肉祭
黑人의 트람뻴
歐羅巴 新婦의 悲鳴
精神의 皇帝!
내 秘密을 누가 압니까?
體驗만이 늘고
室內는 잔잔한 이러한
幻影의 寢台에서.[15]

回想의 起源
汚辱의 都市
黃昏의 亡命客
검은 外套에 목을 굽히면
들려 오는 것
아 永遠히 듣기 싫은 것
쉬어 빠진 鎭魂歌
오늘의 廢墟에서
우리는 또 다시 만날 수 있을까
一九五〇年의 使節團.[16]

病 든 背景의 바다에
菊花가 피었다
閉鎖된 大學의 庭園은
지금은 墓地
繪畵와 理性의 뒤에 오는 것
술 취한 水夫의 팔목에 끼어
波濤처럼 밀려 드는
不安한 最後의 會話.[17]

『選詩集』(1955.10.15)

舞踏會[1]

煙氣와 女子들틈에 끼여
나는 舞踏會에 나타나

밤이 새도록 나는 狂亂의 춤을 추었다
어떤 屍體를 안고

皇帝는 不安한 「산데리아」와 함께있었고
모든 物體는 廻轉하였다

눈을뜨니 運河는 흘렀다 술보담 더욱진한
피가 흘렀다

－이時間 戰爭은 나와 關聯이없다
狂亂된 意識과 不毛의肉體－ 그리고 一方的
인 對話로 充滿된 나의 舞踏會

나는 더욱 밤속에 가란저간다
石膏의 女子를 힘있게 끼안고 새벽에 도라가
는길 나는 내親友가 戰死한 通知를 받았다

『京鄕新聞』(1951.11.20)

舞踏會[2]

煙氣와 女子들 틈[28]에 끼어
나는 舞踏會에 나갔다.

밤이 새도록 나는 狂亂의 춤을 추었다.
어떤 屍體를 안고.[192]

皇帝는 不安한 샨데리아와 함께 있었고
모든 物體는 廻轉하였다.

눈을 뜨니 運河는 흘렀다.

---
28 열람한 판본의 '틈' 자가 불완전하게 인쇄되었다.

술보다 더욱 진한 피가 흘렀다.

이 時間 戰爭은 나와 關聯이 없다.
狂亂된 意識과 不毛의 肉體 …… 그리고
一方的인 對話로 充滿된 나의 舞踏會.[193]

나는 더욱 밤 속에 가랁아 간다.
石膏의 女子를 힘 있게 껴안고

새벽에 돌아가는 길 나는 내 親友가
戰死한 通知를 받았다.[194]

『選詩集』(1955.10.15)

問題되는것[1]

虛無의作家光洲兄에게

平凡한 風景속으로
손을 뻐치면
거기서 길게설래이는
問題되는것을 發見하였다
죽는 즐거움 보담도
나는 사러나가는 괴로움에
그 問題되는것이
틀리ㅁ없이 實在하여있고
또한 그것은
나와 내 그리ㅁ자사히에
넘처 흐르고 있는것을 아렀다

이暗黑의世上에 許多한 그것들이
散在되여있고

나는 또한 어두움을 차ㅈ어서
거리[29]간다
아침이면
누구도 알지못하는 나만의秘密이
내 疲困한 발거름을 催促하였고
世界의 樂園이 었던
大學의 正門은
지금은 銃카ㄹ로 武裝되었다
木手꾸ㄴ政治家여
너의 얼굴은 黃昏처럼 고웁다
옛날 그 이름모르는土地에태여나
屈辱과 倦怠된 影像에 속어가며
너의 慾望은 무엇이 였드냐
問題되는것
平凡한 죽어ㅁ 옆에서
限없이 우리들을 괴롭히는
問題되는것

나는 내 絶望과
이悽慘이 연속되는 生命과함[30]께
問題되는것 만이
群集되어 있는것을 아렀다.

『釜山日報』(1951.12.3)

---

29 열람한 판본의 '러' 자가 불완전하게 인쇄되었다.
30 열람한 판본의 '함' 자가 불완전하게 인쇄되었다.

問題되는 것[2]

虛無의 作家 金光洲에게

平凡한 風景 속으로·
손을 뻗치면
거기서 길게 설레이는
問題되는 것을 發見하였다.
죽는 즐거움 보다도
나는 살아나가는 괴로움에
그 問題 되는 것이[96]
틀림없이 實在되어 있고 또한 그것은
나와 내 그림자 속에
넘쳐 흐르고 있는 것을 알았다.

이 暗黑의 世上에 許多한 그것 들이
散在되어 있고
나는 또한 어드움을 찾아 걸어 갔다.

아침이면
누구도 알지 못하는 나만의 秘密이[97]
내 疲困한 발걸음을 催促하였고
世界의 樂園이었던
大學의 正門은
지금 銃칼로 武裝되었다.

木手꾼 政治家여
너의 얼굴은 黃昏처럼 고웁다
옛날 그 이름 모르는 土地에 태어나
屈辱과 倦怠로운 影像에 속아가며
네가 바란 것은 무엇이었드냐[98]

問題되는 것

平凡한 죽음 옆에서
한 없이 우리를 괴롭히는 것

나는 내 젊음의 絶望과
이 凄慘이 이어주는 生命과 함께
問題되는 것 만이
群集 되어 있는 것을 알았다.[99]

『選詩集』(1955.10.15)

검은神이여[1]

저 墓地에서 우는 사[31]람은 누구입니까 저 破
壞된 建物에서 나오는 사람은 누구입니까
검은 바다에서 연기 처럼 꺼 진것은 무엇입니까
人間의內部에서 死滅된것은 무엇입니까
一年이 끝나고 그 다음에 始作되는것은 무엇
입니다
戰爭이 빼서간 나의 親友는 어데서 만날수 있
읍니까
슬픔 代身에 나에게 주검을 주시요 人間을 代
身하야 世上을 風雪로 뒤더프어 주시요
建物과 蒼白한 墓地에 있던 자리에 꽃이 피지
않도록
하로의 一年의 戰爭의 처慘한 追憶은 검은 神
이여 그것은 당신의 主題일 것입니다[11]

『주간국제』 3호(1952.2.15)

---

31 이본들을 참조하면 '사' 자가 빠진 채 인쇄되었다.

검은 神이여[2]

저 墓地에서 우는 사람은 누구입니까.

저 破壞된 建物에서 나오는사람은 누구입니까.

검은 바다에서 煙氣처럼 꺼진것은 무었입니까.[169]

人間의 內部에서 死滅된것은 무었입니까.

一年이 끝나고 그 다음에 始作되는것은 무엇입니까.

戰爭이 빼서간 나의 親友는 어데서 만날수 있읍니까.

슬픔 代身애 나에게 죽엄을 주시요.

人間을 代身하야 世上을 風雪로 뒤덮어 주시요.

建物과 墓地있던 자리에 꽃이 피지않도록.

하로의 一年의 戰爭의 悽慘한 追憶은
검은 神이여[170]
그것은 당신의 主題일 것입니다.[171]

『韓國詩集』上(1952.12.31)

검은 神이여[3]

저 墓地에서 우는 사람은 누구입니까
저 破壞된 建物에서 나오는 사람은 누구입니까

검은 바다에서 死滅처럼 꺼진것은 무었입니까

人間이 內部에서 死滅된것은 무었입니까

一年이 끝나고 그 다음에 始作되는것은 무었입니까

戰爭이 빼서간 나의 親友는 어데서 만날수 있읍니까[152]

슬픔 代身에 나에게 죽엄을 주시요

人間을 代身하야 世上을 風雪로 뒤덮어 주시요

建物과 墓地있던 자리에 꽃이 피지않도록

하로의 一年의 戰爭의 悽慘한 追憶은 검은 神이여
그것은 당신의 主題일 것입니다[153]

『戰時 韓國文學選 詩篇』(1955.6.25)

검은 神이여[4]

저 墓地에서 우는 사람은 누구입니까.

저 破壞된 建物에서 나오는 사람은 누구입니까

검은 바다에서 연기처럼 꺼진 것은 무엇입니까

人間의 內部에서 死滅된 것은 무엇입니까.[46]

一年이 끝나고 그 다음에 시작되는 것은 무엇
입니까.

戰爭이 뺏아간 나의 親友는 어데서 만날 수 있
읍니까.

슬픔 대신에 나에게 죽음을 주시오.

人間을 대신하여 世上을 風雪로 뒤덮어 주시오

建物과 蒼白한 墓地 있던 자리에[47]

꽃이 피지 않도록.

하루의 一年의 戰爭의 凄32慘한 追憶은
검은 神이여
그것은 당신의 主題일 것입니다.[48]

『選詩集』(1955.10.15)

---

32 이본들을 참조하면 '悽'의 오자 또는 오식이다.

西部戰線에서[1]

싸움이 다른 곳으로 移動한
이 작은 都市에
煙氣가 오른다
종소리가 들린다
希望의 來日이 오는가
悲慘한 來日이 오는가
아무도 確信하는 사람은 없었다.

그러나 煙氣 나는 집에는[17]
흩어진 家族이 모여 들었고
비 나린 黃土길을 걸어
여러 聖職者는 옛날 敎區로 돌아왔다.

『神이여 우리의 未來를 約束하시오
悔恨과 不安에 억매인 우리에게 幸福을 주시오』
住民은 오직 이것만을 願한다.

軍隊는 北으로 北으로 갔다
土幕에서도 웃음이 들린다
비들기들이 和暢한
봄의 햇빛을 쪼인다.[18]

『蒼穹』(1952.5)

西部戰線에서[2]
尹乙洙神父에게

싸움이 다른 곳으로 移動한

275

이 작은 都市에
煙氣가 오른다.
종소리가 들린다.
希望의 來日이 오는가.
悲慘한 來日이 오는가.
아무도 確言하는 사람은 없었다.[195]

그러나 煙氣나는 집에는
흩어진 家族이 모여들었고
비 내린 黃土길을 걸³³어
여러 聖職者는 옛날 教區로 돌아 왔다.

〈神이여 우리의 未來를 約束하시오
悔恨과 不安에 억매인 우리에게 幸福을 주시오〉
住民은 오직 이것만을 願한다.[196]

軍隊는 北으로 北으로 갔다.
土幕에서도 웃음이 들린다.
비둘기 들이 和暢한
봄의 햇볕을 쪼인다.[197]

『選詩集』(1955.10.15)

信號彈[1]
　　　―搜索隊長 K中尉는 信號彈을 올리며
　　　敵兵 三十名과 함께 죽었다.

危機와 榮光을 告할 때
信號彈은 떠³⁴진다.

바람과 함께 살던 幸福도
떠나가³⁵ 幼年의 時間도
무거운 複雜에서
더욱 單純으로 酵³⁶化하여 버린다.[19]

옛날 植民地의 아들로
껌은 땅떵어리를 밟고
그는 주검을 避해
太陽 없는 처마 끝을 걸었다.

어두운 밤이여
마즈막 作別의 노래를
그 무엇으로 表現하였는가
슬픈 人間의 類型을 벗어나
참다운 解放을
그는 무엇으로 信號하였는가.

『敵을 쏘라[20]
侵略者 共産軍을 射擊해라
내 몸둥아리가 벌집 처럼 터지고
빨건 피로 化할 때까지 ……
자장가를 불러 주신 어머니
어머니 나를 中心으로 한 周邊에
機銃을 掃射하시오 敵은 나를 둘러 쌌소』

生과 死의 눈부신 外接線을 그으며 하늘에 구
멍을 뚫은 信號彈
그가 沈默한 後 끊임없이 비가 내렸다.
單純에서 더욱 주검으로

---

33 이본을 참조하면 '걸' 자가 빠진 채 인쇄되었다.

34 이본을 참조하면 '터'의 오자 또는 오식이다.
35 이본을 참조하면 '간'의 오자 또는 오식이다.
36 이본을 참조하면 '醇'의 오자 또는 오식이다.

그는 나와 自由의 그늘에서 산다.[21]

『蒼窩』(1952.5)

信號彈[2]

搜索隊長 K中尉는 信號彈을 올리며 敵兵
三十名과 함께 죽었다 · 一九五一年一月

危機와 榮光을 告할 때
信號彈은 터진다.
바람과 함께 살던 幼年도
떠나간 幸福의 時間도
무거운 複雜에서
더욱 單純으로 醇化하여 버린다.[188]

옛날 植民地의 아들로
검은 땅덩어리를 밟고
그는 주검을 避해
太陽없는 처마 끝을 걸었다.

어드운 밤이여
마지막 作別의 노래를
그 무엇으로 表現 하였는가.
슬픈 人間의 類型을 벗어나
참다운 解放을[189]
그는 무엇으로 信號하였는가.

〈敵을 쏘라
侵略者 共産軍을 射擊해라.
내 몸둥어리가 벌집처럼 터지고
뻘건 피로 化할 때 까지

자장가를 불러주신 어머니
어머니 나를 中心으로 한 周邊에
機銃을 掃射하시오 敵은 나를 둘러쌌소〉[190]

生과 死의 눈부신 外接線을 그으며
하늘에 구멍을 뚫은 信號彈
그가 沈默한 後
구멍으로 끊임 없이 비가 내렸다.
單純에서 더욱 주검으로
그는 나와 自由의 그늘에서 산다.[191]

『選詩集』(1955.10.15)

終末[1]

生涯를 끝마칠 臨終의 尊嚴을 앞두고
政治家와 灰色洋服을 입은 教授와
物價指數를 論議하던 不安한 샨데리아 아래서
나는 웃고 있었다.

疲勞한 人生은 支那의 壁처럼 우수수 문허진다
나도 이에 類型되어
나의 終末의 目標를 指向하고 있었다
그러나 숨가쁜 呼吸은 끊기지않고
意識은 罪人과같이 밝어질 뿐

밤마다 나는 薔薇를 꺽그러
禁斷의 溪谷으로 내려가서
動亂을 겪은 人間처럼 온 손꾸락을 피로 물들
이어

暗黑을덮어주는 月光을 가르키었다
나를 쫓는 꿈의 그림자
다음과 같이 그는 告하는것이다
『地獄에서 밀려나간 運命의 敗北者
　너는 또다시 돌아 올수도없다』

『處女의 손과 나의 장갑을[76]
　구름의 衣裳과 나의 더럽힌 입술을』
이런 流行歌의 句節을
새벽녘 싸늘한 皮膚가 나의 肉體와 마주칠때
까지
　千番이나 노래하였다
　노래가 멈친다음
　내 죽음의 幕이 오를때 ……

오 生涯를 끝마칠 나의 最後의周邊에
眼鏡값을 구두값을 冊값을
네가 들어갈 관값을 淸算하여 달라고
…… (그들은 社會의禮節과 言語를確實히 體
得하고있었다) ……
　달려든 지낸날의 親友들.

죽을수도 없고
옛이나 現在나 變함이없는 나
政治家와 灰色洋服을입은 敎授의訃告와
그上段에 報道되어있는
어제의 物價時勢를보고
세사람이 論議하던 그時節보다
모든것이 千倍以上이나 昂騰되어있는것을
나는알았다
허나 봄37이되니 樹木은 또다시 부풀어 오르고
나의終末은 언제인가.

어두움처럼 生과死의 區分없이
恒常 臨終의 尊嚴만 앞두고
湖水의물결이나 또는 배처럼 限界를헤매이는
地獄으로 돌아갈수도 없는 運命38의 敗北者
이제 얼굴도 이름도 스스로記憶치 못하는
永遠한終末을 울며헤매는 또하나의 나.[77]
　　　　　　　　『新京鄕』 4-1호(1952.6.1)

終末[2]

生涯를 끝마칠 臨終의 尊嚴을 앞두고
정치가와39 회색양복을 입은 敎授와
物價指數를 論議하던 不安한 샨테리아아래서
나는 웃고 있었다.[179]

피로한 인생은 支那의 壁처럼 우수수 무너진다
나도 이에 類型되어
나의 終末의 목표를 指向하고 있었다
그러나 숨가쁜 호흡은 끊기지 않고
의식은 죄인과 같이 밝아질 뿐

밤마다 나는 장미를 꺾으러
禁斷의 溪谷으로 내려가서
動亂을 겪은 인간처럼 온 손가락을 피로 물들여
암흑을 덮어 주는 月光을 가리키었다
나를 쫓는 꿈의 그림자

37　이본을 참조하면 '봄'의 오자 또는 오식이다.
38　이본을 참조하면 '命' 자가 빠진 채 인쇄되었다.
39　이본들을 참조하면 '와' 자가 빠진 채 인쇄되었다.

다음과 같이 그는 고하는 것이다
『지옥에서 밀려 나간 운명의 패배자
　너는 또다시 돌아올 수도 없다』

『처녀의 손과 나의 장갑을
　구름의 衣裳과 나의 더럽힌 입술을』
이런 유행가의 句節을
새벽녘 싸늘한 피부가 나의 육체와 마주칠 때
까지
천번이나 노래하였다
노래가 멈친 다음
내 죽음의 幕이 오를 때 ……

오 생애를 끝마칠 나의 최후의 周邊에
안경 값을
구두 값을
책 값을
네가 들어갈 棺 값을 청산하여 달라고
(그들은 사회의 예절과 언어를 확실히 체득하
고 있었다)
달려든 지난날의 親友들

죽을 수도 없고
옛이나 현재나 변함이 없는 나[180]
정치가와 회색양복을 입은 敎授의 訃告와
그 上段에 報道되어 있는
어제의 物價指數를 보고
세 사람이 논의하던 그 시절보담
모든 것이 천배 이상이나 昻騰되어 있는 것을
나는 알았다
허나 봄이 되니 樹木은 또다시 부풀어 오르고
나의 종말은 언젠가

어두움처럼 生과 死의 區分 없이
항상 임종의 존엄만 앞두고
호수의 물결이나 또는 배처럼
限界를 헤매이는
지옥으로 돌이갈 수도 없는 운명의 패배자
이젠 얼굴도 이름도 스스로 기억ㅎ지 못하는
영원한 종말을 웃고 울며 헤매는 또 하나의 나
[181]

『現代國文學粹』(1952.11.5)

終末[3]

生涯를 끝마칠
臨終의 尊嚴을 앞두고
政治家와 灰色 洋服을 입은 敎授와
物價指數를 論議하던
不安한 샨데리아 아래서
나는 웃고 있었다.[80]

疲勞한 人生은
支那의 壁처럼 우수수 무너진다.
나도 이에 類型되어
나의 終末의 目標를 指向하고 있었다.
그러나 숨가쁜 呼吸은 끊기지 않고
意識은 罪囚와도 같이 밝아질 뿐

밤마다 나는 장미를 꺾으러
禁斷의 溪谷으로 내려가서
動亂을 겪은 人間처럼 온 손가락을 피로 물들

이어[81]
暗黑을 덮어주는 月光을 가리키었다.
나를 쫓는 꿈의 그림자
다음과 같이 그는 말하는 것이다.
…… 地獄에서 밀려 나간 運命의 敗北者
너는 또 다시 돌아올 수 없다 ……

…… 處女의 손과 나의 장갑을
구름의 衣裳과 나의 더럽힌 입술을 ……
이런 流行歌의 句節을
새벽녘 싸늘한[40] 皮膚가 나의 肉體와 마주 칠
때까지[82]
노래하였다.
노래가 멈춘 다음
내 죽음의 幕이 오를 때

오 生涯를 끝 마칠 나의 最後의 周邊에
洋酒 값을
구두 값을 冊 값을
네가 들어갈 棺값을 淸算하여 달라고
(그들은 社會의 禮節과 言語를 確實히 體得
하고 있다)
달려 든 지낸 날의 親友들.[83]

죽을 수도 없고
옛이나 現在나 변함이 없는 나
政治家와 灰色 洋服을 입은 敎授의 訃告와
그 上段에 報道되어 있는
어제의 物價時勢를 보고
세 사람이 論議하던 그 時節보다

모든 것이 千倍 以上이나 昻騰되어 있는 것을
나는 알았다.
허나 봄이 되니 樹木은 또 다시 부풀어 오르고
나의 終末은 언제인가[84]

어드움처럼 生과 死의 區分 없이
항상 臨終의 尊嚴만 앞두고
湖水의 물결이나 또는 배처럼
限界만을 헤매이는
地獄으로 돌아갈 수도 없는 者
이젠 얼굴도 이름도 스스로 記憶ㅎ지 못하는
永遠한 終末을
웃고 울며 헤매는 또 하나의 나.[85]

『選詩集』(1955.10.15)

약속

먹을 것이 없어도
배가 고파도
우리는 살아 나갈것을
약속합시다.
떠러진 신발
무루팍이 보이는 옷을걸치고
우리는 열심히 배울것을
약속합시다.
세상은 그리 아름 답지 못 하나
푸른 하늘과 내
마음은 영원한 것
오직 약속에서 오는

---

40 열람한 판본의 '한' 자가 불완전하게 인쇄되었다.

즐거움을 기다리면서
남보담 더욱 절실히
살아나갈 것을
약속합시다.[14]

『學友 2學年』2호(1952.6.25)

未來의 娼婦[1]

새로운 神에게

여윈 목소리로 바람과 함께
우리는 來日을 約束치 않는다
乘客이 사라진 列車내에서
오 그대 未來의 娼婦여
너의希望은 나의誤解와 感興만이다

戰爭이 머물은 庭園에
설래이며 닥아드는 不運한 遍歷의사람들.
그속에 나의靑春이자고 絶望살던
오 그대 未來의娼婦여
너의 慾望은 나의 嫉妬와 發狂만이다

香氣짙은 젖가슴을 銃알로 구멍내고
暗黑의地圖 孤絶된 치마끝을
피와 눈물과 最後의生命을 이끌며
오 그대 未來의娼婦여
너의目標는 나의 무덤인가
너의 終末도 永遠한過去인가[29]

『週刊國際』10호(1952.7.15)

未來의 娼婦[2]

새로운 神에게

여윈 목소리로 바람과 함께
우리는 來日을 約束ㅎ지 않는다.
乘客이 사라진 列車 안에서
오 그대 未來의 娼婦여
너의 希望은 나의 誤解와
感興만이다.[49]

戰爭이 머물은 庭園에
설래이며 닥아 드는
不運한 遍歷의 사람들
그 속에 나의 靑春이 자고
希望이 살던
오 그대 未來의 娼婦여
너의 慾望은
나의 嫉妬와 發狂만이다.[50]

香氣 짙은 젖가슴을
銃알로 구멍 내고
暗黑의 地圖 孤絶된 치마끝을
피와 눈물과
最後의 生命으로 이끌며
오 그대 未來의 娼婦여
너의 目標는 나의 무덤인가.
너의 終末도 永遠한 過去인가.[51]

『選詩集』(1955.10.15)

바닷가의 무덤

『財界』 2호(1952.9.1)

쏟아져 오는 바람에 기대어
나는 幸福된 날을 생각한다
허나 떠날수없는 港口여
作別할수없는 陸地여

나는 지금 病院船의 네온을 바라보면서
짧은 人間의 運命에 있어
眞實로 幸福된것이 무엇이 었던가를 생각한다

平易한 죽음의바다
갈매기 汽笛
屍體와 같이 表情없는 船舶
사랑과 榮光에 살던 가란저 버린風景
좀처럼 나와는 가까이 할수없는 돈과도 같이
이不毛의 土地에서
不幸한 終末의 港口에 있어서
나에게도 幸福된 날이 있었던것인가

盛夏
구멍난 하늘에선 비도 나리지 않고
내가 겨누운 最後의 화살은
神의 가슴을 쩔렀다

어두운 밤이면
무덤과 같이 조용한 釜山의 시가를 벗어나
쏟아져 오는 바람에 기대어
떠나야할 港口와
作別할수 밖에 없는 陸地를
지나간 幸福처럼 생각하는것이다[77]

구름과 장미

구름은 자유스럽게
푸른 하늘 별빛아래
흘러가고 있었다

장미는 고통스럽게
네려쪼이는 태양아래
홀로 피어 있었다

구름은 서로 손잡고
바람과 박해를 물리치며
더욱 멀리 흘러가고 있었다[166]

장미는 향기짓튼 몸에 상처를 지니며
그의 눈물로 붉게 물드리고
침해하는 자에게 꺽기어갔다

어느날 나는 보았다
산과 바다가 정막에 잠겼을때
구름은 흐르고
장미는 시드른것을……[167]

『學友 2學年』 3호(1952.9)

살아 있는 것이 있다면[1]

—現在의 時間과 過去의 時間은 거이
모두가 未來의 時間 속에 나타난다, —
(FOUR QUARTETS)

살아 있는 것이 있다면
그것은 나와 우리들의 죽음보담도
더한 冷酷하고 切實한 回想과 體驗일지도 모
른다.

살아 있는 것이 있다면
여러 차례의 殺戮에 服從한 生命보담도
더한 復讐와 孤獨을 아는 苦惱와 抵抗일지도
모른[41]다.

한걸음 한걸음 나는 허물어지는
靜寞과 硝煙의 都市 그 暗黑속으로……
冥想과 또다시 오지않을 永遠한 來日로……
살아 있는 것이 있다면
流刑의 愛人처럼 손잡기 위하여
이미 燃燒된 靑春의 反逆을 幻想하면서
懷疑와 不安만이 多情스러운 悔[42]蔑의 오늘
을 살아나간다.

아! 最後로 이 聖者의 世界에 살아있는 것이 있
다면
分明코 그것은 贖罪의 繪畵 속의 裸女와
回想도 苦惱도 이제는 亡靈에게 賣却한 철없
는 詩人……
나의 눈감지 못한 單純한 狀態의 屍體일 것이

다.[29]

살아 있는 것이 있다면[2]

現在의 時間과 過去의 時間은
거의 모두가 未來의 時間 속에 나타난다
(T.S.엘리오트)

살아 있는 것이 있다면
그것은 나와 우리들의 죽음보다도
더한 冷酷하고 切實한
回想과 體驗일 지도 모른다.

살아 있는 것이 있다면[60]
여러 차례의 殺戮에 服從한 生命보다도
더한 復讐와 孤獨을 아는
苦惱와 抵抗일 지도 모른다.

한걸음 한걸음 나는 허무러지는
靜寂과 硝煙의 都市 그 暗黑속으로……
瞑想과 또 다시 오지 않을 永遠한 來日로……
살아 있는 것이 있다면
流刑의 愛人처럼 손잡기 위하여
이미 消滅된 靑春의 反逆을 回想하면서[61]
懷疑와 不安만이 多情스러운
悔[43]蔑의 오늘을 살아 나간다.

…… 아 最後로 이 聖者의 世界에
살아 있는 것이 있다면 분명히

---

41 열람한 판본의 '른' 자가 불완전하게 인쇄되었다.
42 문맥상 '侮'의 오자 또는 오식으로 추정된다.

---

43 문맥상 '侮'의 오자 또는 오식으로 추정된다.

그것은 贖罪의 繪畵 속의 裸女와
回想도 苦惱도 이제는 亡靈에게 팔은
철없는 詩人
나의 눈 감지 못한
單純한 狀態의 屍體일 것이다 ……[62]

『選詩集』(1955.10.15)

資本[44]家에게[1][45]

나는 너희들의 매니페스트[46]의 缺陷을 지적
한다
　그리고 모든 資本이 崩壞한 다[47]음
　태풍처럼 너희들을 휩쓸어 갈 위험성이
　波長처럼 가까[48]와진다는 것도

옛날 技師가 逃走하였을 때[178]
비행장에 궂은 비가 나리고
모두 목메어 부른 노래는
밤의 末路에 불과하였다.

그러므로 자본가여

새삼스럽게 文明을 말하지 말라
정신과 함께 太陽이 都市를 떠난 오늘
허무러진 人間의 廣場에는
비둘기떼의 屍体가 흩어져 있었다.

신작로를 바람처럼 굴러간
機体의 中軸은
어두운 外界 절벽 밑으로 떨어지고
操縱者의 얇은 作業服이
하늘의 구름처럼 남아 있었다.

잃어버린 日月의 鮮明한 表情들
인간이 죽은 토지에서 打算ㅎ지 말라
문명의 모습이 숨어버린 荒凉한 밤
成案은
꿈의 호텔처럼 부서지고
생활과 질서의 信條에서 어긋난
최후의 방랑은 끝났다.

지금, 옛날 村落을 흘려버린
슬픈 비는 계속된다.[179]

『現代國文學粹』(1952.11.5)

44　본문과 이본을 참조하면 '本' 자가 빠진 채 인쇄되었다.
45　「회상回想의 긴 계곡溪谷」은 『경향신문京鄕新聞』에,
　　「최후最後의 회화會話」는 『신조新調』 2호에 최초로
　　발표된 뒤 『현대국문학수現代國文學粹』와 『선시집
　　選詩集』에 수록되었다. 따라서 「자본가資本家에게」
　　역시 최초 발표본이 존재할 것으로 추정된다.
46　이본을 참조하면 '트' 자가 빠진 채 인쇄되었다.
47　열람한 판본의 '다' 자가 불완전하게 인쇄되었다.
48　열람한 판본의 '까' 자가 불완전하게 인쇄되었다.

資本家에게[2]

나는 너희들의 마니페스트의 缺陷을 指摘한다
그리고 모든[49] 資本이 崩壞한 다음

49　열람한 판본의 '든' 자가 불완전하게 인쇄되었다.

颱風처럼 너희들을 휩쓸어갈
危險性이
波長처럼 가까워 진다는 것도

옛날 技師가 逃走하였을 때[26]
飛行場에 구진 비가 내리고
모두 목메어 부른 노래는
밤의 末路에 불과하였다.

그러므로 資本家여
새삼스럽게 文明을 말하지 말라
精神과 함께 太陽이 都市를 떠난 오늘
허무러진 人間의 廣場에는
비둘기 떼의 屍體가 흩어져 있었다.[27]

新作路를 바람처럼 굴러간
機體의 中柚는
어두운 外界 絶壁 밑으로 떨어지고
操縱者의 얇은 作業服이
하늘의 구름처럼 남아 있었다.

잃어버린 日月의 鮮明한 表情들
人間이 죽은 土地에서
打算ㅎ지 말라
文明의 모습이 숨어버린 荒凉한 밤[28]
成案은
꿈의 호텔처럼 부서지고
生活과 秩序의 信條에서 어긋난
最後의 放浪은 끝났다.

지금 옛날 村落을 흘려 버린
슬픈 비는 나린다.[29]

『選詩集』(1955.10.15)

落下[1]⁵⁰

미끄름판에서
나는 고독한 아키레쓰처럼
불안의 깃발 날리는
땅 위에 떨어졌다
머리 위의 별을 헤아리면서

그 후 이십 년
나는 운명의 공원 뒷담 밑으로
永續된 죄의 그림자를 따랐다

아 영원히 반복되는
미끄름판의 昇降
親近에의 憎惡와 또한
不幸과 비참과 굴욕에의 반항도 잊고
연기 흐르는 쪽으로 달려 가⁵¹면[181]
汚辱의 지난날이 나를 더욱 괴롭힐 뿐

밀리선 회색 斜面과
불안한 밤의 戰爭
人類의 傷痕과 苦惱만이 늘고
아무도 인식하지 못할
망각의 이 地上에서

---

50 「자본가資本家에게」와 마찬가지 이유로 「낙하落
下」도 최초 발표본이 존재할 것으로 추정된다.
51 열람한 판본의 '가' 자가 불완전하게 인쇄되었다.

더욱더욱 가랁아 간다

처음 미끄름판에서
내려 달린 쾌감도
未知의 森林을
나의 청춘의 날과 逃走하던 시간도
나의 落下하는
비극의 그늘에 있다[182]

『現代國文學粹』(1952.11.5)

落下[2]

미끄럼 판에서
나는 孤獨한 아끼레스처럼
不安의 旗ㅅ발 날리는
땅 위에 떨어졌다
머리 위의 별을 헤아리 면서

그 후 二十年[18]
나는 運命의 公園 뒷담 밑으로
永續된 罪의 그림자를 따랐다.

아 永遠히 反覆되는
미끄럼 판의 昇降
親近에의 憎惡와 또한
不幸과 悲慘과 屈辱에의 反抗도 잊고
煙氣 흐르는 쪽으로 달려가면
汚辱의 지낸 날이 나를 더욱 괴롭힐 뿐.[19]

멀리선 灰色 斜面과
不安한 밤의 戰爭
人類의 傷痕과 苦惱만이 늘고
아무도 認識ㅎ지 못할
忘却의 이 地上에서
더욱 더욱 가랁아 간다.

처음 미끄럼 판에서
내려 달린 快感도
未知의 숲 속을[20]
나의 靑春과 逃走하던 時間도
나의 落下하는
悲劇의 그늘에 있다.[21]

『選詩集』(1955.10.15)

세사람의 家族[1][52]

나와 나의 淸純한 안해
여름날 純白한 結婚式이 끝나고
우리는 流行品으로 華麗한
商街의 쇼ー위인드를 바라보며 거렀다.

戰爭이 머물고
平穩한 地坪에서

---

52 「회상回想의 긴 계곡溪谷」은 『경향신문京鄕新聞』에
최초로 발표된 뒤 『현대국문학수現代國文學粹』, 『한
국시집韓國詩集』 상上, 『선시집選詩集』에 차례로
수록되었다. 따라서 「세사람의 가족家族」 역시 최
초 발표본이 존재할 것으로 추정된다.

모두의 短篇[53]的인 記憶이
비들기의 날개처럼 솟아나는 틈을타서
우리는 內省과 悔恨에의 旅行을 떠났다.[167]

平凡한 收穫의 가을[54]
겨울은 百合처럼 향기를 풍기고 온다
죽은 사람들은 싸느란 흙속에 묻히고
우리의 家族은 세사람.

톱소의 그늘 밑에서
나의 不運한 遍歷인 日記冊이 떨고
그 하나 하나의 紙面은
陰鬱한 回想의 地帶로 날라 갔다.

아 蒼白한 世上과 나의 生涯에
終末이 오기 前에
나는 孤獨한 疲勞에서
氷花처럼 곱게 잠드른 지나간 歲月을 위해 詩
를 써본다.[168]

그러나 窓밖 暗澹한 商街
苦痛과 嘔吐가 凍結된 밤의 쇼-위인드
그 곁에는 絶望과 飢餓의 行列이
밤을 새우고
來日이 오며는
이 靜寞의 荒蕪地에 暴風雪이 분다.[169]

『韓國詩集』上(1952.12.31)

세사람의 家族[2]

나와 나의 淸純한 아내
여름날 純白한 結婚式이 끝나고
우리는 流行品으로 華麗한
商街의 쇼오위인드를 바라보며 걸었다.

戰爭이 머물고
平穩한 地坪에서[10]
모두의 短片的인 記憶이
비들기의 날개처럼 솟아나는 틈을 타서
우리는 內省과 悔恨에의 旅行을 떠났다.

平凡한 收獲[55]의 가을
겨울은 百合처럼 향기를 풍기고 온다
죽은 사람들은 싸늘한 흙 속에 묻히고
우리의 家族은 세사람.

톱소에 그늘 밑에서[11]
나의 不運한 遍歷인 日記冊이 떨고
그 하나 하나의 紙面은
陰鬱한 回想의 地帶로 날아갔다.

아 蒼白한 世上과 나의 生涯에
終末이 오기 前에
나는 孤獨한 疲勞에서
氷花처럼 잠들은 지나간 歲月을 위해
詩를 써 본다.[12]

---

53 이본을 참조하면 '片'의 오자 또는 오식이다.
54 이본을 참조하면 '을' 자가 빠진 채 인쇄되었다.

55 이본을 참조하면 '穫'의 오자 또는 오식이다.

그러나 窓 밖
暗憎56한 商街
苦痛과 嘔吐가 凍結된 밤의 쇼오위인드
그 곁에는
絶望과 飢餓의 行列이 밤을 새우고
來日이 온다면
이 靜寞의 거리에 暴風이 분다.[13]

『選詩集』(1955.10.15)

書籍과 風景[1]

書籍은 荒廢한 人間의 風景에 光彩를 띠웠다
書籍은 幸福과 自由와 어떤 智慧를
人間에게 알려주는 것이다.

지금은 殺戮의 時代
侵害된 土地에서는 人間이 죽고
書籍만이
限없는 歷史를 이야기 해준다.

오래도록 社會가 成長하는 동안
活字는 技術과 行列의 混亂을 이루웠다
바람에 펄덕이는 여러 페―지들
그사이에는
自由 佛蘭西 共和國의 樹立
英國의 産業 革命
에후, 루―즈벨트氏의 微笑와 아울러

「뉴―기니아」와 「오끼나와」를 걸처
戰艦 미조리號에 이르는 人類의 過程이
모다 苛酷한 回想을 同伴하며 나타나는것이다.

내가 옛날 偉大한 反抗을 企圖하였을때
書籍은 白晝의 薔薇와 같은
蒼然하고도 아름다운 風景을
마음속에 그려주었다

一九五一年의 書籍
나는 疲勞한몸으로 白雪을 밟고 가면서
이 暗黑의 世代를 휩쓰는
또하나의 戰慄이
어데있는 가를 探知하였다.
오래도록 人間의 힘으로 人間인 때문에
危機에 逢着된 人間의 最後를
共産主義57의 深淵에서 救出코자
現代의 異邦人 自由의 勇士는
世界의 寒村 韓國에서 싸운다.[86]
스콧트랜드에서 愛人과 作別한 「R, 지―미君」
쨘, 다―크의 傳記를 쓴 펠듸난도氏
太平洋의密林과 여러湖沼의 疾病과 싸우며
「바탄」과 「코레히돌」의 峻烈의神話를
자랑하던 「톰, 밋참」君
이들은한사람이 아니다 神의祭壇에서
人類만의 果敢한 行動과 憤怒로
사랑도 祈禱도없이
無名高地 또는 無名溪谷에서 죽었다.

나는 눈을 감는다.

---

56 이본을 참조하면 '澹'의 오자 또는 오식이다.

57 본문의 두 배 가량 되는 활자로 인쇄되었다.

平和롭던날 나의書齋에 限없이 群集했던
書籍의 이름을 외운다
한券 한券이
人間처럼 個性이 있었고
죽어간 兵士처럼 나에게 눈물과
不滅의精神을 알려준 無數한 書籍의 이름을
……

이들이 모이면 人間이 살던
原野와 山과 바다와 구름과 같은
印象의 風景을 내마음에 投影해주는것이다.

지금 싸움은 持續된다
書籍은 불타 오른다
그러나 書籍과 印象의 風景이여
너의 久遠한 이야기와 表情은
너만의 것이 아니다
「에후, 루―즈벨트」氏가 죽고
「다그라스, 맥아―더」가 陸地에 오를때
正義의 불을 吐하던
여러 艦艇과 機銃과
太平洋의 波濤는 잠잠 하였다
이러한 時間과 歷史는
또다시 自由人間이 참으로 保障될때
反覆될것이다.

悲慘한 人類의
새로운 「미조리」號에의 過程이여
나의 書籍과 風景은
내 生命을 거른 싸움속에 있다.[87]

『民主警察』 32호(1953.4.15)

書籍과 風景[2]

書籍은 荒廢[58]한 人間의 風景에 光彩를 띠웠다.
書籍은 幸福과 自由와 어떤 智慧를
人間에게 알려 주었다.

지금은 殺戮의 時代
侵害된 土地에서는 人間이 죽고
書籍만이[66]
限 없는 歷史를 이야기 해준다.

오래도록 社會가 成長하는 동안
活字는 技術과 行列의 混亂을 이루었다.
바람에 퍼덕이는 여러 페에지 들
그 사이에는
自由 佛蘭西 共和國의 樹立
英國의 産業革命
에후·루우스벨트氏의 微笑와 아울러
〈뉴우기니아〉와 〈오끼나와〉를 걸처[67]
戰艦 미조오리號에 이르는 人類의 過程이
모두 苛酷한 回想을 同伴하며 나타나는 것이다.

내가 옛날 偉大한 反抗을 企圖하였을 때
書籍은 白晝의 장미와 같은
蒼然하고도 아름다운 風景을
마음 속에 그려 주었다.
蘇聯에서 돌아온 앙드레·지이드氏
그는 眞理와 尊嚴에 빛나는 얼굴로
自由는 人間의 風景 속에서[68]

---

58 이본을 참조하면 '廢'의 오자 또는 오식이다.

가장 重要한 要素이며
우리는 永遠한 〈風景〉을 위해
自由를 擁護하자고 말하고
韓國에서의 戰爭이 熾熱의 高潮에
達하였을 적에
侮蔑과 煉獄의 風景을
凝視하며 떠났다.

一九五一年의 書籍
나는 疲勞한 몸으로 白雪을 밟고 가면서[69]
이 暗黑의 世代를 휩쓰는
또 하나의 戰慄이
어데 있는가를 探知하였다.
오래도록 人間의 힘으로 人間인 때문에
危機에 逢着된 人間의 最後를
共産主義의 深淵에서 救出ㅎ고자
現代의 異邦人 自由의 勇士는
世界의 寒村 韓國에서 죽는다.
스콧트랜드에서 愛人과 作別한R·지이미君
짠·다아크의 傳記를 쓴 펠디난드氏[70]
太平洋의 密林과 여러 湖沼의 疾病과 싸우고
〈바탄〉과 〈코레히돌〉의 峻烈의 神話를
자랑하던 톰·밋챰君
이들은 한 사람이 아니다. 神의 祭壇에서
人類만의 果敢한 行動과 憤怒로
사랑도 祈禱도 없이
無名高地 또는 無名溪谷에서 죽었다.

나는 눈을 감는다.
平和롭던 날 나의 書齋에 群集했던[71]
書籍의 이름을 에운다.
한券 한券이

人間처럼 個性이 있었고
죽어 간 兵士처럼 나에게 눈물과
不滅의 精神을 알려준 無數한 書籍의 이름을
……
이들은 모이면 人間이 살던
原野와 山과 바다와 구름과 같은
印象의 風景을 내 마음에 投影해주는 것이다.

지금 싸움은 持續된다.[72]
書籍은 불타오른다.
그러나 書籍과 印象의 風景이여
너의 久遠한 이야기와 表情은 너만의 것이 아
니다.
에후·루우스벨트氏가 죽고
다그라아스·맥아더가 陸地에 오를 때
正義의 불을 吐하던
여러 艦艇과 機銃과 太平洋의 波濤는 잔잔하
였다.
이러한 時間과 歷史는
또 다시 自由 人間이 참으로 保障될 때
反覆될 것이다.[73]

悲慘한 人類의
새로운 미조오리號에의 過程이여
나의 書籍과 風景은
내 生命을 건 싸움 속에 있다.[74]

『選詩集』(1955.10.15)

부드러운 목소리로 이야기 할때[1]⁵⁹

나는 언제나 샘물처럼 흐르는
그러한 人生의 복판에 서서
戰爭이나 金錢이나 나를 괴롭히는 物象과
부드러운 목소리로 이야기 할 때
한줄기 소낙비는 나의 얼굴을 적신다

眞正코 내가 바라던 하늘과 그 季節은
프르고 맑은 내 가슴을 눈물로 스치고
한때 靑春과 바꾼 反抗도[199]
이젠 書籍 처럼 불타 버렸다

가고 오는 그러한 諸相과 平凡 속에서
술과 어지러움을恨 하던 나는
어느 해 여름처럼 恐怖에 시달려
지금은 하염 없이 죽는다

사라진 一切의 나의 愛戀아
지금 形態도 없이 精神을 잃고
이 쓸쓸한 들판
아니 이즈러진 길목 처마끝에서
부드러운 목소리로 이야기 한들[200]
우리들 또 다시 살아나갈 것인가

靜寞처럼 잠잠한
그러한 人生의 복판에 서서
여러 男女와 異人과 또는 學生과
이처럼 衰退한 철 없는 詩人이
不安이다 또는 荒墟롭다
부드러운 목소리로 이야기 한들
廣漠한 나와 그대들의 기나 긴
終來⁶⁰의 路程은
예나 지금이나 變함 없노라[201]

오 難解한 世界
複雜한 生活 속에서
이처럼 알기 쉬운 몇 줄의 詩와
말러 버린 나의 쓰디쓴 記憶을 위하여
戰爭이나 사나운 愛情을 잊고
넓고도 間或 좁은 人間의 壇上에 서서
내가 부드러운 목소리로 이야기할 때
우리는 서로 만난 것을 탓할 것인가
우리는 서로 헤여질 것을 원할 것인가[202]

　　　　　　　　『現代詩人選集』 下(1954.2.5)

부드러운 목소리로 이야기할 때[2]

나는 언제나 샘물처럼 흐르는
그러한 人生의 복판에 서서
戰爭이나 金錢이나 나를 괴롭히는 物象과
부드러운 목소리로 이야기 할 때

59　「최후最後의 회화會話」는 『신조新調』 2호에 최초
　　발표된 뒤 『애국시삼십삼인집愛國詩三十三人集』,
　　『현대국문학수現代國文學粹』, 『현대시인선집現代
　　詩人選集』 하, 『선시집選詩集』에 차례로 수록되었
　　다. 따라서 「부드러운 목소리로 이야기할때」 역시
　　최초 발표작이 존재할 것으로 추정된다.

60　이본을 참조하면 '末'의 오자 또는 오식이다.

한줄기 소낙비는 나의 얼굴을 적신다.

眞正코 내가 바라던 하늘과 그 季節은[198]
푸르고 맑은 내 가슴을 눈물로 스치고
한때 靑春과 바꾼 反抗도
이젠 書籍처럼 불타 버렸다.

가고 오는 그러한 諸相과 平凡 속에서
술과 어지러움을 恨하는 나는
어느해 여름처럼 恐怖에 시달려
지금은 하염없이 죽는다.

사라진 一切의 나의 愛慾아[199]
지금 形態도 없이 精神을 잃고
이 쓸쓸한 들판
아니 이즈러진 길목 처마 끝에서
부드러운 목소리로 이야기 한들
우리들 또 다시 살아 나갈 것인가.

靜寬처럼 잔잔한
그러한 人生의 복판에 서서
여러 男女와 軍人과 또는 學生과
이처럼 衰頹한 철 없는 詩人이[200]
不安이다 또는 荒廢롭다
부드러운 목소리로 이야기 한들
廣漠한 나와 그대들의 기나긴 終末의 路程은
예나 지금이나 변함 없노라.

오 難解한 世界
複雜한 生活 속에서
이처럼 알기 쉬운 몇줄의 詩와
말라 버린 나의 쓰디쓴 記憶을 위하여

戰爭이나 사나운 愛情을 잊고[201]
넓고도 間或 좁은 人間의 壇上에 서서
내가 부드러운 목소리로 이야기 할 때
우리는 서로 만난 것을 탓할 것인가
우리는 서로 헤어질 것을 원할 것인가.[202]

『選詩集』(1955.10.15)

눈을 뜨고도[1]

우리들의 纖細한 追憶에 關하여
確信할 수 있는 暫時
눈을 뜨고도
볼 수 없는 狀態는 어찌할 수가 없었다.

진눈까비처럼 아니
이즈러진 사랑의 幻影처럼
빛나면서도
暗黑처럼 닥아 오는[149]
오늘의 恐怖
거기 나의 奇妙한 靑春은 자고
歲月은 간다.

녹 쓸은 胸部에
잔잔한 물결에 回想과 悔恨은 없다.

푸른 하늘 가를
機銃을 스치며
겨레와 울던 感傷의 날도
眞實로

눈을 뜨고도 볼 수 없는 狀態
우리는 결코
盲目의 時代에 살고 있는 것인가
視力은 服從의 그늘을 찾고 있는 것인가.[61]

지금 憂愁에 잠긴 舷窓에 기대어[150]
살아 있는 者의 選擇과
죽어간 놈의 沈默처럼
보이지는 않으나 官能과 意志의
믿음만을 願하여
목을 굽히는 우리들
오, 人間의 價値와
조용한 地面에 파묻힌 死者들.

또 하나의 幻想과
나의 不吉한 嫌惡
참으로 嘲笑로운 人間의 죽엄과
기나긴 夏季의 비는 내렸다.
눈을 뜨고도
볼 수 없는 狀態
얼마나 무서운 恥辱이냐
단지 存在와 不在의 사이에서.[151]

『新天地』 9-3호(1954.3.1)

눈을 뜨고도[2]

우리들의 纖細한 追憶에 關하여

確信할 수 있는 暫時
눈을 뜨고도
볼 수 없는 狀態는 어찌할 수가 없었다.

진눈까비 처럼 아니
이즈러진 사랑의 幻影처럼
빛나면서도
暗黑처럼 닥아오는[318]
오늘의 恐怖
거기 나의 奇妙한 靑春은 자고
歲月은 간다.

녹 쓸은 胸部에
잔잔한 물결에 回想과 悔恨은 없다.

푸른 하늘 가를
겨레와 울던 感傷의 날도
眞實로
눈을 뜨고도 볼 수 없는 狀態
우리는 결코[319]
盲目의 時代에 살고 있는 것인가
視力은 服從의 그늘을 찾고 있는 것인가

지금 憂愁에 잠긴 舷窓에 기대어
살아 있는 者의 選擇과
죽어간 놈의 沈默처럼
보이지 않으나 官能과 意志의
믿음 만을 願하여
목을 굽히는 우리들
오 人間의 價値와
조용한 地面에 파묻힌 死者들[320]

또 하나의 幻想과
나의 不吉한 嫌惡
참으로 嘲笑로운 人間의 죽엄과
기나긴 夏季의 비는 내렸다.
눈을 뜨고도
볼 수 없는 狀態
얼마나 무서운 恥辱이냐.
단지 存在와 不在의 사이에서

新天地 五月號62[321]

『1954年刊詩集』(1955.6.20)

눈을 뜨고도[3]

우리들의 纖細한 追憶에 關하여
確信할 수 있는 暫時
눈을 뜨고도
볼 수 없는 狀態는 어찌할 수가 없었다.

진눈까비 처럼 아니
이즈러진 사랑의 幻影처럼[100]
빛나면서도
暗黑처럼 닥아오는
오늘의 恐怖
거기 나의 奇妙한 靑春은 자고
歲月은 간다.

녹쓸은 胸部에
잔잔한 물결에 回想과 悔恨은 없다.

푸른 하늘 가를[101]
기나긴 夏季의 비는 내렸다.
겨레와 울던 感傷의 날도
眞實로
눈을 뜨고도 볼 수 없는 狀態
우리는 결코
盲目의 時代에 살고 있는 것인가.
視力은 服從의 그늘을 찾고 있는 것인가

지금 憂愁에 잠긴 舷窓에 기대어
살아 있는者의 選擇과
죽어간 놈의 沈默처럼[102]
보이지는 않으나 官能과 意志의
믿음 만을 願하며
목을 굽히는 우리들
오 人間의 價値와
조용한 地面에 파묻힌 死者들

또 하나의 幻想과
나의 不吉한 嫌惡
참으로 嘲笑로운 人間의 주검과[103]
눈을 뜨고도
볼 수 없는 狀態
얼마나 무서운 恥辱이냐.
단지 存在와 不在의 사이에서[104]

『選詩集』(1955.10.15)

---

62 실제로는 『신천지新天地』 9-3호(1954.3.1)에 게재되었다.

現代感傷詩抄 미스터 某의 生과 死[1]⁶³

입술에 피를 바르고
미스터 某는 죽는다

어두운 標本室에서
그의 生存時의 記憶은
　　미스터 某의 旅行을
　　기다리고 있었다.

原因도 없이
遺産⁶⁴은 더욱없이
미스터 某는 生과 作別하는 것이다.

日常이 그렇한것과 같이
죽엄은 親友와도 같이
　　多情 스러 웠다.

미스터 某의 生과 死는
新聞이나 雜誌의 對象이 못된다
오직 有識한 醫學徒의
一片의 素材로서
解剖의 臺에 그 餘음을 남긴다.

無數한 燭光아래
傷痕은 擴大되고
미스터 某는 罪가 많었다.
그의 淸純한 안해

지금 幸福은 意識⁶⁵의 中間을 흐르고있다.

決코
平丸⁶⁶한그의 죽엄을 悲劇이라 부를수없었다
散々히 찢어진 不幸과
結合된 生과 死와
이러한 孤獨의 存立을 避하며
미스터 某는
永遠히 微笑하는 心象을
손쉽게 잡을수가 있었다.[5]

『現代藝術』 창간호(1954.3.1)

미스터某의 生과死[2]

입술에 피를 바르고
미스터某는 죽는다.

어두운 標本室에서
그의 生存時의 記憶은
　　미스터某의 旅行을
　　기다리고 있었다.[108]

原因도 없이
遺産은 더욱 없이
미스터某는 生과 作別하는 것이다.

63　원제목은 '現代感傷詩抄 (一) 미스터 某의 生과 死
　　이다.
64　열람한 판본의 '産' 자가 불완전하게 인쇄되었다.

65　열람한 판본의 '識' 자가 불완전하게 인쇄되었다.
66　이본을 참조하면 '凡'의 오자 또는 오식이다.

日常이 그러한 것과 같이
주검은 親友와도 같이
　　多情스러웠다.

미스터某의 生과 死는[109]
新聞이나 雜誌의 對象이 못된다.
오직 有識한 醫學徒의
一片의 素材로서
解剖의 臺에 그 餘韻을 남긴다.

無數한 燭光 아래
傷痕은 擴大되고
미스터某는 罪가 많았다.
그의 淸純한 아내
지금 幸福은 意識의 中間을 흐르고 있다.[110]

결코
平凡한 그의 죽음을 悲劇이라 부를 수 없었다.
散散히 찢어진 不幸과
結合된 生과 死와
이러한 孤獨의 存立을 避하며
미스터某는
永遠히 微笑하는 心象을
손쉽게 잡을 수가 있었다.[111]

『選詩集』(1955.10.15)

마음이 아프고 歲月은 가도 우리는 三月을 기
다렸노라.

사랑의 물결처럼
출렁거리며 人生의 허전한 마음을 슬기로운
太陽만이 빛내 주노라.

戰火에 사라진
우리들의 터 전에
펠스·네-쥬의 꽃은 피려니
「世界가 꿈이 되고
꿈이 世界가 되는」
줄기찬 봄은 왔노라.

어드운 밤과같은
孤獨에서 마음을
슬프게 疲勞시키던 겨울은
우름소리와 함께 그치고

單調로운 少女의
노래와도 같이

그립던 平和의 날과도 같이

人生의 새로운 봄은 왔노라[17]

펠스네-쥬(Perce-ne'gə**67**)

『新太陽』3-3호(1954.3.1)

봄은 왔노라

겨울의 괴로움 에살던 人生은 기다릴 수 있었다

---

67 'e' 자의 오식이다.

밤의 未埋葬[1]
　　…우리들을 괴롭히는 것은 주검이 아니라
　　　　　　　葬禮式이다…

당신과 來日 부터는 만나지 맙시다.
나는 다음에 오는 時間부터는
人間의 家族이 아닙니다.
왜 그러할 것인지 모르나
지금 처럼 幸福해서는
조금전 처럼 錯覺이 생겨서는
다음부터는 피가 마르고 눈은 감길 것입니다.
사랑하는 당신의 寢台위에서
내가 바랄 것이란 나의 悲慘이 연속 되었던
수 없는 陰影의 年月이
이 幸福의 瞬間처럼 속히 끝나줄 것입니다
…… 雷雨속의 天使
그가 피를 토하며 알려주는 나의 위치는
曠漠한 荒地에 세위[68]진 궁전 보담도 더욱 꿈
같고
나의 遍歷처럼 애처럽다는 것입니다.
사랑하는 당신의 부드러운 젓과 가슴을 내품
안에 안고
나는 당신이 죽는 곳에서 내가 살며
내가죽는곳에서 당신의 出發이 시작된다고……
황홀히 생각합니다
그리고 저기 무지개 처럼 허공에 그려진
감촉과 향기 짙었던 靑春의 날을 바라봅니다.
당신은 나의 품속에서 神秘와 아름다운 肉體를
숨김없이 보이며 잠이 들었읍니다
不滅의 生命과 나의 사랑을 代置 하셨읍니다.

68　이본을 참조하면 '위'의 오자 또는 오식이다.

호흡이 끊긴 不幸한 天使 ……
당신은 氷花처럼 차거우면서도
아름답게 幸福의 어두움속으로 떠나셨읍니다.
孤獨과 함께 남아있는 나와
희미한 感應의 시간과는 이젠 헤어집니다
葬送曲을 연주하는 管樂器모양
最終列車의 기적이 精神을 두드립니다.
屍体인 당신과
벌거벗은 나와의 사실을
不安한 地區에 남기고
모든것은 물과 같이 사라집니다.
사랑하는 純粹한 不幸이여 悲慘이여 錯覺이여
결코 그대만은
언제까지나 나와함께 있어주시오.
내가 意識하였던
甘味한 肉体와 灰色사랑과
官能的인 시간은 참으로 짧았읍니다
잃어버린 것과
慾望의 살던 것은 ……
사랑의 자체와 함께 소멸 되었고
나는 다음에 오는 시간부터는
人間의 家族이 아닙니다.
永遠한 밤
永遠한 肉体
永遠한 밤의 未埋葬
나는 異國의 旅行者 처럼
무덤에 핀 차거운 黑장미를 가슴에 답니다
그리고 不安과 恐怖에 펄덕이는
死者의 衣裳을 몸에 휘감고
바다와 같은 渺茫한 暗黑속으로
뒤 돌아 갑니다.
허나 당신은 나의 품안에서

297

意識은 恢復치 못합니다.[25]

밤의 未埋葬[2]
우리들을 괴롭히는 것은 주검이 아니라 葬禮式이다

당신과 來日부터는 만나지 맙시다.
나는 다음에 오는 時間부터는 人間의 家族이
아닙니다.
왜 그러 할것인지 모르나
지금처럼 幸福해서는
조금 전처럼 錯覺이 생겨서는
다음부터는 피가 마르고 눈은 감길 것입니다.[86]

사랑하는 당신의 寢台 위에서
내가 바랄 것이란 나의 悲慘이 連續되었던
수 없는 陰影의 年月이
이 幸福의 瞬間처럼 속히 끝나 줄 것입니다.
…… 雷雨 속의 天使
그가 피를 吐하며 알려 주는 나의 位置는
曠漠한 荒地에 세워진 宮殿보다도 더욱 꿈 같고
나의 遍歷처럼 애처럽다는 것입니다.

사랑하는 당신의 부드러운 젖과 가슴을 내 품
안에 안고[87]
나는 당신이 죽는 곳에서 내가 살며
내가죽는 곳에서 당신의 出發이 시작된다고……
恍惚히 생각 합니다.

그리고 저기 무지개처럼 虛空에 그려진
感觸과 香氣만이 짙었던 靑春의 날을 바라봅
니다.

당신은 나의 품 속에서 神秘와 아름다운 肉體를
숨김 없이 보이며 잠이 들었읍니다.
不滅의 生命과 나의 사랑을 代置하셨읍니다.
呼吸이 끊긴 不幸한 天使 ……[88]
당신은 氷花처럼 차거우면서도
아름답게 幸福의 어드움 속으로 떠나셨읍니다.
孤獨과 함께 남아있는 나와
희미한 感應의 時間과는 이젠 헤어집니다
葬送曲을 演奏하는 管樂器모양
最終 列車의 汽笛이 精神을 두드립니다.
屍體인 당신과
벌거벗은 나와의 事實을
不安한 地區에 남기고
모든 것은 물과 같이 사라집니다.[89]

사랑하는 純粹한 不幸이여 悲慘이여 錯覺이여
決코 그대만은
언제까지나 나와 함께 있어 주시오
내가 意識하였던
甘味한 肉體와 灰色사랑과
官能的인 時間은 참으로 짧았읍니다.
잃어버린 것과
慾望에 살던 것은 ……
사랑의 姿體와 함께 消滅되었고[90]
나는 다음에 오는 時間부터는 人間의 家族이
아닙니다.
永遠한 밤
永遠한 肉體

永遠한 밤의 未埋葬
나는 異國의 旅行者처럼
무덤에 핀 차거운 黑장미를 가슴에 담니다.
그리고 不安과 恐怖에 펄떡이는
死者의 衣裳을 몸에 휘감고
바다와 같은 渺茫한 暗黑 속으로 뒤돌아 갑니다.
허나 당신은 나의 품 안에서 意識은 回腹**69**ㅎ
지 못합니다.[91]

『選詩集』(1955.10.15)

센치멘탈 · 쨔ー니[1]
　ー洙暎에게**70**

週末 旅行
葉書 …… 落葉
낡은 流行歌의 서름에 맞추어[200]
疲弊한 小說을 읽던 少女.

李太白의 달은
울고 떠나고
너는 壁畵에 기대여
담배를 피우는 淑女.

카푸리 섬의 園丁
파이프의 香氣를 날려 보내라

이브는 내 마음에 살고
나는 그림자를 잡는다.

歲月은 觀念
讀書는 僞裝
그저 죽기 싫은 藝術家.

오늘이 가고 또 하루가 온들
都市의 噴水는 시들고
어제와, 지금의 사람은
天上 有事를 모른다

술을 마시면 즐겁고
비가 내리면 서럽고
分別이여 區分이여

樹木은 외롭다
혼자 길을 가는 女子와 같이
情다운 것은 죽고
다리 아래 江은 흐른다

지금 樹木에서 떨어지는 葉書
긴 사연은
구름에 걸린 달 속에 묻히고
우리들은 旅行을 떠난다
週末旅行
별 말씀
그저 옛날로 가는 것이다

아 센치멘탈 · 쨔ー니
센치멘탈 · 쨔ー니[201]

『新太陽』 3-7호(1954.7.1)

69　이본을 참조하면 '復'의 오자 또는 오식이다.
70　문승묵 본에서는 잡지 발표본(『신태양』, 1954.7)
　　의 제목 아래 '수영水暎에게'라는 헌제가 있다고 설
　　명했다. 하지만 '水暎'은 '洙暎'의 오기이며, '洙暎'은
　　신시론 동인으로 같이 활동한 김수영을 지칭한다.

센치멘탈 · 쨔ー니[2]

週末 旅行
葉書 …… 落葉
낡은 流行歌의 설음에 맞추어
疲弊한 小說을 읽던 少女.

李太白의 달은
울고 떠나고
너는 壁畫에 기대여
담배를 피우는 淑女.[325]

카푸리 섬의 園丁
파이프의 香氣를 날려보내라
이브는 내 마음에 살고
나는 그림자를 잡는다.

歲月은 觀念
讀書는 僞裝
그저 죽기 싫은 藝術家.

오늘이 가고 또 하루가 온들
都市의 噴水는 시들고
어제와 지금의 사람은[326]
天上有事를 모른다.

술을 마시면 즐겁고
비가 내리면 서럽고
分別이여 區分이여.

樹木은 외롭다

혼자 길을 가는 女子와 같이
情다운 것은 죽고
다리 아래 江이 흐른다.

지금 樹木에서 떨어지는 葉書[327]
긴 사연은
구름에 걸린 달속에 묻히고
우리들은 旅行을 떠난다
週末 旅行
별 말씀
그저 옛날로 가는것이다.

아 센치멘탈 · 쨔ー니
센치멘탈 · 쨔ー니.

新太陽 七月號[71][328]
『1954年刊詩集』(1955.6.20)

센치멘탈 · 쨔아니[3]

週末 旅行
葉書 …… 落葉
낡은 流行歌의 설음에 맞추어
疲弊한 小說을 읽던 少女.

李太白의 달은
울고 떠나고[116]
너는 壁畫에 기대여

---

71 정확한 출전은 『신태양新太陽』 3-7호(통권23호)이다.

담배를 피우는 淑女.

카푸리 섬의 園丁
파이프의 香氣를 날려 보내라
이브는 내 마음에 살고
나는 그림자를 잡는다.

歲月은 觀念
讀書는 僞裝[117]
거저 죽기 싫은 藝術家.

오늘이 가고 또 하루가 온들
都市에 噴水는 시들고
어제와 지금의 사람은
天上 有事를 모른다.

술을 마시면 즐겁고
비가 내리면 서럽고
分別이여 區分이여.[118]

樹木은 외롭다
혼자 길을 가는 女子와 같이
情다운 것은 죽고
다리 아래 江은 흐른다.

지금 樹木에서 떨어지는 葉書
긴 사연은
구름에 걸린 달 속에 묻히고
우리들은 旅行을 떠난다
週末旅行[119]
별 말씀
거저 옛날로 가는 것이다.

아 센치멘탈 · 짜아니
센치멘탈 · 짜아니[120]

『選詩集』(1955.10.15)

가을의 誘惑[1]

가을은 내마음 에
誘惑의 길을 가르킨다
淑女들과 바람의 이야기를 하면
가을은 다정한 피리를 불면서
回想의 風景으로 지나가는 것이다.

戰爭이 길게 머무른 서울의 露台에서
나는 〈모지리아니〉의 畵帖을 두적거리며
靜寞한 나의 生涯의 한시름을
찾아보는 것이다
그러한 瞬間
가을은 靑春의 그림자 처럼 또는
落葉모양 나의 발목을 끌고
즐겁고 어두운 思念의 世界로 가는 것이다.

즐겁고 어두운 가을의 이야기를 할때[136]
목메인 소리로 나는 사랑의 말을한다
그것은 廢園에 있던 펜취에 앉어
枯渴된 噴水를 바라보며
지금은 죽은 少女의 팔목을 잡던것과 같이
쓸쓸한 옛날의 일이며
여름은 느리고 人生은 가고
가을은 또다시 오는 것이다.

灰色洋服과 木管樂器는 어울리지 않는다
그저 목을 느러트리고
눈을 감으면
가을의 誘惑은 나로하여금 잊을수없는
사랑의 사람으로 한다
눈물젖은 눈瞳子로 앞을 바라보면
人間이 埋没될 落葉이
바람에 날리여 나의 周邊을 휘돌고있다.[137]

『民主警察』 43호(1954.9.15)

가을의 誘惑[2]

가을은 내 마음에
유혹의 길을 가르킨다
淑女들과 바람의 이야기를 하면
가을은 다정한 피리를 불면서
回想의 風景을 지나가는 것이다.

전쟁이 길게 머물은 서울의 露臺에서
나는 모딜리아니의 畵帖을 뒤적거리며
정막한 하나의 生涯의 한시름을
찾아보는 것이다[167]
그러한 순간
가을은 靑春의 그림자처럼 또는
落葉모양 나의 발목을 끌고
즐겁고 어두운 思念의 世界로 가는 것이다.

즐겁고 어두운 가을의 이야기를 할 때
목메인 소리로 나는 사랑의 말을 한다

그것은 廢園에 있던 벤치에 앉아
枯渴된 噴水를 바라보며
지금은 죽은 少女의 팔목을 잡던 것과 같이
쓸쓸한 옛날의 일이며
여름은 느리고 人生은 가고
가을은 또다시 오는 것이다.

灰色洋服과 木管樂器는 어울리지 않는다[168]
그저 목을 늘어뜨리고
눈을 감으면
가을의 유혹은 나로 하여금 잊을 수 없는
사랑의 사람으로 한다
눈물 젖은 눈동자로 앞을 바라보면
人間이 埋没될 落葉이
바람에 날리어 나의 周邊을 휘돌고 있다.[169]

『木馬와 淑女』(1976.3.10)

幸福[1]

老人은 陸地에서 살았다.
하늘을 바라보며 담배를 피우고
시들은 풀잎에 앉아 손금도 보았다.
茶 한잔을 마시고 情死한 女子의 이야기를 新
聞에서 읽을 때
비둘기는 지붕 위서 훨훨 날았다.
老人은 한숨도 쉬지 않고 더욱 아무것도 바라
지 않으며
聖書를 외우고 불을 끈다.
그는 幸福이라는 것을 말하지 않았다.

그저 고요히 잠드는 것이다.

老人은 꿈을 꾼다.
여러 친구와 술을 나누고 그들이 죽엄의 길을
바라보던 전날을.
老人은 입술에 미소를 띠우고
쓰디 쓴 감정을 억제 할수가 있다
그는 지금의 어떠한 瞬間도 憎惡할 수가 없었다.
老人은 죽엄을 원하기 전에 옛날이 더욱 永遠
한 것 처럼 생각되며
自己와 가까이 있는 것이 멀어져 가는 것을
분간할 수가 있었다.

『東亞日報』(1955.2.17)

幸福[2]

老人은 陸地에서 살았다
하늘을 바라보며 담배를 피우고
시들은 풀잎에 앉아 손금도 보았다
茶한잔을 마시고 情死한 女子의 이야기를 新
聞에서 읽을때
비둘기는 지붕 위서 훨훨 날았다.
老人은 한숨도 쉬지 않고 더욱 아무것도 바라
지 않으며
聖書를 외우고 불을 끈다
그는 幸福이라는 것을 말하지 않았다
그저 고요히 잠드는 것이다[150]

老人은 꿈을 꾼다

여러 친구와 술을 나누고 그들이 죽엄의 길을
바라보던 전날을
老人은 입술에 미소를 띠우고
쓰디 쓴 감정을 억제 할수가 있다
그는 지금의 어떠한 瞬間도 憎惡[72]할수가 없
었다
老人은 죽엄을 원하기 전에 옛날이 더욱 永遠
한 것 처럼 생각되며
自己와 가까이 있는 것이 멀어져가는 것을
분간할 수가 있었다[151]

『戰時 韓國文學選 詩篇』(1955.6.25)

幸福[3]

老人은 陸地에서 살았다.
하늘을 바라보며 담배를 피우고
시들은 풀잎에 앉아
손금도 보았다.
茶 한 잔을 마시고
情死한 女子의 이야기를
新聞에서 읽을 때[105]
비둘기는 지붕위에서 훨훨 날았다.
老人은 한숨도 쉬지 않고
더욱 아무것도 바라지 않으며
聖書를 에우고 불을 끈다.
그는 幸福이라는 것을 말하지 않았다.
거저 고요히 잠드는 것이다.

---

72 이본들을 참조하면 '惡' 자가 빠진 채 인쇄되었다.

303

老人은 꿈을 꾼다.
여러 친구와 술을 나누고
그들이 죽음의 길을 바라 보던 전날을.[106]
老人은 입술에 미소를 띠우고
쓰디 쓴 감정을 억제 할수가 있다.
그는 지금의 어떠한 瞬間도
憎惡 할 수가 없었다.
老人은 죽음을 원하기 전에
옛날이 더욱 永遠한 것 처럼 생각되며
自己와 가까이 있는 것이
멀어져 가는 것을
분간 할 수가 있었다.[107]

『選詩集』(1955.10.15)

산(山)과 강(江)물은 프르고 인생은 젊었다.
농부의 말은 숲속으로 다라나고
옷벗은 수녀(修女)는 수치를 모른다.

황혼(黃昏). 연지와 같이 고운 하늘은 멀다.
물방아는 돌고 바람은 가슴을 찌른다.
그럴때 새가 재잘거리는 것 처럼
사람들은 횟바람에 맞추어 노래한다.
…… 봄은 진정 즐거운 것인가 …… 고.

교회(敎會)의 종(鍾)소리가 어두움을 알린
다.[271]

『아리랑』 1-2호(1955.4.1)

봄(春)이야기

농부(農夫)가 술을 마실때 나무에서 새가 날
렀다.
봄날. 언젠가 사나운 겨울이가고 봄은 왔단다.
사랑이 쌌트고 웃음이 우거지는 전원(田園).
조마사(調馬師)와 수녀(修女).
풍경(風景)속에서 종(鍾)이 울린다.

주장(酒場)의 작부(酌婦)와 손을 맞잡고
꽃 이야기는 어울리지 않는다. 그저
옛날이 아니면 내일의 거짓말을 하면서
이날을 보내는 것이다.[270]

술을 마시고 나면 아무에게나 인사해도 좋다.

아메리카詩抄 새벽한時의詩[1]

대낮 보담도 눈부신 포-트랜드의 밤 거리에
單調로운 그랜·미-라의 라브소디-가 들
린다.
쇼-위인드에서 울고있는 마네킹.

앞으로 남지않은 나의 暫時를 爲하여
記念이라고 진 휘-스를 마시면
녹쓸은가슴과뇌수에차디찬비가나린다.

나는 돌아가도 친구들에게 얘기할것이 없고나
유리로 맨든 人間의 墓地와
벽돌과 콩크리트[73] 속에 있는
都市의 溪谷에서

흐느껴 울었다는것 외에는—

天使처럼
나를 魅惑시키는 虛榮의 네온.
너에게는 眼球가 없고 情抒가 없다.
여기선 人間이 生命을 노래하지않고
沈鬱한 想念만이 나를 救한다.

바람에 날려온 몬지와 같이
이 異國의땅에선나는하나의微生物이다.
아니 나는 바람에 날려와
새벽한時 奇妙한 意識으로
그래도 좋았던 腐蝕[74]된 過去로 돌아가는 것
이다.

— (포—트랜드에서) —
『한국일보』(1955.5.14)

새벽 한時의 詩[2]

대낮 보다도 눈부신
포오트랜드의 밤 거리에
單調로운〈그렌 · 미이라〉의   라브소디이가
들린다.
쇼오위인드에서 울고 있는 마네킹.

앞으로 남지 않은 나의 暫時를 위하여

紀[75]念이라고 진 · 휘이즈를 마시면[149]
녹슬은 가슴과 뇌수에 차디찬 비가 내린다.

나는 돌아가도 친구들에게 얘기 할 것이 없고나
유리로 만든 人間의 墓地와
벽돌과 콩크리트 속에 있던
都市의 溪谷에서
흐느껴 울었다는 것 외에는…….

天使처럼
나를 魅惑 시키는 虛榮의 네온.
너에게는 眼球가 없고 情抒가 없다.[150]
여기선 人間이 生命을 노래 하지않고
沈鬱한 想念 만이 나를 救한다.

바람에 날려온 먼지와 같이
이 異國의 땅에선 나는 하나의 微生物이다.
아니 나는 바람에 날려와
새벽 한時 奇妙한 意識으로
그래도 좋았던
腐蝕된 過去로
돌아가는 것이다.

(포오트랜드에서)[151]
『選詩集』(1955.10.15)

---

73 열람한 판본의 어절('콩크리트') 전체가 불완전하
게 인쇄되었다.
74 이본을 참조하면 '蝕' 자가 빠진 채 인쇄되었다.

---

75 이본을 참조하면 '紀'의 오자 또는 오식이다.

充血된눈동자[1]

充血된 눈동자[2]

Strait of Juan De Fuca를 어제 나는 지냈다.
눈동자에 바람이 휘도는
異國의 港口 올림피아
피를 吐하며 잠자지 못하든 사람들이
幸福이나 지다리는듯이 거리에나간다.

錯覺이 맨든 네온의 거리
原色과 血管은 내 눈엔 뵈이지않는다.
거품에 넘치는 술을 마시고
情慾에 불타는 女子를 보아야 한다.
그의 떨리는 손구락이 가르끼는
무거운 沈默속으로 나는
발버둥치며 다라나야 한다.

世上은 좋았다 피의 비가 나리고
주검의 재가 나리던 太平洋을건너서 다시 올
수 없는 사람은 떠나야한다
아니 世上은 不幸하다고 나는 하늘에
고함친다 몸에서
베고니아 처럼 화끈거리는 慾望을 위해
거짓과 진실을 마음대로 써야한다.

젊음과 그가 가지는 奇蹟은
내 허리에 悲哀의 그림자를 던졌고都市의溪
谷사이를다름박질치는육중한바람을
充血된 눈동자는 바라다 보고 있었다.
— (올림피아에서) —
『한국일보』(1955.5.14)

STRAIT OF JUAN DE FUCA를 어제 나는
지냈다.
눈동자에 바람이 휘도는
異國의 港口 올림피아
피를 吐하며 잠 자지 못하던 사람들이
幸福이나 기다리는 듯이 거리에 나간다.[130]

錯覺이 만든 네온의 거리
原色과 血管은 내 눈엔 보이지 않는다.
거품에 넘치는 술을 마시고
情慾에 불타는 女子를 보아야 한다.
그의 떨리는 손 가락이 가리키는
무거운 沈默속으로 나는
발버둥 치며 달아 나야 한다.

世上은 좋았다
피의 비가 내리고[131]
주검의 재가 날리는 太平洋을 건너서
다시 올수 없는 사람은 떠나야 한다
아니 世上은 不幸 하다고 나는 하늘에
고함친다
몸에서
베고니아 처럼 화끈거리는 慾望을 위해
거짓과 진실을 마음대로 써야한다.

젊음과 그가 가지는 奇蹟은
내 허리에 悲哀의 그림자를 던졌고[132]
都市의 溪谷 사이를 다름박질 치는
육중한 바람을

充血된 눈동자는 바라다 보고 있었다.

(올림피아 에서)[133]

『選詩集』(1955.10.15)

瀑布는 요란[77]하고
래듸오의 찢어진 音樂이 끝일줄 모른다
主人은 잠이 들었고
우리는 山길을 네려간다.[15]

『詩作』 4집(1955.5.20)

週末

山길을 넘어가면
別莊.
週末의 노래를 부르며
우리는 술을 마시고
主人은
얇은 小說을 읽는다
오늘은 뱀 (蛇) 아
저기 쏟아지는 噴水를 마셔

그늘이 가린[76] 언덕 아래
어린 女子의 墓地
거기서 들려오는
讚美歌.
첫솔로 이를 닦는
이름없는 映畵배優
…… 恐怖의 報酬……
…… 니토로그리세린……
…… 과데라마 共和國의 仙人掌……
日曜版「닛쁜타임스」의 잉크냄새.

別莊에도

木馬와 淑女[1]

한잔의 술을 마시고
우리는 바-지니아·울프의 生涯와
木馬를 타고 떠난 淑女의 옷자락을 이야기 한다
木馬는 주인을 버리고 그저 방울소리만 울리며
가을 속으로 떠났다
술병에서 별이 떨어진다
傷心한 별은 내가슴에 가벼웁게 부서진다
그러한 잠시 내가 알던 小女는
庭園의 草木옆에서 자라고
文學이 죽고 人生이 죽고[322]
사랑의 진리 마저 愛憎의 그림자를 버릴때
木馬를 탄 사랑의 사람은 뵈이지 않는다
세월은 가고 오는것
한 때는 孤立을 피하여 시들어 가고
이제 우리는 作別하여야 한다
술병이 바람에 쓰러지는 소리를 드르며
늙은 女流作家의 눈을 바라다 보아야한다
…… 燈台에 ……
불이 뵈이지 않아도

---

76 열람한 판본의 '린' 자가 불완전하게 인쇄되었다.

77 열람한 판본의 '란' 자가 불완전하게 인쇄되었다.

그저 간직한 페시미즘의 未來를 위하여
우리는 처량한 木馬소리를 記憶하여야한다
모든 것이 떠나든 죽든[323]
그저 가슴에 남은 희미한 意識을 붙잡고
우리는 바―지니아 울프의 서러운 이야기를
들어야한다
두개의 바위틈을 지나 靑春을 찾은 뱀과같이
눈을 뜨고 한잔의 술을 마셔야한다
人生은 외롭지도 않고
그저 雜誌의 表紙처럼 通俗하거늘
한탄한 그무엇이 무서워서 우리는 떠나는 것
일가
木馬는 하늘에 있고
방울 소리는 귀전에 철렁거리는데
가을 바람소리는
내 쓰러진 술병속에서 목메여 우는데

國際報道[78][324]

『1954年刊詩集』(1955.6.20)

木馬와 淑女[2][79]

한잔의 술을 마시고
우리는 바―지니아 · 울프의 生涯와
木馬를 타고 떠난 淑女의 옷자락을 이야기한다
木馬는 주인을 버리고 그저 방울소리만 울리며
가을 속으로 떠났다
술병에서 별이 떨어진다
傷心한 별은 내 가슴에 가벼움게 부서진다
그러한 잠시 내가 알던 小女는
庭園의 草木 옆에서 자라고
文學이 죽고 人生이 죽고
사랑의 진리마저 愛憎의 그림자를 버릴 때
木馬를 탄 사랑의 사람은 보이지 않는다
세월은 가고 오는것
한때는 孤立을 피하여 시들어 가고
이제 우리는 作別하여야 한다
술병이 바람에 쓸어지는 소리를 들으며
늙은 女流作家의 눈을 바라다 보아야한다
…… 燈台에 ……
불이 보이지 않아도
그저 간직한 페씨미즘의 未來를 위하여
우리는 처량한 木馬소리를 記憶하여야 한다
모든 것이 떠나든 죽든
그저 가슴에 남은 희미한 意識을 붙잡고
우리는 바―지니아 · 울프의 서러운 이야기
를 들어야한다

78　『1954연간시집年刊詩集』은 수록작품 말미에 원
　　표지면을 밝히고 있다. 이 점은 박인환의 작품으로
　　수록된 「눈을 뜨고도」('『新天地』五月號로 표기됨.
　　실제로는 『신천지新天地』9-3호에 발표됨), 「목마
　　木馬와 숙녀淑女」('『國際報道』로 표기됨), 「센티멘
　　탈 쨔―니」('『新太陽』七月號로 표기됨. 정확하게
　　는 『신태양新太陽』3-7호(통권23호)에 발표됨)도
　　마찬가지이다. 하지만 다른 두 작품과는 달리 『국
　　제보도國際報道』에 게재된 「목마木馬와 숙녀淑女」
　　의 원본은 확인하지 못했다.

79　이 작품이 실린 『시작詩作』5집은 1955년 10월 9일
　　시작사詩作社에서 주최한 제1회 시 낭독회의 작품
　　집을 겸해서 발행되었다. 이 행사의 구체적인 내용
　　은 작가 연보를 참고하기 바란다.

두개의 바위 틈을 지나 靑春을 찾은 뱀과 같이
눈을 뜨고 한잔의 술을 마셔야한다
人生은 외롭지도 않고
그저 雜誌의 表紙처럼 通俗하거늘
한탄할 그무엇이 무서워서 우리는 떠나는 것
일가
木馬는 하늘에 있고
방울소리는 귓전에 철렁거리는데
가을 바람 소리는
내 쓸어진 술병 속에서 목메어 우는데[22]

『詩作』5집(1955.10.9)

木馬와 淑女[3]

한잔의 술을 마시고
우리는 바아지니아 · 울프의 生涯와
木馬를 타고떠난 淑女의 옷자락을 이야기 한다
木馬는 主人을 버리고 거저 방울소리만 울리며
가을 속으로 떠났다 술병에서 별이 떨어진다
傷心한 별은 내가슴에 가벼웁게 부숴진다
그러한 잠시 내가 알던 小女는[112]
庭園의 草木옆에서 자라고
文學이 죽고 人生이 죽고
사랑의 진리마저 愛憎의 그림자를 버릴때
木馬를 탄 사랑의 사람은 보이지 않는다
세월은 가고 오는 것
한 때는 孤立을 피하여 시들어 가고
이제 우리는 作別하여야 한다
술병이 바람에 쓰러지는 소리를 들으며

늙은 女流作家의 눈을 바라다 보아야 한다
…… 燈臺에 ……[113]
불이 보이지 않아도
거저 간직한 페시미슴의 未來를 위하여
우리는 처량한 木馬소리를 記憶하여야 한다
모든 것이 떠나든 죽든
거저 가슴에 남은 희미한 意識을 붙잡고
우리는 바아지니아 · 울프의 서러운 이야기
를 들어야한다
두개의 바위 틈을 지나 靑春을 찾은 뱀 과 같이
눈을 뜨고 한잔의 술을 마셔야한다
人生은 외롭지도 않고
거저 雜誌의 表紙처럼 通俗 하거늘[114]
한탄할 그 무엇이 무서워서 우리는 떠나는 것
일까
木馬는 하늘에 있고
방울소리는 귓전에 철렁 거리는데
가을 바람소리는
내 쓰러진 술병 속에서 목매어 우는데[115]

『選詩集』(1955.10.15)

旅行[1]

나는 나도 모르는 사히에 먼나라로
旅行의 길을 떠났다.
수중엔 돈도 없이
집엔 쌀도 없는 詩人이
누구의 속임인가
나의 幻想인가

그저 배를 타고
많은 人間이 죽은 바다를건너서
낯서른 나라를 도라다니게 되였다.

비가 나리는 州立公園을 바라 보면서
二百餘年前
이다리아래를 흘러간 사람의 이름을
手帖에 적는다.
캐프테 …… ××
그와나와는 關聯이 없건만
偶然히 온 사람과 죽은 사람은
저기 프르게 잠든 湖水의 水心을
잊을수 없는 것일가.

거룩한 自由의 이름으로 알려진 土地
茂盛한 森林이 있고
飛簾⁸⁰(염)⁸¹ 桂舘과 같은 집이
連이여 있는 아메리카의 都市[182]
샤-틀의 네온이 붉은 거리를
失神한 나는간다
아니 나는 더욱 鮮明한 精神으로
타-반에 드러가 鄕愁를 본다.

이즈러진 回想
不滅의 孤獨
구두에 남은 韓國의 진흙과
商標도없는 〈孔雀〉의 연기
그것은 나의 자랑이다
나의 외로움이다.

또 밤거리
거리의 飲料水를 마시는
포-트랜드의 異邦人
저기
가는 사람은 나를 무엇으로 보고 있는가.
(포-트랜드 에서)[183]
『希望』 5-7호(1955.7.1)

旅行[2]

나는 나도 모르는 사이에 먼 나라로
旅行의 길을 떠났다.
수중엔 돈도 없이
집엔 쌀도 없는 詩人이
누구의 속임인가
나의 幻想인가
거저 배를 타고
많은 人間이 죽은 바다를 건너[140]
낯설은 나라를 돌아 다니게 되었다.

비가 내리는 州立公園을 바라 보면서
二百年前
이 다리 아래를 흘러간 사람의 이름을
手帖에 적는다.
캐프텐××
그 사람과 나는 關聯이 없건만
우연히 온 사람과 죽은 사람은
저기 푸르게 잠든 湖水의 수심을[141]
잊을수 없는 것일까.

80 이본을 참조하면 '廉'의 오자 또는 오식이다.
81 '염' 자 다음에 부호 ')'가 빠진 채 인쇄되었다.

거룩한 自由의 이름으로 알려진 土地
茂盛한 森林이 있고
飛廉桂舘과 같은 집이
連이어 있는 아메리카의 都市
샤아틀의 네온이 붉은 거리를
失神한 나는 간다
아니 나는 더욱 鮮明한 精神으로
타아반에 들어가 鄕愁를 본다.[142]

이즈러진 回想
不滅의 孤獨
구두에 남은 韓國의 진흙과
商標도 없는〈孔雀〉의 연기
그것은 나의 자랑이다
나의 외로움이다.

또 밤 거리
거리의 飮料水를 마시는
포오트랜드의 異邦人
저기
가는 사람은 나를 무엇으로 보고 있는가.

(포오트랜드 에서)[143]
『選詩集』(1955.10.15)

太平洋에서[1]

갈매기와 하나의 物體
〈孤獨〉
年月도 없고 太陽은 차겁다.

나는 아무 慾望도 갖지 않겠다.
더우기 浪漫과 情緖는
저기 부서지는 거품속에 있어라.

죽어간**82** 者의 表情처럼[183]
무겁고 침울한 波濤 그것이 怒할때
나는 살아있는 者라고 외칠수 없었다.
그저 意志의 믿음만을 위하여
深幽한 바다위를 흘러가는 것이다.

太平洋에 안개가 끼고 비가 나릴때
껌은 날개에 껌은 입술을 가진
갈매기 들이
나의 가차운 視野에서 나를 조롱 한다.
〈幻想〉
나는 남아있는 것과
잃어버린것과의 比例를 모른다.

옛날 不安을 이야기 했었을때
이바다에선 砲艦이 가라앉고
數十萬의 人間이 죽었다.
어둠 침침한 조용한 바다에서
모든 것은 잠이드렀다.
그렇다. 나는 지금 무엇을 意識하고 있는가?
단지 살아 있다는 것만으로서.

바람이 분다.
마음대로 부러라. 나는덱키에 매달려
記念이라고 담배를 피운다.
無限한 孤獨 저煙氣는 어데로가나.

---

82 열람한 판본의 '간' 자가 '불완전하게 인쇄되었다.

311

밤이여
無限한 하늘과 물과 그사이에
나를 잠들게 해라.
(南海號 에서)[184]
『希望』 5-7호(1955.7.1)

太平洋 에서[2]

갈매기와 하나의 物體
〈孤獨〉
年月도 없고 太陽은 차겁다.
나는 아무 慾望도 갖지 않겠다.
더우기 浪漫과 情緖는
저기 부숴지는 거품 속에 있어라.[122]

죽어간 者의 表情처럼
무겁고 침울한 波濤 그것이 怒할 때
나는 살아있는 者라고 외칠수 없었다.
거저 意志의 믿음 만을 위하여
深幽한 바다위를 흘러 가는 것이다.

太平洋에 안개가 끼고 비가 내릴 때
검은 날개에 검은 입술을 가진
갈매기들이 나의 가까운 視野에서 나를 조롱
한다.
〈幻想〉[123]
나는 남아 있는 것과
잃어버린 것 과의 比例를 모른다.

옛날 不安을 이야기 했었을 때
이 바다에선 砲艦이 가라앉고
數十萬의 人間이 죽었다.
어둠 침침한 조용한 바다에서 모든 것은 잠이
들었다.
그렇다. 나는지금 무엇을 意識하고 있는가?[124]
단지 살아 있다는 것 만으로서.

바람이 분다.
마음 대로 부러라. 나는 덱키에 매달려
紀**83**念이라고 담배를 피운다.
無限한 孤獨. 저 煙氣는 어디로가나.

밤이여. 無限한 하늘과 물과 그 사이에
나를 잠들게 해라.
(太平洋 에서)[125]
『選詩集』(1955.10.15)

어느날[1]

四月十日의 이스타ー를 위하여
포도酒 한병을 산 黑人과
빌딩의 숲속을 지나
에이브람·린칸의 이야기를 하며
映畵舘의 스칠廣告를 본다.
〈카ー멘·죤스〉

---

83 「새벽 한時의 詩」[2]의 경우와 마찬가지로 '紀'의 오
자 또는 오식이다. 「太平洋에서」[1]에는 '記念'으로
표기되었다.

미스터-몬은 트럭크를 끌고
그의 안해는 꾹크와 입을 맞추고
나는 〈지렐〉會社의 테레비-를본다.

韓國에서 戰死한 中尉의 어머니는
이제 처음보는 韓國사람이라고 내 손을 잡고
샤-틀 市街를 求景시킨다.

많은 사람이 살고
많은 사람이 우러야하는
아메리카의 하늘의 흰구름.
그것은 무엇을 意味하는가.

나는 드렀다 나[84]는 보았다
모든 悲哀와 歡喜를.

아메리카는 횟트멘의 나라로 아렀건만
아메리카는 린컨의 나라로 아렀건만
눈물을 흘리며
부라보- 코리아 하고
黑人은 술을 마신다.

(에베렛트 에서)[185]

『希望』 5-7호(1955.7.1)

어느날[2]

四月十日의 復活祭를 위하여

포도酒 한병을 산 黑人과
빌팅의 숲속을 지나
에이브람·린컨의 이야기를 하며
映畵舘의 스칠 廣告를 본다.
…… 카아멘·죤스 ……

미스터-몬은 트럭크를 끌고[134]
그의 아내는 쿡크와 입을 맞추고
나는 〈지렐〉會社의 테레비죤을 본다.

韓國에서 戰死한 中尉의 어머니는
이제 처음 보는 韓國사람이라고 내 손을 잡고
샤아틀 市街를 求景시킨다.

많은 사람이 살고
많은 사람이 울어야하는
아메리카의 하늘에 흰구름.[135]
그것은 무엇을 意味하는가.

나는 들었다 나는 보았다
모든 悲哀와 歡喜를.

아메리카는 횟트맨의 나라로 알았건만
아메리카는 린컨의 나라로 알았건만
쓴 눈물을 흘리며
부라보 …… 코리안 하고
黑人은 술을 마신다.

(에베렛트 에서)[136]

『選詩集』(1955.10.15)

---

84 열람한 판본의 '나' 자가 불완전하게 인쇄되었다.

아메리카詩抄 水夫들[1]

水夫들은 甲板에서
갈매기와 이야기한다
… 너희들은 어데서 왔니 …
和蘭성냥으로 담배를 부치고
싱가폴 밤거리의 女子
지금도 생각이 난다.
銅像처럼 서서 埠頭에서 기다리겠다는
얼굴이까만 입술이 짙은女子
波濤여 꿈과 같이 부서지라
헤아릴수없는 純白한 밤이면
하모니카 소리도 처량하고나

포-트랜드 좋은 고장 술집이 많어
구레용 칠 한듯이 네온이 밝은밤
「아리랑」소리나 한번 해 보자
(포-트랜드에서 … 이詩는 겨우 우리말을 쓸수있는
　　어떤 水夫의 것을 내 이메-지로 고쳤다)[215]
　　　　　『아리랑』 1-6호(1955.8.1)

水夫들[2]

水夫들은 甲板에서
갈매기와 이야기한다
…… 너희들은 어데서 왔니 ……
和蘭성냥으로 담배를 붙이고
싱가폴 밤 거리의 女子

지금도 생각이 난다.
銅像처럼 서서 埠頭에서 기다리겠다는[144]
얼굴이 까만 입술이 짙은 女子
波濤여 꿈과 같이 부숴지라
헤아릴수 없는 純白한 밤 이면
하모니카 소리도 처량하고나
포오트랜드 좋은 고장 술집이 많아
구레용 칠한 듯이 네온이 밝은 밤
아리랑 소리나 한번 해보자
(포오트랜드에서……이詩는 겨우 우리말을쓸수있는
　　어떤 水夫의 것을 내 이메이지로 고쳤다)[145]
　　　　　『選詩集』(1955.10.15)

아메리카詩抄 에베렛트의 日曜日[1]

芬蘭人 미스터-·몬은
自動車를 타고 나를 데리러 왔다.
에베렛트의 日曜日
와이샤스도 없이 나는 韓國노래를 했다.
그저 쓸쓸하게 간얇으게
노래를 부르면 된다.
파파·레브스·맘보 …
춤을 추는 돈나
개와 함께 어울려 湖水가를 걷는다.

테레비죤도 처음보고
카로리-가없는 맥주도 처음 마시는
마음만의 紳士
즐거운 일인지 또는 슬픈 일인지

여기서 알려주는 사람은 없다 夕陽.
浪漫을 연상케하는 時間.
미칠듯이 故鄉 생각이 난다.
그래서 몬과 나는
이야기할 것이 없었다
이젠헤져야 된다.

(에베렛트에서)[215]

『아리랑』 1-6호(1955.8.1)

미칠 듯이 故鄉생각이 난다.

그래서 몬과 나는
이야기 할것이 없었다 이젠
헤져야 된다.

(에베렛트 에서)[148]

『選詩集』(1955.10.15)

十五日間[1]

에베렛트의 日曜日[2]

芬蘭人 미스터·몬은
自動車를 타고 나를 데리러 왔다.
에베렛트의 日曜日
와이샤스도 없이 나는 韓國노래를 했다.
거저 쓸쓸하게 가냘프게
노래를 부르면 된다.
······ 파파·러브스·맘보 ······[146]
춤을 추는 돈나
개와 함께 어울려 湖水가를 걷는다.

테레비죤도 처음 보고
카로리가 없는 맥주도 처음 마시는
마음만의 紳士
즐거운 일인지 또는 슬픈 일인지
여기서 말해 주는 사람은 없다.

夕陽.[147]
浪漫을 연상ㅎ게 하는 時間.

깨끗한 시─스위에서
나는 몸부림을 쳐도 所用이 없다.
空間에서 들려오는 恐怖의 소리
좁은 房에선 나비들이 나른다.
그것을 들어야 하고[85]
그것을 보아야 하는
儀式.

오늘은 어제와 分別이 없건만
내가 애태우는 사람은 날로 멀건만
죽엄을 기다리는 囚人과같이
倦怠로운 하품을 하여야 한다.

窓밖에 나리는 微粒子
거짓말이 많은 辭典
헐수없이 그것을 본다
變化가 없는 바다와 하늘아래서[142]

---

85 열람한 판본의 '고' 자가 불완전하게 인쇄되었다.

315

辱할수있는 사람은 없고
아라스카에서 달려온 갈매기처럼
나의 幻想의 世界를 휘돌아야한다.

위스키- 한잔
담배 열갑
아니 내 서러운 精神이 消耗[86]되어간다.
時間은
十五日間의 太平洋에서는 意味가 없다.
허나 孤立과 콤프렉스의 香氣는
내 얼굴과 금간 肉體에 젖어내렸다.

바다는 怒하고 나는 잠들려고 한다
累萬年의 自然속에서
나는 自我를 꿈꾼다.
그것은 奇妙한 慾望과
回想의 破片을 다듬는
어리석은 妄執이기도 하다.

밤이 지나고 苦惱의 날이 온다.
不吉한 尺度를 위하여 코-피를 마신다.
四邊은 鐵과 巨大한 悲哀에 잠긴 하늘과 바다.
그래서 나는 오늘 더 외롭지는 않다.[143]

『新太陽』4-10호(1955.10.1)

十五日間[2]

깨끗한 시이스 위에서
나는 몸부림을 쳐도 所用이 없다.
空間에서 들려오는 恐怖의 소리
좁은 房에서 나비 들이 날은다.
그것을 들어야 하고
그것을 보아야 하는
儀式.
오늘은 어제와 分別이 없건만[126]
내가 애태우는 사람은 날로 멀건만
죽음을 기다리는 囚人과 같이
倦怠로운 하품을 하여야 한다.

窓밖에 나리는 微粒子
거짓 말이 많은 辭典
헐수 없이 나는 그것을 본다
變化가 없는 바다와 하늘 아래서
辱할수 있는 사람도 없고
아라스카에서 달려온 갈매기 처럼[127]
나의 幻想의 世界를 휘 돌아야 한다.

위이스키 한甁 담배 열갑
아니 내 精神이 消耗되어 간다. 時間은
十五日間을 太平洋에서는 意味가 없다.
허지만
孤立과 콤프렉스의 香氣는
내 얼굴과 금간 肉體에 젖어 버렸다.

바다는 怒하고 나는 잠들려고 한다[128]
累萬年의 自然속에서 나는 自我를 꿈꾼다.

---

86 이본을 참조하면 '耗'의 오자 또는 오식이다.

그것은 奇妙한 慾望과
回想의 破片을 다듬는
陰慘한 妄執이기도 하다.

밤이 지나고 苦惱의 날이 온다.
尺度를 위하여 코오피를 마신다.
四邊은 鐵과 巨大한 悲哀에 잠긴
하늘과 바다.
그래서 나는 어제 외롭지 않았다.

(太平洋 에서)[129]
『選詩集』(1955.10.15)

永遠한 日曜日

날개없는 女神이 죽어 버린 아침
나는 暴風에 싸여
주검의 日曜日을 올라 간다.

파란 衣裳을 감은 牧師와
죽어가는 놈의
숨가쁜 울음을 따라[22]
비탈에서 절룸 거리며 오는
나의 兄弟들.

絶望과 自由로운
모든 것을……

싸늘한 郊外의 砂丘에서
모진 소낙비에 으끄러지며

자라지 못하는 有用植物.[23]

낡은 回歸의 恐怖와 함께
禮節처럼 떠나 버리는 太陽.

囚人이여
지금은 희미한 凸形의時間
오늘은 日曜日
너희 들은 다행하게도
다음 날에의
秘密을 갖지 못했다.[24]

절룸 거리며 敎會에 모인 사람과
手足이 完全함에 불구하고
福音도 祈禱도 없이
떠나 가는 사람과

傷風된 사람들이여
永遠한 日曜日이여[25]

『選詩集』(1955.10.15)

일곱개의 層階

가만이 눈을 감고 생각하니
지난 하루 하루가 무서웠다.
무엇이나 꺼리낌 없이 말 했고
아무에게도 協議해 본 일이 없던
不幸한 年代였다.

비가 줄 줄 내리는 새벽[34]
바로 그때이다
죽어 간 靑春이
땅 속에서 솟아 나오는 것이 ……
그러나 나는 뛰어 들어
서슴 없이 어깨를 거느리고
握手한 채 피 묻은 손목으로
우리는 暗憺한 일곱 개의 層階를 내려갔다.

「人間의 條件」의 앙드레 · 마르로우
「아름다운 地區」의 아라공[35]
모두들 나와 허물 없던 友人
黃昏이면 疲困한 肉體로
우리의 槪念이 즐거이 이름불렀던
〈精神과 關聯의 호텔〉에서
마르로우는 이 빠진 情婦와
아라공은 절름발이 思想과
나는 이들을 凝視하면서 ……
이러한 바람의 낮과 愛慾의 밤이
回想의 寫眞처럼
부질하게 내 눈 앞에 오고 간다.[36]

또 다른 그날
街路樹 그늘에서 울던 아이는
옛날 江가에 내가 버린 嬰兒
쓰러지는 建物 아래
슬픔에 죽어 가던 少女도
오늘 幻影처럼 살았다
이름이 무엇인지
나라를 애태우는지
分別할 意識조차87 내게는 없다[37]

시달림과 憎惡의 陸地
敗北의 暴風을 뚫고
나의 永遠한 作別의 노래가
안개 속에 울리고
지낸 날의 무거운 回想을 더듬으며
壁에 귀를 기대면
머나 먼
運命의都市 한복판
희미한 달을 바라[38]
울며 울며 일곱 개의 層階를 오르는
그 아이의 方向은
어데인가.[39]

『選詩集』(1955.10.15)

奇蹟인 現代

장미는 江가에 핀 나의 이름
집 집 굴뚝에서 솟아 나는 文明의안개
〈詩人〉 가엾은 昆虫이여
너의 울음이 都市에 들린다.

오래 토록 네 慾望은 사라진 繪畫
茂盛한 雜草園에서[40]
幻影과 愛情과 비벼대던
그 年代의 이름도
虛妄한 어제 밤 버리지.

---

87   열람한 판본의 '차' 자가 불완전하게 인쇄되었다.

사랑은 彫刻에 나타난 追憶
泥濘과 作別의 旅路에서
기대었던 樹木은 썩어지고
電信처럼 가벼웁고 재빠른
不安한 速力은 어데서 오나.[41]

沈默의 恐怖와 눈짓하던
그 무렵의 나의 運命은
奇蹟인
東洋의 하늘을 헤매고 있다.[42]

『選詩集』(1955.10.15)

皇帝의 臣下처럼 우리는 죽음을 約束합니다.
지금 저 廣場의 電柱처럼 우리는 存在됩니다.[44]
쉴 새 없이 내 귀에 울려오는 것은
不幸한 神 당신이 부르시는
暴風입니다.
그러나 虛妄한 天地사이를
내가 있고 嚴然히 주검이 가로 놓이고
不幸한 당신이 있으므로
나는 最後의 安定을 즐깁니다.[45]

『選詩集』(1955.10.15)

不幸한 神

오늘 나는 모든 慾望과
事物에 作別하였웁니다.
그래서 더욱 親한 죽음과 가까워집니다.
過去는 無數한 來日에
잠이 들었웁니다.
不幸한 神
어데서나 나와 함께 사는[43]
不幸한 神
당신은 나와 단 둘이서
얼굴을 비벼 대고 秘密을 터놓고
誤解나
人間의 體驗이나
孤節된 意識에
後悔ㅎ지 않을 것입니다.
또 다시 우리는 結束되었웁니다.

밤의 노래

靜寂한 가운데
燐光처럼 비치는 무수한 눈
暗黑의 地平은
自由에의 境界를 만든다.

사랑은 주검의 斜面으로 달리고
脆弱하게 組織된[52]
나의 內面은
지금은 孤獨한 술甁.

밤은 이 어두운 밤은
안테나로 形成되었다
구름과 感情의 經緯度에서
나는 永遠히 約束될
未來에의 絶望에 關하여 이야기도 하였다.[53]

319

또한 끝 없이 들려 오는 不安한 波長
내가 아는 單語와
나의 平凡한 意識은
밝아올 날의 領域으로
危殆롭게 隣接되어 간다.

가느다란 노래도 없이
길목에선 갈대가 죽고
욱어진 異神의 날개들이
깊은 밤[54]
저 飢餓의 별을 向하여 作別한다.

鼓膜을 깨뜨릴 듯이
달려오는 電波
그것이 가끔 敎會의 鍾소리에 합쳐
線을 그리며
내 가슴의 隕石에 가랁아 버린다.[55]

『選詩集』(1955.10.15)

壁

그것은 분명히 어제의 것이다
나와는 關聯이 없는 것이다
우리들이 헤어질 때에
그것은 너무도 無情하였다.

하루 종일 나는 그것과 만난다
避하면 避할쑤록[56]
더욱 接近하는 것

그것은 너무도 不吉을 象徵하고 있다
옛날 그 위에 名畵가 그려졌다하여
즐거워하던 藝術家들은
모주리 죽었다.

지금 거기엔 파리와
아무도 읽지 않고
아무도 바라보지 않는
檄文과 政治포스터어가 붙어 있을 뿐[57]
나와는 아무 因緣이 없다.

그것은 感性도 理性도 잃은
滅亡의 그림자
그것은 文明과 進化를 障害하는
싸탄의 使徒
나는 그 것이 보기싫다.
그것이 밤 낮으로
나를 가로 막기 때문에
나는 한점의 피도 없이[58]
말라 버리고
女王이 부르시는 노래와
나의 이름도 듣지 못한다.[59]

『選詩集』(1955.10.15)

不信의 사람

나는 바람이 길게 멈출 때
港口의 등불과
그 偉大한 意志의 설음이

不滅의 씨를 뿌리는 것을 보았다.

肺에 밀려 드는 싸늘한 물결처럼
不信의 사람과 忘却의 잠을 이룬다.[63]

피와 외로운 歲月과
投影되는 一切의 幻想과
詩보다도 더욱 가난한 사랑과
떠나는 幸福과 같이
속사기는 바람과
오 共同墓地에서 퍼덕이는
始發과 終末의 旗ㅅ발과
지금 密閉된 이런 世界에서
倦怠롭게[64]
우리는 무엇을 이야기 하는가.

등불이 꺼진 港口에
마지막 조용한 意志의 비는 나리고
내 不信의 사람은 오지 않았다.
내 不信의 사람은 오지 않았다.[65]

『選詩集』(1955.10.15)

一九五三年의 女子에게

流行은 섭섭하게도
女子들에게서 떠났다.
왜?
그것은 스스로의 起源을 찾기 위하여

어떠한 날
구름과 幻想의 接境을 더듬으[88]며[75]
女子들은
不吉한 옷자락을 벗어버린다,

回想의 푸른 물결 처럼
孤獨은 歲月에 살고
혼자서 흐느끼는
海邊의 女神과도 같이
女子들은 完全한 時間을 본다.[76]

荒漠한 年代여
거품과 같은 虛榮이여
그것은 깨어진 거울의 여윈 印象.

必要한 것과
消耗의 比例를 위하여
戰爭은 女子들의 눈을 監視한다.
코르셋트로 侵害된 健康은
또한 流行은 情神의 方向을 封鎖한다.[77]

여기서 最後의 길손을 바라볼 때
虛弱한 바늘처럼
바람에 쓰러지는
無數한 肉體
그것은 카인의 情婦보다
사나운 毒을 풍긴다.

出發도 없이
終末도 없이

---

88 열람한 판본의 어미 '으'가 불완전하게 인쇄되었다.

321

生命은 부질하게도[78]
女子들 에게서 어드움처럼 떠나는 것이다.
왜?
그것을 對答하기에는
너무도 峻烈한 社會가 있었다.[79]

『選詩集』(1955.10.15)

疑惑의 旗

얇은 孤獨 처럼 퍼덕이는 旗
그것은 주검과 觀念의 距離를 알린다.

虛妄한 時間
또는 줄기찬 幸運의 瞬時
우리는 倒立된 石膏처럼
不吉을 바라 볼 수 있었다.[92]

落葉처럼 싸움과 靑年은 흩어지고
오늘과 그 未來는 確立된 思念이 없다.

바람 속의 內省
허나 우리는 죽음을 願ㅎ지 않는다.
疲弊한 土地에선
한줄기 煙氣가 오르고
우리는 아무 말도 없이 눈을 감았다.[93]

最後처럼 印象은 외롭다.
眼球처럼 意慾은 숨길 수가 없다.
이러한 中間의 面積에

우리는 떨고 있으며
떨리는 旗ㅅ발 속에
모든 印象과 意慾은 그 모습을 찾는다.

一九五 …… 年의 여름과 가을에 걸쳐서
愛情의 뱀은 어드움에서 暗黑으로
歲月과 함께 成熟하여 갔다.[94]
그리하여 나는 비틀거리며
뱀이 걸어간 길을 피했다.

잊을 수 없는 疑惑의 旗
잊을 수 없는 幻想의 旗
이러한 混亂된 意識아래서
〈아포롱〉은 危機의 병을 껴안고
枯渴된 世界에 가랁아 간다.[95]

『選詩集』(1955.10.15)

어느날의 詩가 되지 않는 詩[1]

당신은 日本人이지요?
챠이니이스? 하고 물을때
나는 不快하게 웃었다.
거품이 많은 술을 마시면서
나도 물었다
당신은 아메리카 市民입니까?[137]

나는 거짓말 같은 낡아빠진 歷史와
우리 民族과 말이 單一하다는 것을
자랑스럽게 말했다.

黃昏.
타아반 구석에서 黑人은 구두를 닦고
거리의 少年이 즐겁게 담배를 피우고 있다.

女優〈갈보〉의 傳記冊이 놓여있고
그 옆에는 디덱티이브·스토오리가 쌓여있는
書店의 쇼오위인드[138]
손님이 많은 가개안을 나는 들어가지 않았다.

비가 내린다.
내 모자위에 重量이 없는 抑壓이 있다.
그래서 뒷길을 걸으며
서울로 빨리 가고 싶다고
센치멘탈한 소리를 한다.

(에베렛트 에서)[139]

『選詩集』(1955.10.15)

黃昏.
타―방 구석에서 黑人은 구두를 닦고 거리의
少年이 즐겁게 담배를 피우고 있다.
女優〈갈보〉의 傳記冊이 쌓여있고 그옆에는
디덱티―브·스토―리가 쌓여있는 書店의 쇼―
위인드.
손님이 많은 가개안을 나는 들어가지 않았다.
비가 나린다.
내 모자 위에 重量이 없는 抑壓이 있다.
그래서 뒷길을 걸으며
서울로 빨리 가고 싶다고
센치멘탈한 소리를 한다.

아메리카 詩抄中=(에베렛트市에서)[317]

『아리랑』1-10호(1955.11.1)

다리 위의 사람

어느날의 詩가 되지않는 詩[2]

당신은 日本人 이시요?
챠이니―스? 하고 물을 때
나는 不快하게 웃었다.
거품이 많은 물[89]을 마시면서
나도 물었다
당신은 아메리카 市民입니까?
나는 거짓말같은 낡아빠진 歷史와 우리 民族
과 말이 單一하다는 것을 자랑스럽게 말했다.

다리 위의 사람은
愛憎과 負債를 자기 나라에 남기고
岩壁에 부딪히는 波濤소리에 놀래
바늘과 같은 손가락은
欄干을 쥐었다.
차디찬 鐵의 固體
쓰디쓴 눈물을 마시며[152]
混亂된 意識에 가랁아 버리는
다리 위의 사람은
긴 航路 끝에 이르른 靜寞한 土地에서
神의 이름을 부른다.

---

89 이본을 참조하면 '술'의 오자 또는 오식이다.

323

그가 살아오는 동안
風波와 孤絶은 그칠줄 몰랐고
오랜 歲月을 두고
DECEPTION PASS 에도
비와 눈이 내렸다.[153]

또다시 헤어질 宿命이기에
만나야만 되는 것과 같이
지금 다리 위의 사람은
로사리오海峽 에서 부러오는
悽凉한 바람을 잊으려고 한다.
잊으려고 할때 두 눈을 가로막는
새로운 不安
화끈거리는 머리
絶壁 밑으로 그의 意識은 떨어진다.[154]

太陽이 레몬과 같이 물결에 흔들거리고
州立公園 하늘에는
에메랄트처럼 빤짝거리는 機械가 간다.
변함없이 다리 아래 물이 흐른다
絶望된 사람의 피와도 같이
파란 물이 흐른다
다리 위의 사람은
흔들리는 발걸음을 것잡을 수가 없었다.

(아나코테스 에서)[155]

『選詩集』(1955.10.15)

透明한 바라이에티[1]

녹슬은
銀行과 映畵館과 電氣洗濯機.

럭키이 · 스트라이크
VANCE호텔 BINGO께엠.[156]

領事館 로비이에서
눈부신 百貨店에서
復活祭의 카아드가
RAINIER 맥주가.

나는 옛날을 생각하면서
테레비죤의 LATE NIGHT NEWS를 본다.
카나다 CBC 放送局의
狂亂한 音樂
입맞추는 紳士와 娼婦.[157]
照準은 젖 가슴
아메리카 워싱톤州.

비에 젖은 少年과 담배
孤絶된 圖書館
오늘 올드 미스는 月經이다.

喜劇女優처럼 눈살을 피면서
최현배 博士의 〈우리말본〉을
핸드백 옆에 놓는다.[158]

타이프라이터의 神經質
機械속에서 나무는 자라고

엔진으로부터 誕生된 사람들.

新聞과 淑女의 옷자락이 길을 막는다.
呂宋煙을 물은 前首相은
아메리카의 女子를 사랑하는지?

植民地의 午後처럼[159]
會社의 旗ㅅ발이 퍼덕거리고
페테이 · 코모의 〈파파 · 러브스 · 맘보〉

찢어진 트람벳트
꾸겨진 愛慾.

데모크라시이와 옷벗은 女神과
카로리가 없는 麥酒와 流行과
流行에서 精神을 喜悅하는
데사이너와[160]
表情이 痙攣하는 나와.

트랑크 위에 장미는 시들고
文明은 慇懃한 曲線을 긋는다.

鳥類는 잠들고
우리는 페인트 칠한 잔디밭을 본다
달리는 〈유니온 · 패시휙〉 안에서
商人은 쓸쓸한 婚約의 꿈을 꾼다.[161]

反抗的인 〈M · 몬로〉의
날개 돋힌 衣裳.

教會의 日本語 宣傳物에서는
크레솔 냄새가 나고

옛날
〈루돌프 · 앨폰스 · 바렌티이노〉의 주검을
悲嘆으로 마지한 나라
그 때의 淑女는 늙고
아메리카는 靑春의 陰影을 잊지못했다.[162]

스트맆 · 쇼오
담배 煙氣의 暗黑
視力이 없는 네온 · 싸인.

그렇다 〈性의 十年〉이 떠난후
戰場에서 靑年은 다시 逃亡쳐 왔다
自信과 榮譽와
歐羅巴의 달(月)을 바라다 보던 사람은……
[163]

混亂과 秩序의 反覆이
물결치는 거리에
告白의 時間은 간다.

執拗하게 太陽은 내려쪼이고
MT · HOOT의 눈은 변함이 없다.

鉛筆처럼 가느다란 내 목구멍 에서
來日이면 價値가 없는 悲哀로운 소리가 난
다.[164]

貧弱한 思念

아메리카   모나리자

필맆 · 모오리스   모오리스 · 부릿지

非情한 幸福이라도 좋다
四月十日의 復活祭가 오기 전에
굿・바이
굿드・엔드・굿드・바이[165]
   VANCE 호텔 …… 샤아틀에 있음.
   파파・러브스・맘보 …… 最近의 流行曲.
   모오리스・부릿지 …… 포오트랜드에 있음.[166]
      『選詩集』(1955.10.15)

透明한 바라이티에[90][2]

녹쓰른
銀行과 映畵館과 電氣洗濯機.

럭키ー・스트라이크
VANCE 호텔 BINGO케임.

領事館 로비ー에서
눈부신 百貨店에서
復活祭의 카ー드가
RAINIER 맥주가.
나는 옛날을 생각하면서
테레비ー의 LATE・NIGHT・NEWS를 본다.[28]
카나다 CBC 放送局의
狂亂한 音樂
입마추는 紳士와 娼婦
照準은 젖가슴

---

90 이본을 참조하면 '바라이에티'의 오식이다.

아메리카・와싱톤州.

비에 젖은 少年과 담배
孤絶된 圖書館
오늘 올드・미스는 月經이다
喜劇俳優처럼 눈쌀을 피면서
崔鉉培 博士의 〈우리말본〉을
핸드백 옆에 놓는다.
타이프라이터ー의 神經質
機械속에서 나무는 자라고
自動車엔진으로 부터 誕生된 사람들.

新聞과 女子의 옷자락이 길을 막는다.
呂宋煙을 물은 前首相은
아메리카의 女子를 사랑하는지.[29]

植民地의 午後처럼
會社의 旗빨이 퍼덕거리고
페테이・코모의 〈파파・레브스・맘보〉
찢어진 트람펫트
구겨진 愛慾.

대모크라시ー와 옷벗은 女神과
카로리ー가 없는 麥酒와 流行과
流行에서 精神을 喜悅하는 대사인너ー와
表情이 痙攣하는 나와.
트랑크 속에 장미는 피고
文明은 懇懇한 曲線을 근다.

鳥類는 잠들고
펭키 칠을한 잔디 밭
달리는 〈유니온・파시휙〉 안에서

商人은 쓸쓸한 婚約의 꿈을 꾼다.
反抗的인 〈몬로―〉의
날개 돋친 衣裳.[30]

教會의 日本語 宣傳物에서는
크레솔 냄새가 나고
옛날
〈루돌프・알폰스・바렌티―노〉의 주검을
悲嘆으로 맞이한 나라.
그때의 淑女는 늙고
아메리카는 靑春의 陰影을 잊지 못한다.
스트맆・쇼―
담배 煙氣의 暗黑
視力이 없는 네온・싸인.
그렇다 性의 十年이 끝난後
戰爭에서 靑年은 다시 逃亡쳐 왔다.
自信과 榮譽와
歐羅巴의 달(月)을 바라다 보던 사람은….

混亂과 秩序의 反覆이
물결치는 거리에
告白의 時間이 간다.
執拗하게 太陽은 네려쪼이고[31]
MT・HOOT의 눈은 변함이 없다.
鉛筆처럼 가느다란 내 목구녕에서
來日이면 價値가 없는 悲哀로운 소리가 난다.

貧弱한 思念.

아메리카 모나리자

필맆・모―리스모―리스・부리지

非情한 幸福이라도 좋다
四月十日의 復活祭가 오기전에
굿・바이 굿드・엔드 굿 바이.

註 …… VANCE 호텔 …… 샤―틀市에 있음
파파・레브스・맴보 …… 最近의 流行曲
모―리스부리지 …… 포―트랜드의 다리 이름[32]
『現代文學』 1-11호(1955.11.1)

어린딸에게

機銃과 砲聲의 요란함을 받아가면서
너는 世上에 태어났다 주검의 世界로
그리하여 너는 잘 울지도 못하고
힘 없이 자란다.

엄마는 너를 꺼안고 三개월 간에
일곱 번이나 이사를 했다.[168]

서울에 피의 비와
눈바람이 섞여 추위가 닥쳐 오던 날
너는 입은 옷도 없이 벌거숭이로
貨車 위 별을 헤아리면서 南으로 왔다.

나의 어린 딸이여 苦痛스러워도 哀訴도 없이
그대로 젖만 먹고 웃으며 자라는 너는
무엇을 그리우느냐.

너의 湖水처럼 푸른 눈[167]
지금 멀리 敵을 擊滅하러 바늘처럼 가느다란

機械는 간다. 그러나 그림자는 없다.

엄마는 戰爭이 끝나면 너를 호강시킨다 하나
언제 戰爭이 끝날 것이며
나의 어린 딸이여 너는 언제 까지나
幸福할 것인가.

戰爭이 끝나면 너는 더욱 자라고
우리들이 서울에 남은 집에 돌아갈 적에[170]
너는 네가 어데서 태어났는지도 모르는
그런 계집애.

나의 어린 딸이여
너의 故鄕과 너의 나라가 어데 있느냐
그때까지 너에게 알려 줄 사람이
살아 있을 것인가.

『選詩集』(1955.10.15)

한줄기 눈몰[91]도 없어[92]

陰酸한 雜草가 茂盛한 들판에
勇士가 누워 있었다.
구름 속에 薔薇가 피고
비둘기는 野戰病院 지붕에서 울었다.

尊嚴한 죽음을 기다리는

勇士는 隊列을 지어[172]
戰線으로 나가는 뜨거운 구두소리를 듣는다.
아 窓門을 닫으시오

高地奪還戰
제트機 迫擊砲 手榴彈
〈어머니〉 마지막 그가 부를 때
하늘에서 비가 내리기 시작했다.

옛날은 華麗한 그림冊
한장 한장 마다 그리운 이야기[173]
萬歲소리도 없이 떠나
흰 繃帶에 감겨
그는 남 모르는 土地에서 죽는다.

한줄기 눈물도 없이
人間이라는 이름으로서
그는 피와 靑春을
自由를 위해 비[93]쳤다.[174]

陰酸한 雜草가 茂盛한 들판엔
지금 찾아 오는 사람도 없다.[175]

『選詩集』(1955.10.15)

잠을 이루지 못하는 밤

넓고 個體 많은 土地에서

---

91 목차와 본문을 참조하면 '물'의 오자 또는 오식이다.
92 목차와 본문을 참조하면 '이'의 오자 또는 오식이다.

---

93 열람한 판본의 '바' 가 불완전하게 인쇄되었다.

나는 더욱 孤獨하였다.
힘 없이 집에 돌아오면 세사람의 家族이
나를 쳐다 보았다. 그러나
나는 차디찬 壁에 붙어 回想에 잠긴다.

戰爭 때문에 나의 財産과 親友가 떠났다.[176]
人間의 理知를 위한 書籍 그것은 재떼미가 되고
지난 날의 榮光도 날아가 버렸다.
그렇게 多情했던 親友도 서로 갈라지고
간혹 이름을 불러도 울림조차 없다.
오늘도 飛行機의 爆音이 귀에 잠겨
잠이 오지 않는다.

잠을 이루지 못하는 밤을 위해 詩를 읽으면
空白한 종이 위에
그의 부드럽고 圓滿하던 얼굴이 幻像처럼 어
린다.[177]
未來에의 期約도 없이 흩어진 親友는
共産主義者에게 拉致되었다.
그는 死者 만이 갖는 速度로
苦惱의 世界에서 脫走하였으리라.

正義의 戰爭은 나로 하여금 잠을 깨운다.
오래도록 나는 忘却의 彼岸에서 술을 마셨다.
하루 하루가 나에게 있어서는
悲慘한 祝祭이었다.[178]
그러나 不斷한 自由의 이름으로서
우리의 뜰 앞에서 버러진 싸움을 洞察할 때
나는 내 出發이 늦은 것을 告한다.

나의 財産 … 이것은 부스럭지
나의 生命 … 이것도 부스럭지

아 破滅한다는 것이 얼마나 偉大한 일이냐.

마음은 옛과는 다르다. 그러나
내게 달린 家族을위해 나는 참으로비겁하다[179]
그에게 나는 왜 머리를 숙이며 왜 떠드는 것일까.
나는 나의 末路를 바라본다.
그리하여 나는 혼자서 운다.

이 넓고 個體 많은 土地에서
나만이 遲刻이다.
언제 죽을지도 모르는 나는
生에 한 없는 愛着을 갖는다.[180]

『選詩集』(1955.10.15)

검은江

神이란 이름으로서
우리는 最終의 路程을 찾아보았다.

어느날 驛前에서 들려오는
軍隊의 合唱을 귀에 받으며
우리는 죽으러 가는 者와는
反對 方向의 列車에 앉아[181]
情慾처럼 疲弊한 小說에 눈을 흘겼다.

지금 바람처럼 交叉하는 地帶
거기엔 一切의 不純한 慾望이 反射되고
農夫의 아들은 表情도 없이
爆音과 硝煙이 가득찬

329

生과 死의 境地에 떠난다.

달은 靜寬보다도 더욱 처량하다.
멀리 우리의 視線을 集中한[182]
人間의 피로 이루운
自由의 城砦
그것은 우리와 같이 退却하는 자와는 關聯이
없었다.

神이란 이름으로서
우리는 저 달 속에
暗憺한 검은 江이 흐르는 것을 보았다.[183]

『選詩集』(1955.10.15)

故鄕에가서

갈대만이 限없이 茂盛한 土地가
지금은 내 故鄕.

山과 江물은 어느날의 繪畵
피문은 電信柱 위에
太極旗 또는 作業帽가 걸렸다.[184]

學校도 郡廳도 내집도
무수한 砲彈의 炸裂과 함께
世上엔 없다.

人間이 사라진 孤獨한 神의 土地
거기 나는 銅像처럼 서 있었다.

내 귓전엔 싸늘한 바람이 설래이고
그림자는 亡靈과도 같이 무섭다.

어려서 그땐 確實히 平和로웠다.[185]
運動場을 뛰다니며
未來와 살던 나와 내 동무들은
지금은 없고
煙氣 한 줄기 나지 않는다.

黃昏 속으로
感傷 속으로
車는 달린다.
가슴 속에 흐느끼는 갈대의 소리
그것은 悲愴한 合唱과도 같다.[186]

밝은 달 빛
은하수와 토끼
故鄕은 어려서 노래 부르던
그것 뿐이다.

비 내리는 斜傾의 十字架와
아메리카 工兵이
나에게 손짓을 해준다.[187]

『選詩集』(1955.10.15)

새로운 決意를 위하여

나의 나라 나의 마을 사람들은
아무 悔恨도 꺼리낌도 없이 거저

敵의 侵略을 쳐 부시기 위하여
新婦와 그의 집을 뒤에 남기고
乾燥한 山岳에서 싸웠다 그래서
그들의 運命은 怒號 했다
그들에겐 언제나 祝福된 時間이 있었으나[203]
最初의 피는 장미와 같이 가슴에서 흘렀다.
새로운 歷史를 찾기 위한
오랜 沈默과 冥想 그러나
죽은者와 날개없는 勝利
이런 것을 나는 믿고 싶지가 않다.

더욱 歲月이 흘렀다고 하자
누가 그들을 記憶할 것이냐.
단지 自由라는 것 만이 남아 있는 거리와
勇士의 마을에서는[204]
新婦는 늙고 아비없는 어린것들은
풀과같이
바람속에서 자란다.

옛날이 아니라 거저 切實한 어제의 이야기
侵略者는 아직도 살아 있고
싸우러 나간 사람은 돌아오지 않고
무거운 恐怖의 時代는 우리를 支配한다.
아 服從과 다름이 없는 지금의 時間
意義를 잃은 싸움의 보람[205]
나의 憤怒와 남아있는 人間의 설음은
하늘을 찌른다.

廢墟와 배고픈 거리에는
지나간 싸움을 비웃듯이 비가 내리고
우리들은 울고 있다
어찌하여?

所期의 것은 아무것도 얻지 못했다.
원수들은 아직도 살아 있지 않는가.[206]

『選詩集』(1955.10.15)

植物

太陽은 모든 植物에게 인사한다

植物은 二十四時間 幸福하였다.

植物위에 女子가 앉았고
女子는 叛逆한 幻影을 생각했다.[208]

香氣로운 植物의 바람이 都市에 분다.

모두들 窓을 열고 太陽에게 인사한다.

植物은 二十四時間 잠 들지 못했다.[209]

『選詩集』(1955.10.15)

抒情歌

失神한듯이 沐浴하는 青年

꿈에 본 〈죠셉·베르네〉의 바다

331

半軟體動物의 울음이 들린다

싸나트륨에 모여든 淑女들[210]

사랑하는 女子는 層階에서 내려온다

〈니사미〉의 詩集보다도 悲壯한 이야기

나프킨이 가벼운 인사를 하고

盛夏의 落葉은 내 가슴을 덮는다.[211]

『選詩集』(1955.10.15)

植民港의 밤

饗宴의 밤
領事婦人에게 아시아의 傳說을 말했다.

自動車도 人力車도 停車되었으므로
神聖한 땅 위를 나는 걸었다.

銀行支配人이 同伴한 꽃 파는 少女[212]
그는 일찌기 自己의 몸 값보다
꽃 값이 비쌌다는 것을 안다.

陸戰隊의 演奏會를 듣고 오던 住民은
敵愾心으로 植民地의 哀歌를 불렀다.

三角洲의 달빛

白晝의 流血을 밟으며 찬 海風이 나의 얼굴을
적신다.[213]

『選詩集』(1955.10.15)

薔薇의 溫度

裸身과 같은 흰 구름이 흐르는 밤
實驗室 窓 밖
果實의 生命은
貨幣모양 倦怠하고 있다.
밤은 깊어가고
나의 찢어진 愛慾은
樹木이 放蕩하는 鋪道에 疾走한다.[214]

喇叭소리도 暴風의 俯瞰도
花瓣의 모습을 찾으며
武裝한 거리를 헤맸다.

太陽이 追憶을 품고
岸壁을 지나던 아침
料理의 偉大한 平凡을
Close-up한 原始林의
薔薇의 溫度[215]

『選詩集』(1955.10.15)

구름

어린 생각이 부서진 하늘에
어머니 구름 적은 구름들이
사나운 바람을 벗어난다.

밤 비는
구름의 층계를 뛰어내려
우리에게 봄을 알려주고[226]
모든 것이 생명을 찾았을 때
달빛은 구름 사이로
지상의 행복을 빌어주었다.

새벽 문을 여니
안개 보다 따스한 호흡으로
나를 안아주던 구름이여
시간은 흘러가
네 모습은 또 다시 하늘에[227]
어느 곳에서도 바라볼 수있는
우리의 전형
서로 손 잡고 모이면
크게 한몸이 되어
산다는 괴로움으로 흘러가는 구름
그러나 자유속에서
아름다운 석양 옆에서
헤매는 것이
얼마나 좋으니[228]

『選詩集』 (1955.10.15)

舞姬가 온다 하지만

유리窓 밖에는
바람이 부는 季節이 있었다.
그러한 날
몇잔의 洋酒를마시고
아메리카에서 오는 舞姬의 이야기를
우리는 하고 있는것이다
보잘것 없는 詩人과 情다운
이야기를 주고 받는 젊은 警察官은 마치「그
레함·그린」의 主人公
「스코바,⁹⁴와 같은 우슴을 띠운다.
                    ×   ×
아메리카에서 오는舞姬는
유리窓밖에 오지는 않을것이다
저 들窓에는 아직 즐거움은[182]
나타 난적이 없으며
우리는 결코 바라지도 못하는일이다.
몇잔의술 의힘을 빌리어
거저나는 젊은 警察官에게
「스코비」처럼 自殺해 보라고
웨처보았다.
                    ×   ×
손쉽게 말하면
그분은 結婚도 하지못했고
密輪業者나 情婦를 알지못한다
나의 詩를 읽고
가을속에 바람을 따르며
靑春이 가는 것을 안다.

---

94 2연을 참조하면 '스코비'의 오자 또는 오식이다.

333

그리고 그어쩌한날
몇잔의 洋酒를마시고
知性이나 舞姬나 그리고 金錢이 괴롭히는
世上 얘기를 했을베고이다.
窓밖에는
어두움이 깊었다⁹⁵[183]

『地方行政』 4-11호(1955.11.1)

하늘아래서

멕시칸Jade와 같은 하늘 아래서
우리는 담배를 피우며 죽은者의 얘기를한다.

a 그들 은 灰色의 그림자
b 돌아 오지 않는 사람들

a 웃어 주는 淑女도 없고[68]
b 거기엔 그저 神秘한 것이 있었다.

a 바람은 한숨을 멱겨 주면 고맙다
b 苦痛의 살결과 苦惱의 날에.

a 그들은 하늘과 함께 추위와 싸울것이다.
b 그들은 하늘과 함께 太陽과 싸울것이다.

a 아 에메랄트처럼 반짝거리는 얼굴
b 그들은 비처럼 나리는 별하늘에 잠이드렀

다.[69]

『코메트』 18호(1956.1.15)

幻影의사람

그 눈나리는 窓 가에
幸福은 오지 않었다. 허나
사람아 幻影의 사람아
너는 떠났다
나리는 눈과도 같이.[149]

젊은 날
그리고 애닲은 사랑의 날
나는 아무 말도 없이
웃고 있었다
내 머리에 嘲笑로운
눈이 나리 듯
幻影의 사람아
너는 지금 내 눈에 산다.[150]

『민주경찰』 60호(1956.2.15)

봄의 바람속에

傾사진 都市의 한⁹⁶복판에⁹⁷

---

95 열람한 판본의 '다' 자가 불완전하게 인쇄되었다.

96 4연을 참조할 때 '한' 자가 빠진 채 인쇄되었다.
97 열람한 판본의 '에' 자가 불완전하게 인쇄되었다.

또는
줄기찬 酷寒을 벗어난
봄의 바람속에
우리의 暗담한 靑春은 간다.

노래를 잊은 詩人과 같이
그 바람에는 흐뭇한 感情도 없고
오랜 陰影에 시달린
여윈 소래 만이 흘렀다.

나는 보았다
길목에서 낡은 新聞쪼각을.
그리고 이차디찬 世界의餘韻을
품안에 안고
그 봄의 바람이 떠나는 것을.

전연 朔風이라고 불리우던것이
傾사된 都市의 한복판에
季節의 太陽이 오면
봄의 바람이 되고
지금 이지러진 靑春 때문에
나는 그것이 부드럽게 생각이된다

『民主新報』(1956.3.9)

麟蹄

麟蹄
봄이면 진달래가 피였고
雪嶽山 눈이 녹으면

철렵 가던 時節도
이젠 追憶.

아무도 모르는 山間 벽촌에
나는 자라서
故鄕을 생각하며 지금 詩를 쓰는
사나이
나의 奇妙한 꿈이라 할까
부지럽고나.

그곳은
戰亂으로 廢墟가 된 都邑
人間의 이름이 남지 않은 土地
하늘엔 구름도 없고
나는 朔風속에서 울었다
어느곳에 태여났으며
우리祖上들에게 무슨 罪가 있던가.

눈 이여
옛날 시몽의 얼굴을 곱게 덮혀준
눈 이여
너에게는 情緒와 사랑이 있었다 하더라.

나의 가난한 고장
麟蹄
봄이여
빨리 오거라.

『朝鮮日報』(1956.3.11)

歲月이 가면[1][98]

지금 그사람 이름은 잊었지만
그 눈동자 입술은 내가슴에 있네

바람이 불고 비가 올때도
나는 저 유리창밖 街路燈
그늘의 밤을 잊지 못하지
사랑은 가고 옛날은 남는것
여름날의 湖水가 가을의 公園
그 펜치위에
나무 잎은 떨어지고
나무 잎은 흙이되고
나무 잎에 덮여서
우리들 사랑이 사라진다 해도
지금 그사람 이름은 잊었지만
그 눈동자 입술은 내 가슴에 있네
내 서늘한 가슴에 있네[54]

『週刊希望』 12호(1956.3.12)

98 「세월이 가면」은 박인환의 이름으로 작품이 발표
되기 이전, 송지영의 수필 「명동의 '샹송」,(『주간희
망』 12호, 1956.3.12)과 시가 노래로 만들어지는 과
정을 소개하는 글인 「세월이 가면, 명동 '샹송'이 되기
까지」,(『주간희망』 16호, 1956.4.3)에 먼저 소개되
었다. 그런 다음 '모더니스트 박인환의 유작(시)'으
로 『아리랑』 2-6호(1956.6.1)에 정식 발표되었다.
이 세 이본들은 일부 시어의 맞춤법(湖水가 / 호숫
가, 펜치 / 펜취)이 다른 점과 행 배열 및 연 구성에
다소의 차이가 있는 점을 제외하면 원문의 표기가
거의 같다. 최초의 원본이 동일하기 때문인데, 이
것에 대한 자세한 내력은 「세월이 가면, 명동 '샹송'
이 되기까지」에 밝혀져 있다. 글의 필자가 특정되
지는 않았지만 「세월이 가면」이 시와 노래로 창작
되는 과정을 소상히 기록하고 있어서 박인환과 가
까운 사람이 쓴 것으로 여겨진다. 이 글의 핵심적인
내용은 다음의 두 가지이다. 첫째는 박인환이 시
「세월이 가면」을 쓴 것은 3월 초이며, 시와 악보를
『아리랑』에 함께 발표할 계획으로 이진섭에게 작
곡을 부탁했고, 완성된 노래가 주변인들에게 좋은
평판을 얻자 박인환은 실제로 시와 악보의 원본을
『아리랑』에 기고했다는 점이다. 박인환 사후에 '모
더니스트 박인환의 유작(시)'으로 발표된 「세월이
가면」이 그것인데, 이러한 사실은 발표지인 『아리
랑』 2-6호의 편집 후기에서도 확인된다. 둘째는
「세월이 가면」의 노래가 완성된 3월 10일 무렵 동
방살롱에서 조촐한 발표회가 개최되었으며, 이 자
리에 참석했던 송지영이 악보의 사본을 바탕으로
자신의 수필 「명동의 '샹송」에 시 「세월이 가면」을
최초로 소개했다는 점이다. 그리고 「명동의 '샹
송」이 게재된 직후 박인환이 사망하자 「세월이 가
면, 명동 '샹송'이 되기까지」를 통해 시 「세월이 가
면」이 재수록되는 한편 「세월이 가면」의 악보가 최
초로 공개되기도 했다. 이상 「세월이 가면」의 작시
와 작곡 및 발표 과정에 대한 자세한 사항은 작가 연
보를 확인하기 바란다.

歲月이 가면[2]

지금 그사람 이름은 잊었지만 그 눈동자 입술
은 내 가슴에 있네 바람이 불고 비가올때도 나는
저 유리창밖 가로등 그늘의 밤을 잊지못하지
사랑은 가고 옛날은 남는것 여름날 호숫가 가
을의 공원 그 펜취위에 나무잎은 떨어 지고 나무
잎은 흙이되고
나무잎에 덮여서 우리들사랑이 사라진다해도
지금 그사람 이름은 잊었지만 그 눈동자 입술은
내가슴에있네 내 서늘한 가슴에 있네[49]

『週刊希望』 16호(1956.4.13)

歲月이 가면[3]**99**

『아리랑』 2-6호(1956.6.1)

지금 그사람 이름은 잊었지만
그 눈동자 입술은
내 가슴에 있네

바람이 불고
비가 올때도
나는
저 유리창밖 가로등
그늘의 밤을 잊지 못하지

사랑은 가고 옛날은 남는것
여름날의 호숫가 가을의 공원
그 펜치 위에
나무 잎은 떨어지고
나무 잎은 흙이 되고
나무 잎에 덮여서
우리들 사랑이
사라진다 해도……

지금 그사람 이름은 잊었지만
그 눈동자 입술은
내 가슴에 있네

내 서늘한 가슴에 있네[18]

歲月이 가면[4]

지금 그 사람의 이름은 잊었지만
그의 눈동자 입술은
내 가슴에 있어.

바람이 불고
비가 올 때도
나는 저 유리창 밖
가로등 그늘의 밤을 잊지 못하지

사랑은 가고[164]
과거는 남는 것
여름날의 호숫가
가을의 공원
그 벤치 위에
나뭇잎은 떨어지고
나뭇잎은 흙이 되고
나뭇잎에 덮여서
우리들 사랑이 사라진다 해도
지금 그 사람 이름은 잊었지만
그의 눈동자 입술은
내 가슴에 있어
내 서늘한 가슴에 있건만[165]

『木馬와 淑女』(1976.3.10)

---

99 게재지인 『아리랑』 2-6호의 목차에는 '모더니스
트 朴寅煥의 遺作(詩)'으로 소개되어 있으나, 본문
에는 시 「세월歲月이 가면」의 원문과 이진섭李眞燮
작곡의 악보, 이봉래李奉來의 회고문 「그리운 그림
자의 시인詩人」 등이 함께 수록되었다.

죽은 아포롱
李箱 그가떠난날에

오늘은 三月열이렛날
그래서 나는 忘却의 술을 마셔야 한다[100]
女給 「마유미」가 없어도
午後 세時 이십오分에는
벗들과 「제비」의이야기를하여야한다[101]

그날 당신은
東京제국대학 부속병원에서
天堂과 地獄의 접경으로 여행을하고
허망한 서울의 하늘에는 비가 내렸다.

運命이여
얼마나 애타운 일이냐
倦怠와 人間의 날개
당신은 싸늘한 地下에 있으면서도
星座를 간직하고 있다.

精神의 狩獵을 위해 죽은
「람보」와도같이
당신은 나에게
幻想과 興奮과
熱病과 錯覺을 알려주고
그 瀕死의 구렁텅이에서
우리 文學에
따뜻한 손을 빌려준
精神의 皇帝.

無限한 睡眠
反逆과 榮光
臨終의 눈물을 흘리며 결코
당신은 하나의 證明을 갖고 있었다
「李箱」이라고.

『한국일보』(1956.3.17)

瀬戸內海

그날은 三月
유리시－즈가 잠자듯이
나는 이 바다에서 잠든다.

太陽은 레몬[102]
그 香氣를 품에 안고
조용한 바다위를 흐른다.[116]

人生은 漂流
작은 漁船들이
過去를 헤멘다.

異國의 바다 섬들속에 있는
세도나이가이 그 물결위에
나의 悔恨이 간다.[117]

『文學藝術』 3-4호(1956.4.1)

---

[100] 열람한 판본의 '다' 자가 불완전하게 인쇄되었다.
[101] 열람한 판본의 '다' 자가 불완전하게 인쇄되었다.

[102] 열람한 판본의 어절('레몬') 전체가 불완전하게 인쇄되었다.

침울한 바다(遺稿)

그러한 暫時
그 들窓에서 울던 淑女는
오늘의 사람이 아니다.

木馬의 방울 소리
또한 번개 불
이즈러진 길목
다시 도라온다 해도
그것은 사랑을 지니지 못했다.

해야 새로운 暗黑아[22]
네 모습에
살던 사랑도
죽던 사람도
잊어 버렸고나.

沈鬱한 바다
사랑 처럼 보기 싫은
오늘의 사람.

그들窓에
지내간 날과 침울한 바다와 같은
나 만이 있다.[23]

『現代文學』 2-4호(1956.4.1)

異國港口(遺稿)

에베렛트 異國의港口
그날 봄비가 내릴때
돈나·캬ㅁ벨 잘 있거라

바람에 펄덕이는 너의 잿빛머리
熱病에 걸린 사람처럼
내 머리는 화끈 거린다

몸부림쳐도 所用없는
사랑이라는것을 서로 알면서도
젊음의 눈동자는 막지 못하는것

凄凉한 汽笛
덱키에 기대어 담배를 피우고
이제 나는 陸地와 作別을 한다

눈물과 神話의 바다 太平洋
주검처럼 어두운 怒濤를 헤치며
南海號의 우렁찬 엔진은 울린다

사랑이여 不幸한날이여
이 넓은 바다에서
돈나·캬ㅁ벨 – 불러도 대답은없다

【이詩는 지난 三月二十日 作故한 筆者가 지니
고 있던 未發表의作品이다】

『京鄕新聞』(1956.4.7)

옛날의 사람들에게[103]

—物故作家追悼會의밤에

당신들은 살아 있었을때
不幸하였고
당신들은 살아 있었을때
즐거운 말이 없었고
당신들은 살아 있었을때
사랑해주던 사람이 없었읍니다.

나라가 解放이 되고
하늘에 自由의 旗빨이 퍼덕거릴때
당신들은
오랜 苦難과 壓迫의 病菌에
몸을 좀 먹혀
진실한 이야기도
사랑의 노래도 잊어버리고
옛날의 사람이 되었읍니다.

나는 지금 당신들이 죽어서 이노래를 부르는
것이 아닙니다.
당신들의 呼吸이 지금 끊어졌다해도
거룩한 정신과
그예술의 金字塔은
밤 낮으로 나를 가로 막고 있으며
내 마음이 서운 할때에
나는 당신들이 만든 문화의 화단속에서 즐길
수 있기때문입니다.

당신들은 살아있는 우리들의

푸른「시그날」
우리는 그 불빛이 가리키는 방향으로
당신들의 유지를 받들어가고있읍니다.

사랑하는 당신들이여
가난과 고통과 멸시를 무릅쓰면서
당신들의 싸움은 끝이 났읍니다.

승리가 온것인지
패배가 온것인지
그것은 오직 未來만이알며
남아있는 우리들은
못잊는 이름이기에
당신들 우리文化의 先驅者들을
이 한자리에 모셨읍니다.

당신들은 살아 있었을때
不幸하였고
당신들은 살아있었을때
즐거운 말이 없었고
당신들은 살아 있었을때
사랑해주던 사람이 없었읍니다

허나 지금
당신들은 不幸하지 않으며
우리의 말은 빛나며
오늘 이처럼 많은 사람들이모여
당신들을 사랑하고 있읍니다.

(編輯者 註) … 이 一篇의詩는 故 朴寅煥詩人
이 세상을떠나기 사흘前, 自由文協主催의「物故
作家追念祭」를 위하여 自身이 當日朗讀하려고

---

103 필자명이 '故 朴寅煥'으로 표기되었다.

지어두었던 遺稿이다. 朴詩人은 이제 自己 스스로 物故作家의 한사람이되어 이날 祭典에서 自身이 읽으려던 悼詩를 冥界의 魂이되어 듣는사람이 되리라고는 꿈에도 생각지 못하였을것이다.

『한국일보』(1956.4.7)

五월의 바람

그 바람은
세월을 알리고

그 바람은
내가 쓸쓸 할 때 불어온다

그 바람은
나에게 젊음을 가르치고

그 바람은
봄이 떠나는 것을 말한다

그 바람은
눈물과 즐거움을 갖고 있다

그 바람은
오월의 바람[67]

『學園』 5-5호(1956.5.1)

三·一節의 노래[104]

즐겁게 三·一절을 노래했던 해부터 지금 十년이 지냈다
    독립이 있었고
    눈보라 치던 피난을 겪으며[56]
    곤난과 서러움의 十년이 지냈다.

    변함 없이 푸르른 하늘
    그때의 사람과
    그때의 깃발을
    하늘은 잊지 않는다.
    아니 내 아버지와 내 가슴에
    저항의 피가 흐른다.

    지금 우리는 소리 없이 노래 부른다
    노래를 부르지 않아도 좋다.
    그것은 무거웁게 민족의 마음에
    간직되어 있고
    우리는 또한 싸움의 十년을 보냈다.

    우리는 보지 못했어도
    저 하늘은 선렬의 주검을 보았고
    그때의 태양은
    지금의 태양

    三월 초하루가 온다.
    맑은 하늘과 우리의 마음에
    독립과 자유를 절규하던

---

104 필자명이 '故 朴寅煥'으로 표기되었다.

341

그리운 날이 온다.

※ 作者朴寅煥은 一九五六年三月 三二歲를
一期로 逝去. 著書로「選詩集」이 있고 이 詩는 死
去 二個月前에 쓴 作品임.[57]

『아리랑』 3-4호(1957.4.1)

거리[105]

나의 時間에 스코올과 같은 슬픔이 있다
붉은 지붕 밑으로 鄕愁가 光線을 따라가고
한없이 아름다운 계절이
運河의 물결에 씻겨 갔다

아무 말도 하지 말고
지나간 날의 童話를 韻律에 맞춰
거리에 花液을 뿌리자
따뜻한 풀잎은 젊은 너의 탄력같이
밤을 地球 밖으로 끌고 간다[81]

지금 그곳에는 코코아의 市場이 있고
果實처럼 기억만을 아는 너의 음향이 들린다
少年들은 뒷골목을 지나 敎會에 몸을 감춘다
아세틸렌 냄새는 내가 가는 곳마다
陰影같이 따른다.

거리는 매일 맥박을 닮아 갔다
베링海岸 같은 나의 마을이
떨어지는 꽃을 그리워한다
黃昏처럼 裝飾한 女人들은 언덕을 지나
바다로 가는 거리를 純白한 式場으로 만든다

戰庭의 樹木 같은 나의 가슴은
베고니아를 끼어안고 氣流 속을 나온다
望遠鏡으로 보던 千萬의 微笑를 灰色 외투에[82]
싸아
얼은 크리스마스의 밤길로 걸어 보내자

(一九四六年 十二月)[83]

『木馬와 淑女』(1976.3.10)[106]

이 거리는 歡迎한다

反共靑年에게 주는 노래

어느 문이나
열리어 있다
食卓 위엔
장미와 술이
흐르고

---

105 「거리」의『국제신보國際新報』(1946.12) 발표설은
문헌학적으로 증명될 수 없는 주장이다. 이 점에 대
해서는 제1부 정본의 각주 174와 부록의 작가 연보
를 참고하기 바란다.

106 『목마木馬와 숙녀淑女』(근역서재槿域書齋 발행)는
박인환의 20주기를 맞이하여 유족이 편집하여 간
행한 추모시집이다. 여기에는『선시집選詩集』에 수
록된 56편의 시 작품 중「자본가資本家에게」·「문제
問題되는 것」 등 2편이 제외되고,「거리」·「지하실地
下室」·「이국항구異國港口」·「이 거리는 환영歡迎
한다」·「어떠한 날까지」·「세월歲月이 가면」·「가을
의 유혹誘惑」 등 7편이 추보되어 총 61편의 시 작품
이 수록되었다.

깨끗한 옷도
걸려 있다
이 거리에는
채찍도[154]
鐵條網도
설득 공작도
없다

이 거리에는
獨裁도
謀害도
強制勞動도
없다
가고 싶은
거리에서
거리에로
가라
어데서나
가난한[155]
이 민족
따스한 표정으로

어데서나
서러운
그대들의
지나간 질곡을
위로할 것이니

가고 싶은
거리에서
네활개 치고
가라

이 거리는
찬란한 自由의[156]
고장

이 거리는
그대들의
새로운 출발점
이제 또다시
막을 者는
아무도 없다
넓은 하늘
저 구름처럼
自由롭게
또한
뭉쳐 흘러라

어느 門이나[157]
열리어 있다
깨끗한 옷에
장미를 꽂고
술을 마셔라[158]

『木馬와 淑女』(1976.3.10)

어떠한 날까지
李中尉의 輓歌를 대신하여

─兄님 저는 담배를
피우게 되었읍니다─
이런 이야기를 하던 날
바다가 反射된 하늘에서

343

平面의 심장을 뒤흔드는
가늘한 기계의 悲鳴이 들려왔다
二十歲의 海兵隊中尉는
담배를 피우듯이
태연한 작별을 했다.[159]

그가 西部戰線 無名의 계곡에서
複雜으로부터
單純을 指向하던 날
운명의 부질함과
生命과 그 愛情을 위하여
나는 異端의 술을 마셨다.

우리의 日常과 身邊에
우리의 그림자는
명확한 위기를 말한다
나와 싸움과 자유의 한계는
가까우면서도
望遠鏡이 아니면 알 수 없는
생명의 고집에 젖어 버렸다
죽엄이여[160]
회한과 內省의 切迫한 시간이여
敵은 바로
나와 나의 日常과 그림자를 말한다.

연기와 같은 검은 피를 토하며 ······
안개 자욱한 젊은 연령의 陰影에 ······
靑春과
자유의 尊嚴을 제시한
永遠한 미성년
우리의 처참한 기억이
어떠한 날까지 이어갈 때

싸움과 斷絕의 들판에서
나는 홀로 異端의 存在처럼
떨고 있음을 투시한다.

(一九五二年 十一月 二〇日)[161]

『木馬와 淑女』(1976.3.10)

발굴 작품의 원본 이미지

故 吳 一 島

五 月 花 壇

五月의 머던해 고요히 나리는 花壇

하로의 情熱도
파김치 잡어 시들다

바람아, 네 꽃파리하나 흔들힙 없늬!

어두운 繼사이로
月桂이 꽃조각이 幻覺에 가물거린다.

○

빈가지에 바구니 걸어놓고
내少女 어디 갔느뇨.

………………

薄紗의 아즈랑이
오늘도 가지앞에 알른거린다

○

꿈
어렴풋한 꿈.

추녀끝에
白色 電灯이 조은다.

異 河 潤

고 향

새처럼 날개 있다면
훨훨 날아 다녀 오리
가다 오다
외로운 나무가지에 쉬여 가리 자고 오리
아 그리운 고향이어
아름다운 산천이어!

바람되여 불면서 가리
영을 넘어 다녀오리 물을지나 다녀오리
사막은 풀니쳐라!
바다 멀니 돌아내고 쓸어넣고——
고향 하늘 돌고 오리
우리 고향 날고 오리

물에 자는 고기라면
강물 오르고 나리고
내동리 맑은 물에 놀고 오리
숲밑에 쉬고 오리 물틈에 자고오리
꿈을 지닌 거을이어!
추억을 비처보라 나는 햇발을 뿔으련다.

개라도 다녀올 곳
고양이도 다녀올곳
산천엔 번함 정녕 없으려니
초목은 말이 정녕 없으려니
강로는 짓밟혀도 거을마다 흐려어도
우리 마음 맑고 굳고 우리 이상 더 빛나리

朴 寅 煥

斷 層

產業銀行 유리窓밑으로
大陸의 市民이 푸르르나ー드하든
지난해 겨을

戰爭을 끠해온 女人은
銃소리가 들리지않은 過去를
受胎하며 뛰어다녔다.

暴風의 Muse는 燈火管制속에
고요히 잠들고
어 밤 大陸은 한개 果實같이
大理石우에 떠러졌다.

짓밟힌 나의 優越感이여
市民들은 한사람한사람이 Demosthenes
政治의 演出家는 逃亡한 Arlequin을 찾으
러 도라다닌다.

市長의 調馬師는
밤에 가장 가까운 저녁때
雄鷄가 노래하는 Bluse에 化合되여
平行商體의 都市計劃을
Cosmos가 끠는 寒村으로 案內하였다.

衣裳店에 神化한 Mannequin
저 汽笛은 Express for Mukden
Marronnier는 蒼空에 凍結되였다.
汽笛같이 사라지는 女人의 그림자는
香氣모운 Jasmin의 香氣를 남겨놓았다.

城壁인양 잠들은 大陸의 王者여
꿈을 모르는 부형이처럼
女人은 고요히 고요히 몸졌다.

金 洙 敦

召 燕 歌

꽃香이 夜陰의품에 안겨
끝이 없는 넓은 地域을
돌고돌며 피처와
슬픔이 남아있는 먼 追憶을 건드리면

나는 아직도
너를 사랑하고 있는것을
분명히 알고 만다

새주둥이같은 입술이
붉안 열매를 쫓으려던 誘惑에
너도 女人이므로
타박타박 고개숙인채 걸어간것을

지금은 다시 돌아오렴
열리인 窓살을 찾는 제비같이
너도 나를 찾아오라

宋 敦 植

忍冬의노래

몬지와 바람뿐이었다
騷亂한 거리
밀려다니는 사람들틈에 싸여 걸어가면은——

아침에 나가 저녁에 도라오는
날마다 反復되는 황망한 日課속에
안해는 쌀과 나무를 걱정하고
나의 마음속에는
항시 不吉한 안개가 서려——

때로 가난한 초ㅅ불을 혀고
조용이 앉아보는 마음

메마른 가슴에 피었다는
이내 사라지는
서러운 薔薇를 안고

아하 이제껏 나는 헛살아왔고나
사랑하는것을 위하여
거리낌없이 모든것을 바치지못한 나는——
꿈에 한번 보지도못한
토리포리의 伯爵夫人이 보고지워
끝내 목숨을 바친 로두바도—루의
詩人이 나는 부러웁고나

벗들은 뿔뿔이 흩어져 가고
짓흐린 하늘밑 찬바람만 휘도는 이 거리
에서

내 다시금 도라가리라
하야 萬里의 밤을 홀로 밝힌
외로운 사람 릴케와 같이

나도 밤이 다하도록 지켜보리라

金 宗 吉

落 花 賦

내 하로를
꽃핀 이 故園을 찾아오니
바람도 없이
깊어가는 낮이런만
꽃은 한 없이 지기만 하더라

꽃그늘 사느란 돌 골라 앉아
꿈속처럼 고요히 노래를 기르는
내 어깨에

女人의 손ㅅ길처럼 내려앉는 꽃잎
帽子도 없이 바람에 날리는
내 머리에
꽃은 차례 차례 와서

그러나
내 가슴 속에 핀 꽃
외로이 피어난 그 꽃도 따자
나는 저버리련다
기리 기리 저버리련다.

— 18 —

검은 神이여

朴 寅 煥

···(11)···

봄날 황혼이 점점 어둠으로 변
해가는 한나라 궁궐, 원제(元帝)
의 변실.
혼자 우둑하니 남아서 넋잃고 서
있는 젊고 아름다운 궁녀의 두
눈에서는 까닭모를 눈물 방울이
구슬방울 같이 뺨을스치고 굴러
버리는 것이었다.
섭비(還妃)라고 온갖 천하의 죄
없는 처녀들을 몰아 묻이는임금.
그보다 더 잔인하고 간악한 화
공 (모연수).
젊은 처녀도 역시 여자 이었다.
「모연수」의 눈에 버스러져서 장
차 잔인한 운명 앞에 시달릴 「왕
소군」을 생각하고 걷잡을재 없이
흘러나리는 동병상련(同病相憐)의 가
득한 눈물이었다 (계속)

···[1 4]···

(詩) 바닷가의 무덤

朴寅煥

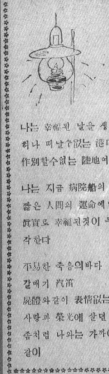

쏟아져 오는 바람
에 기대어
나는 幸福된 날을 생각한다
히나 떠날수없는 港口여
作別할수없는 陸地여

나는 지금 病院船의 네온을 바라보면서
짧은 人間의 運命에 있어
眞實로 幸福된것이 무엇이 있던가를 생
각한다

不易한 죽음의바다
갈매기 汽笛
屍體와같이 表情없는 船舶
사랑과 榮光에 살던 가란저버린風景
좀처럼 나와는 가까이 할수없는 돈과도
같이

이不毛의 土地에서
不幸한 終末의 港口에 있어서
나에게도 幸福된날이 있었던것인가

盛夏
구멍난 하늘에선 비도 나리지 않고
내가 겨누운 最後의 화살은
神의 가슴을 질렀다

어두운 밤이면
무덤과 같이 조용한 釜山의 市街를 빛
어나
쏟아져 오는 바람에 기대어
떠나야할 港口와
作別할수 밖에 없는 陸地를
지나간 幸福처럼 생각하는것이다

— 17 —

구름과 장미

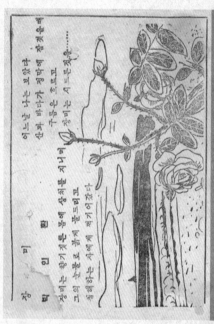

書籍과 風景

朴 寅 煥

書籍은 荒廢한 人間의 風景에 光彩를 띄웠다.
書籍은 意識과 自由와 그의 智慧를 badagine
人間에게 알려주는 것이다.

지금은 殺戮의 時代
侵害된 土地에서는 人間이 죽고
荒廢한 役事를 이루가 벌인다.

오래도록 社會가 成長하는 동안
所重한 故鄕과 行列의 鐵을 이루었다
…………

印原野와 …… 山地에서 달려오는 文化를
…… 風景을 …… 校訂을 주는 것이다.

― 93 ―

― 87 ―

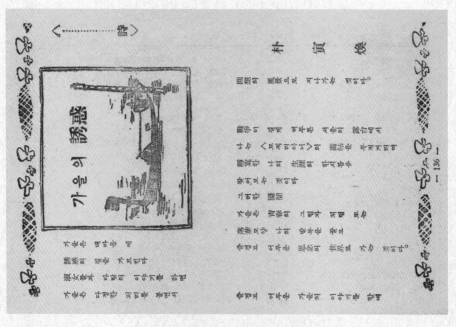

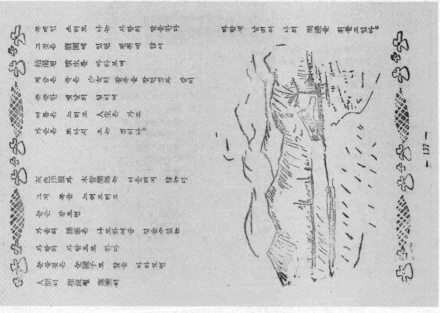

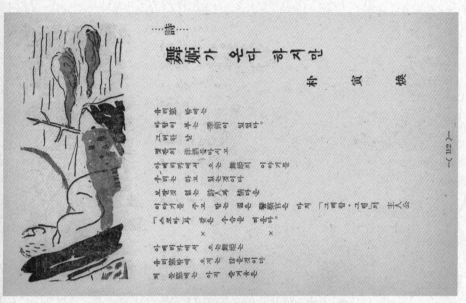

— 68 —

(詩)　하늘아래서

朴　寅　煥

— 69 —

（詩）

봄의 바람속에

朴 寅 煥

傾斜진 都市의 ᅵ 복판에
또는
酷寒을 벗어난
줄기찬
봄의 바람속에
우리의 暗澹한 靑春은 간다.

걸목에서 남은 新聞쪼각을.
그리고 이차디찬 世界의 餘韻을
품안에 안고
그 봄의 바람이 떠나는 것을.

전연 朔風이라고 불리우던것이
傾斜된 都市의 안복판에
季節의 太陽이
오면
봄의 바람이 되고
지금 이지러진 靑春 때문에
나는 그것이 부드럽게 생각
이 된다.

노래를 잊은 詩人과 같이
그 바람에는 조곳도 感情도
없고
오랜 陰影에 시달린
여윈 소태 만이 흘렀다.
나는 보았다

내 서늘한 가슴에 있네

〈歲月이 가면〉

지금 그사람 이름은 잊었지만
그 눈동자 입술은 내가슴에
있네

바람이 불고 비가 올때도
나는 저 유리창밖 街路燈
그늘의 밤을 잊지 못하지

사랑은 가고 옛날은 남는 것
여름날의 湖水가 가을의
公園
그 벤치위에
나무잎은 떨어지고
나무잎은 흙이 되고
나무잎에 덮여서
우리들 사랑이 사라진다 해도

지금 그사람 이름은 잊었지만
그 눈동자 입술은 내가슴에
있네

내 서늘한 가슴에 있네

〈歲月이 가면〉

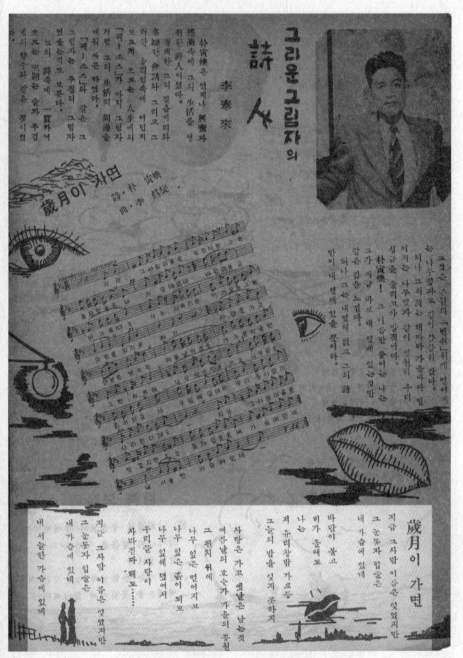

그리운 그림자의 詩人

李泰來

歲月이 가면
詩·朴寅煥
曲·李眞燮

歲月이 가면

지금 그 사람 이름은 잊었지만
그 눈동자 입술은
내 가슴에 있네

바람이 불고
비가 올때도
나는

저 유리창밖 가로등
그늘의 밤을 잊지 못하지

사랑은 가고
옛날은 남는 것
여름날의 호숫가 가을의 공원
그 벤치 위에
나무잎은 떨어지고
나무잎은 흙이 되고
나무잎에 덮여서
우리들 사랑이
사라진다 해도……

지금 그 사람 이름은 잊었지만
그 눈동자 입술은
내 가슴에 있네
내 서늘한 가슴에 있네

발굴 작품의 게재지

『순수시선純粹詩選—예술藝術의 밤 낭독시집朗讀詩集』
(1946.6.20) : 「단층斷層」 수록

『주간국제週刊國際』 3호(1952.2.15) : 「검은신神이여」 수록

『학우學友 2년생年生』 2호(1952.6.25) : 「약속」 수록

『재계財界』 2호(1952.9.1) : 「바닷가의 무덤」 수록

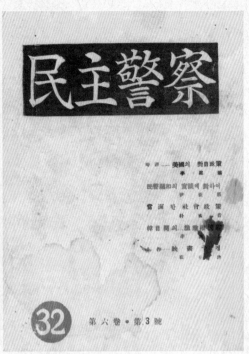

『학우學友 2년생年生』 3호(1952.9) : 「구름과 장미」 수록

『민주경찰民主警察』 32호(1953.4.1) : 「서적書籍과 풍경風景」[1] 수록

『민주경찰民主警察』 43호(1954.9.15) : 「가을의 유혹誘惑」[1] 수록

『지방행정地方行政』 4-11호(1955.11.1)
: 「무희舞姬가 온다 하지만」 수록

『코메트』18호(1956.1.15) : 「하늘아래서」 수록   『민주경찰民主警察』 60호(1956.2.15) : 「환영幻影의사람」 수록

『주간희망週刊希望』 12호(1956.3.12)   『아리랑』 2-6호(1956.6.1) : 「세월歲月이 가면」[3] 수록
: 「세월歲月이 가면」[1] 수록

부록

이본 대조표

1. 이본 대조표에서 이본을 대조한 작품은 총 42편이다. 현재까지 조사된 박인환의 시 작품 88편 중에서 이본이 존재하는 것은 모두 41편이지만, 편자들에 의해 발굴되어 이 전집에 처음 수록되는 「가을의 유혹」, 최초 발표본은 『목마와 숙녀』에 실린 작품과의 대조가 필요하다고 판단되어 여기에 포함시켰다.
2. 이본 대조표의 주요한 대비 항목은 ① 발표연월일 ② 출전(발표지면) ③ 제목 ④ 연 구성 ⑤ 행 구성 ⑥ 표현 등이다. 다만 해당 사항이 없는 경우에는 따로 밝히지 않는다.
3. 원본의 표기를 있는 그대로 보여주기 위해서 한자음에 대한 한글 병기는 하지 않는다.
4. 표제의 제목은 제1부 정본의 작품명을, 대비 항목의 제목은 제2부 원본의 작품명을 따른다. 또한 부제는 본제목보다 작게 표시한다.
5. 행 구성과 표현 항목에서 시인이 내용을 직접 삭제한 경우에는 'X'로 표시한다.
6. 표현 항목에 표시된 연과 행은 최초 발표본의 것이다.
7. 표현 항목에서 이본 간에 표현상 차이가 없어서 본문 일부를 생략한 경우에는 '~'로 표시한다.
8. 표현 항목에서 원본에 누락된 글자가 있는 경우에는 '□'로, 다른 어절에 비해 떼어쓰기 간격이 넓은 경우에는 'V'로 표시한다.

불행한 샹송

발표연월일		1946.6.20	1955.10.15
출전		純粹詩選	選詩集
제목		斷層	不幸한 산송
연 구성		• 전체 7연으로 이루어짐.	• 전체 5연으로 이루어짐. • 『純粹詩選』의 1연과 2연이 한 연으로 합쳐짐. • 『純粹詩選』의 7연이 삭제됨.
행 구성	1연 2~3행	大陸의 市民이 푸로므나—드하든 / 지난해 겨울	大陸의 市民이 푸로므나아드하던 지난 해 겨울
	4연 3행	政治의 演出家는 逃亡한 Arlequin을 찾으러 도라 다닌다.	政治의 演出家는 逃亡한 / 아르르캉을 찾으러 돌아다닌다.
표현	1연 1행	유리窓밑으로	유리窓 밑으로
	1연 2행	푸로므나—드하든	푸로므나아드하던
	1연 3행	지난해 겨울	지난 해 겨울
	2연 2행	銃소리가 들리지않은 過去를	銃소리가 들리지 않는 과거로
	2연 3행	뛰여다녔다.	뛰어 다녔다.
	3연 1행	Muse는 燈火管制속에	뮤스는 燈火管制 속에

3연 2행	잠들고	잠 들고
3연 3행	果實같이	果實처럼
3연 4행	大理石우에 떠러졌다.	大理石 위에 떨어졌다.
4연 2행	한사람한사람이 Demosthenes	한사람 한사람이 〈데모스테네스〉
4연 3행	Arlequin을 찾으러 도라다닌다.	아르르캉을 찾으러 돌아다닌다.
5연 3행	Bluse에 化合되여	브루우스에 化合되어
5연 4행	平行面體의	平行 面體의
5연 5행	Cosmos가	코스모스가
6연 1행	Mannequin	마네킹
6연 3행	Marronnier는 蒼空에 凍結되였다.	마로니에는 蒼空에 凍結되고
6연 4행	汽笛같이	汽笛처럼
6연 5행	香氣로운 Jasmin의 香氣를 남겨놓았다.	짜스민의 줄기를 남겨 주었다.
7연 1~3행	城壁인양 잠들은 大陸의 王者여 / 꿈을 모르는 부헝이처럼 / 女人은 고요히 고요히 몸섰다.	×

2. 인천항

	발표연월일	1947.4.20	1949.4.5
	출전	新朝鮮 改題 3호	새로운 都市와 市民들의 合唱
	연 구성	• 전체 9연으로 이루어짐. • 한 연이 한 행으로 이루어짐.	• 전체 8연으로 이루어짐. • 『新朝鮮』의 8연이 삭제됨.
행 구성	1연	寫眞雜誌에서본 香港夜景을 記憶하고있다 그리고 中日戰爭때 上海埠頭를 슬퍼했다	寫眞雜誌에서본 香港夜景을 記憶하고 있다 / 그리고 中日戰爭때 / 上海埠頭를 슬퍼했다
	2연	서울에서 三十키로ー를 떨어진 땅에 모든 海岸線과 共通된 仁川港이 있다	서울에서 三十키로ー를 떨어진곳에 / 모든 海岸線과 共通되여있는 / 仁川港이 있다
	3연	가난한 朝鮮의印象을 如實이 말하든 仁川港口에는 商館도없고 領事館도없다	가난한 朝鮮의 푸로횔을 / 여실히 表現한 仁川港口에는 / 商館도없고 / 領事館도없다
	4연	따뜻한 黃海의 바람이 生活의 도움이되고저 나푸킨같은 灣內로 뛰여들었다	따뜻한 黃海의 바람이 / 生活의 도움이 되고저 / 나푸킨같은 灣內에 뛰여들렀다
	5연	海外에서 同胞들이 故國을 찾아들때 그들이 처음上陸한 곳이 仁川港이다	海外에서 同胞들이 故國을 찾아들 때 / 그들이 처음上陸한 곳이 / 仁川港이다
	6연	그러나 날이 갈수록 銀酒와 阿片과 호콩이 密船에 실려오고 太平洋을 건너 貿易風을탄 七面鳥가 仁川港으로 羅針을 돌린다	그러나 날이 갈수록 / 銀酒와 阿片과 호콩이 密船에 실려오고 / 太平洋을 건너 貿易風을탄 七面鳥가 / 仁川港으로 羅針을 돌렸다
	7연	서울에서 모여든 謀利輩는 中國서온 헐벗은同胞의 보따리 같이 貨幣의 큰 뭉치를 등지고 埠頭를 彷徨했다	서울에서 모여든 謀利輩는 / 中國서온 헐벗은同胞의 보따리같이 / 貨幣의 큰 뭉치를 등지고 / 黃昏의埠頭를 彷徨했다

	8연	왼사람이 이같이 많이 걸어다니는 것이냐 船夫들인가 아니 담배를 살라고 軍服과 담요와 또는 캔디를 살라고—그렇지만 食料品만은 七面鳥와함께 配給을 한다	×
	9연	밤이 가까울수록 星條旗가 퍼덕이는 宿舍와 駐屯所의 네온·싸인은 붉고 짠그의 불빛은 푸르며 마치 유니온·짝크가 날리는 植民地 香港의 夜景을 닮어간다 朝鮮의海港 仁川이 中日戰爭때 日本이 支配했든 上海의밤을 소리없이 닮어간다.	밤이 가까울수록 / 星條旗가 퍼덕이는 宿舍와 / 駐屯所의 네온·싸인은 붉고 / 짠그의 불빛은 푸르며 / 마치 유니온·짝크가 날리든 / 植民地 香港의夜景을 닮어간다 / 朝鮮의海港 仁川의 埠頭가 / 中日戰爭때 日本이支配했든 / 上海의밤을 소리없이 닮어간다
표현	2연	떨어진 땅에 ~ 共通된 仁川港이 있다	떨어진곳에 ~ 共通되여있는 仁川港이 있다
	3연	朝鮮의印象을 如實히 말하든	朝鮮의 푸로휠을 여실히 表現한
	4연	도움되고저 ~ 뛰여들었다	도움이 되고저 ~ 뛰여드렀다
	5연	찾아들때 ~ 仁川港이다	찾아들때 ~ 仁川港口이다
	6연	돌린다	돌렸다
	7연	보따리 같이 ~ 埠頭를	보따리같이 ~ 黃昏의埠頭를
	9연	날리는 ~ 日本이 支配했든	날리든 ~ 日本이支配했든

3. 남풍

	발표연월일	1947.7.1	1949.4.5
	출전	新天地 2-6호	새로운 都市와 市民들의 合唱
	2연 1행	일직이 의복을	일즉이 衣服을
	3연 1행	민족의 운명이	民族의 運命이
	3연 2행	榮光과함게	榮光과함께
표현	3연 3행	안콜,왓트의나라	안콜·왓트의나라
	3연 6행	총소리	銃소리
	5연 2행	사람이여	사람이어
	附記	(5月)	×

4. 사랑의 Parabola

	발표연월일	1947.10.10	1955.10.15
	출전	새한민보 11호	選詩集
행 구성	4연 2~4행	너는 찬氣候에서 / 긴 行路를 시작했다 / 그러므로	너는 찬氣候에서 긴 行路를 시작했다. 그러므로

	4연 5~6행	暴風雨도 서슴치않고 / 殘酷마저 무섭지않다	暴風雨도 서슴치 않고 慘酷마저 무섭지 않다.
	5연 5~6행	노래의 形式처럼 / 來日로 自由로운 來日로—	노래의 形式처럼 來日로 / 自由로운 來日로……
	1연 1행	어제의날개는 忘却속으로갔다	어제의 날개는 忘却 속으로 갔다.
	1연 3행	恐怖를넘고	恐怖를 넘고
	1연 4행	맨발로오는	맨발로 오는
	2연 1행	떨리는손으로 안개긴時間을 나는직혔다	떨리는 손으로 안개 긴 時間을 나는 지켰다.
	2연 2행	히미한	희미한
	2연 3행	열지못할 가슴의문을 부쳤다	열지 못할 가슴의 門을 부쳤다.
	3연 1행	幸福하다	幸福하다.
	3연 2행	사라있는	살아 있는
표현	3연 3행	漂流하든	漂流하던
	3연 4행	지나간다	지나간다.
	4연 2행	찬氣候에서	찬 氣候에서
	4연 3행	시작했다	시작했다.
	4연 5행	서슴치않고	서슴치 않고
	4연 6행	무섭지않다	무섭지 않다.
	5연 1행	짧은 하로 그러나	짧은 하루 허나
	5연 2행	너와나의 사랑의抛物線은	너와 나의 사랑의 抛物線은
	5연 3행	權力없는 地球끝으로—	權力 없는 地球 끝으로
	5연 4행	位置의延長線이	位置의 延長線이
	5연 6행	來日로—	來日로……

5. 나의 생애에 흐르는 시간들

	발표연월일	1948. 1. 1	1955. 10. 15
	출전	世界日報	選詩集
	제목	나의生涯에 흐르는時間들	나의 生涯에 흐르는 時間들
	1연 1행	나의生涯에	나의 生涯에
	1연 2행	가느란 一年의 안제라스	가느다란 一年의 안제라스
	2연 1행	어두워지면 ~ 우렀다	어드워지면 ~ 울었다
표현	3연 1행	숨속에서	숲 속에서
	3연 2행	그의얼골은	그의 얼굴은
	4연 1행	늙은언덕밑	늙은 언덕 밑
	4연 2행	疲勞한季節과 부서진樂器	疲勞한 季節과 부서진 樂器

5연 1행	지낸날을	지낸 날을
5연 2행	저만이슬프다고	저만이 슬프다고
6연 1행	가난을등지고 노래도잃은	가난을 등지고 노래도 잃은
6연 2행	안개속으로 드러간	안개 속으로 들어간
7연 1행	밝은밤이면	밝은 밤이면
7연 2행	빛나든	빛나는
8연 1행	찾어와 문은열리고	찾아와 문은 열리고
8연 2행	찬눈은 ~ 떨어지다	찬 눈은 ~ 떨어진다
9연 1행	힘없이 反抗하든	힘 없이 反抗하던
9연 2행	못하겟다	못하겠다
10연 1행	밤새우는	밤 새우는
10연 2행	무엇을	무엇을
11연 1행	서있다	서 있다
11연 2행	果實만먹고	果實만 먹고

6. 인도네시아 인민에게 주는 시

발표연월일		1948.2.1	1949.4.5
출전		新天地 3-2호	새로운 都市와 市民들의 합창
제목		인도네시아 人民에게 주는 詩	인도네시아人民에게주는詩
연 구성		모든 연과 연 사이에 '◇' 기호가 있음.	연과 연 사이에 ◇ 기호가 없음.
행 구성	**2연 5~6행**	살수없게 되였다 / 그러는사히 가메란은 미칠 듯이 우렀다	살수없게 되였다 그러는사히 / 가메란은 미칠 듯이 우렀다
	3연 4행	六千七十三萬人中 한사람도 빛나는 南十字星은 처다보지도못하며 살어왔다	七千七十三萬人中 한사람도 빛나는 南十字星은 처다보지도못하며 살어왔다
	4연 1행	首都바다비아 商業港 스라바야 高原盆地의中心地 반돈의 市民이어	首都 족자카로타 / 商業港 스라바야 / 高原盆地의中心地 반돈의 市民이어
	4연 2행	남을 때리지못하는것은 回敎서온것이아니라	남을 때리지못하는 것은 / 回敎精神에서 온것만이 아니라
	4연 5행	오란다의 植民政策밑에 모든 힘까지도 빼앗긴 것이다	홀랜드의 植民政策밑에 / 모든 힘까지 빼앗긴것이다
	5연 1행	사나히는 일할곳이 없었다 그러므로 弱한여자들은 白人아래 눈물흘렸다	사나히는 일할곳이 없었다 그러므로 / 弱한여자들이 白人아래 눈물흘렸다
	5연 2행	數萬의混血兒는 살길을잊어 애비를 찾었으나	數萬의混血兒는 / 살길을잊어 애비를 찾었스나
	8연 3행	인도네시야共和國은 成立하였다 그런데 聯立臨時政府란 또다시 迫害다	인도네시아共和國은 成立하였다 그런데 / 聯立臨時政府란 또다시 迫害다

	8연 8행	三百年동안 받어온 눈물겨운 迫害의 反應으로 너의祖上이 남겨놓은 저椰子나무의노래를 부르며	三百年동안 받어온 / 눈물겨운 迫害의反應으로 / 너의祖上이 남겨놓은 / 椰子나무의노래를 부르며
	9연 5행	野慾과 暴壓과 非民主的인 民政策을 地球에서 부서내기위해	野慾과 暴壓과 非民主的인 植民政策을 / 地球에서 부서내기위해
	10연 7행	거룩한 인도네시야人民의 來日을 祝福하리라	거룩한 인도네시아人民의 / 來日을 祝福하리라
	1연 4행	인도네시야	인도네시아
	2연 4행	歐羅巴의半이나되는	歐羅巴의 半이나되는
	3연 1행	오란다의	홀랜드의
	3연 2행	오란다人은 ~ 갖지않은	홀랜드人은 ~ 갖이않은
	3연 4행	六千七十三萬人中	七千七十三萬人中
	4연 1행	首都바다비아	首都 족자카로타
	4연 2행	너의들의	너이들의
	4연 3행	回敎에온것만이아니라	回敎精神에서 온것만이 아니라
	4연 5행	오란다의 ~ 힘까지도	홀랜드의 ~ 힘까지
	5연 1행	弱한여자들은	弱한여자들이
	5연 2행	찾었으나	찾었스나
표현	5연 4행	울렸다	울렀다
	6연 1행	오란다人은 폴도같이나 스페인처럼	홀랜드人은 폴도같이나 스페인처럼
	6연 2행	만들지는	만들지
	6연 5행	貯蓄할餘裕란	貯蓄할 餘裕란
	6연 6행	오란다人은	홀랜드人은
	6연 8행	寶物을	資源을
	7연 3행	腐敗하였으나	腐敗하였스나
	7연 4행	인도네시야人民이어	인도네시아人民이여
	7연 5행	그놈들의	홀랜드의
	8연 1행	要求할수있는	要求할수잇는
	8연 3행	인도네시야共和國은	인도네시아共和國은
	8연 4행	恢復할라는謀略을	回復할라는 謀略을
	8연 6행	一致團結하여	一致團結하야
	8연 7행	피를 뿌려라	피를뿌려라
	8연 8행	迫害의 反應으로 ~ 저椰子나무의노래를	迫害의反應으로 ~ 椰子나무의노래를
	8연 9행	오란다軍의	홀랜드軍의
	9연 2행	우리의 侮辱	우리의侮辱
	9연 3행	英雄되어	英雄되여
	9연 5행	非民主的인 民政策을	非民主的인 植民政策을
	9연 6행	인도네시야人民이여	인도네시아人民이여

9연 7행	싸워라	싸워라
10연 1행	멧달이	몇달이
10연 3행	간나꽃이	간나의꽃이
10연 4행	죽엄의보람은	죽엄의보람이
10연 7행	인도네시야人民의	인도네시아人民의
11연 1행	인도네시야人民이여	인도네시아人民이여
11연 2행	보로 · 보도울의밤	보로 · 보드울의밤
11연 3행	鍾소리와함께	鍾소리와함께
11연 4행	스림피로	스림피로
附記	"스림피"—자바의代表舞踊 (一九四七,七,二六)	"스림피"—자바의代表舞踊—

7. 지하실

발표연월일		1948.3.1	1949.4.5
출전		民聲 4-3호	새로운 都市와 市民들의 合唱
표현	3연 2행	우물을푸든	움물을푸든
	4연 1행	기우러저가고	기우러져가고
	4연 2행	靑春이부서저	靑春이 부서저
	4연 3행	에메랄드의	에메랄트의
	5연 1행	새벽이여	새벽이어
	6연 3행	感覺이좋다	感覺이 좋다

8. 전원田園

발표연월일		1948.12.15	1955.10.15
출전		婦人 17호	選詩集
제목		田園詩抄	田園
연 구성		• 연 구분을 함. • (1) 5연, (2) 4연, (3) 5연, (4) 4연	• 연 구분을 하지 않음. • I 1연, II 1연, III 1연, IV 1연
행 구성	(2) 4연 3행	바람처럼 나에게 작별을한다	바람처럼 / 나에게 작별한다.
	(3) 3연 1행	七月이 저무는 전원	七月의 / 저무는 전원
	(4) 1연 3행	枯木옆에서 나를불렀다	고목 옆에서 나를 / 불렀다.

	(4) 2연 3행	염소처럼 나는울었다	염소 처럼 나는/ 울었다.
	(1) 1연 1행	밤이었다	밤이었다.
	(1) 1연 2행	詩人이 거러온	詩人의 걸어온
	(1) 1연 3행	부디쳐본다	부딪혀 본다.
	(1) 2연 1행	적막한곳엔 살수없고	적막한 곳엔 살 수 없고
	(1) 2연 2행	눈이쌓일것이	눈이 쌓일 것이
	(1) 2연 3행	걱정이다	걱정이다.
	(1) 3연 1행	갈수록	갈쑤록
	(1) 3연 2행	모여들고	모여 들고
	(1) 3연 3행	한간방은 잘자리도없이	한간 방은 잘 자리도 없이
	(1) 4연	좁아진다	좁아진다.
	(1) 5연 2행	落葉소리에	落葉 소리에
	(1) 5연 3행	나의몸은	나의 몸은
	(1) 5연 4행	무거워진다	무거워진다.
	(2) 1연 3행	지킨다	지킨다.
	(2) 2연 1행	내가슴보담도	내가슴 보다도
	(2) 2연 3행	農村의황혼	농촌의 황혼
표현	(2) 3연 1행	시작되고	시작 되고
	(2) 3연 2행	언제나 끝이는	언제 그치는
	(2) 3연 3행	슬픔인가	슬픔인가.
	(2) 3연 4행	처다보기도	처다 보기도
	(2) 3연 5행	기우러져가는	기울어져 가는
	(2) 3연 6행	晩夏	晩夏.
	(2) 4연 1행	전선우에서	전선 위에서
	(2) 4연 2행	비들기는	제비들은
	(2) 4연 3행	바람처럼 ~ 작별을한다	바람 처럼 ~ 작별한다.
	(3) 1연 1행	찾어든 고독속에서	찾아든 고독 속에서
	(3) 1연 2행	가까히	가까이
	(3) 1연 3행	사랑하다	사랑하다.
	(3) 2연 2행	보였다	보였다.
	(3) 3연 1행	七月이 ~ 전원	七月의 ~ 전원
	(3) 3연 2행	詩人이죽고	詩人이 죽고
	(3) 3연 4행	떠났다	떠났다.
	(3) 4연 1행	비나리면	비 나리면
	(3) 4연 2행	떠난동무의	떠난 친구의

(3) 4연 3행	江물보다도		江물 보다도
(3) 4연 4행	내귀에		내 귀에
(3) 4연 5행	들리였다		들리고
(3) 5연 1행	呼吸이		호흡이
(3) 5연 2행	쉴새없이		쉴 새 없이
(3) 5연 3행	눈앞으로 지낸다		눈 앞으로 지낸다.
(4) 1연 1행	절눔바리 내어머니는		절름발이 내 어머니는
(4) 1연 3행	枯木옆에서 나를불렀다		고목 옆에서 나를 불렀다.
(4) 2연 1행	얼마지나		얼마 지나
(4) 2연 2행	追憶을안고		추억을 안고
(4) 2연 3행	염소처럼 나는울었다		염소 처럼 나는 울었다.
(4) 3연 2행	앉어		앉아
(4) 3연 3행	地平에서 거러오는		지평에서 걸어오는
(4) 3연 4행	옛사람들의		옛 사람들의
(4) 3연 5행	모습을본다		모습을 본다.
(4) 5연 1행	生覺이 타오르는		생각이 타 오르는
(4) 5연 2행	덮었다		덮었다.

9. 열차

발표연월일		1949.3.25	1949.4.5	1952.11.5
출전		開闢 81호	새로운 都市와 市民들의 合唱	現代國文學粹
표현	**頭註**	스티-분·스펜터-	스티-분·스펜더어	-스티이븐·스펜더어-
	1연 2행	새로운意慾아래	새로운意慾아래	새로운 의욕 아래
	1연 3행	列車는 움지긴다	列車는 움지긴다	열차는 움직인다
	1연 4행	激動의時間-	激動의時間	激動의 시간
	1연 5행	꽃의秩序를	꽃의秩序를	꽃의 秩序를
	1연 6행	나의運命처럼	나의運命처럼	나의 운명처럼
	1연 7행	列車는	列車는	열차는
	1연 8행	검은記憶은 ~ 흘러가고	검은記憶은 ~ 흘러가고	검은 記憶은 ~ 흘러 가고
	1연 9행	速力은 서슴없이 축엄의傾斜를	速力은 서슴없이 죽엄의傾斜를	속력은 서슴 없이 죽음의 傾斜를
	2연 1행	靑春의복바침을	靑春의복바침을	청춘의 복바침을
	2연 2행	던진채	던진채	던진 채
	2연 4행	핑크빛 香기로운	핑크빛 香기로운	핑크빛 향기로운

	유리창밖 荒廢한都市의 雜音을 차고	유리창밖 荒廢한都市의 雜音을 차고	유리창 밖 荒廢한 都市의 雜音을 차고
2연 5행	風景으로	風景으로	풍경으로
2연 6행	封建의턴넬 特權의帳幕을 뚫고	封建의턴넬 特權의帳幕을 뚫코	封建의 턴넬 特權의 帳幕을 뚫고
3연 2행	핏비린 언덕넘어	핏비린 언덕넘어	피 비린 언덕 넘어
3연 3행	光線의進路를	光線의進路를	光線의 進路를
3연 4행	흘버슨 樹木의集團 바람의呼吸을앉고	헐버슨 樹木의集團 바람의呼吸을앉고	헐벗은 樹木의 集團 바람의 呼吸을 안고
3연 5행	타오르는	타오르는	타 오르는
3연 6행	恍惚한 永遠의거리가	恍惚한 永遠의거리가	황홀한 영원의 거리가
3연 7행	지나온	지나온	지나 온
3연 8행	勞動의	勞動의	노동의
3연 9행	彗星보다도	彗星보다도	慧星보다도
3연 10행	새날보담도 밝게	새날보담도 밝게	새날보다도 밝게.
3연 11행			

10. 회상의 긴 계곡

발표연월일		1951.6.2	1952.11.5	1952.12.31	1955.10.15
출전		京鄕新聞	現代國文學粹	韓國詩集 上	選詩集
연 구성		• 연 구분이 없음. • 전체 27행으로 이루어짐.	• 전체 5연으로 이루어짐. • 1연 : 『京鄕新聞』의 1~5행. • 2연 : 『京鄕新聞』의 6~13행. • 3연 : 『京鄕新聞』의 14~17행. • 4연 : 『京鄕新聞』의 18~19행. • 5연 : 『京鄕新聞』의 20~27행.	• 전체 4연으로 이루어짐. • 1연 : 『京鄕新聞』의 1~5행. • 2연 : 『京鄕新聞』의 6~13행. • 3연 : 『京鄕新聞』의 14~19행. • 4연 : 『京鄕新聞』의 20~27행.	• 전체 4연으로 이루어짐. • 1연 : 『京鄕新聞』의 1~5행. • 2연 : 『京鄕新聞』의 6~13행. • 3연 : 『京鄕新聞』의 14~19행. • 4연 : 『京鄕新聞』의 21~27행.
행 구성	3~4행	그랜드 · 쇼-처럼 / 人間의 運命이 허무러지고	그랜드 · 쇼오처럼 인간의 운명이 허무러지고	그랜드 · 쇼-처럼 人間의 運命이 허무러지고	그랜드 쇼오처럼 人間의 運命이 허무러지고
	5행	검은 煙氣여 올러라 검은 幻影이여사러라	검은 煙氣여 올라라 / 검은 幻影이여 살아라	검은 煙氣여 올러라 / 검은 幻影이여 사러라.	검은 煙氣여 올라라 / 검은 幻影이여 살아라.
	8행	最後의 頌歌와 不安한 발거름에 마추어	최후의 송가와 불안한 발걸음에 맞추어	最後의 頌歌와 / 不安한 발걸음에 맞추어	最後의 頌歌와 / 不安한 발걸음에 맞추어
	15행	하로만의 人生 華麗한慾望	하루만의 인생 화려한욕망	하로만의 人生 華麗한慾望	하루만의 人生 / 華麗한 慾望
표현	1행	無限이슬픈	무한히 슬픈	無限히 슬픈	無限히 슬픈

3행	그랜드·쇼-처럼	그랜드·쇼오처럼	그랜드·쇼-처럼	그랜드 쇼오처럼
4행	人間의 運命이	인간의 운명이	人間의 運命이	人間의 運命이
5행	올러라 ~ 幻影이여사 러라	올라라 ~ 幻影이여 살 아라	올러라 ~ 幻影이여 사 러라.	올라라 ~ 幻影이여 살 아라.
6행	안개내린	안개 내린	안개 내린	안개 내린
7행	벨인가 가느란 生명의 連續이	베엘인가 가느란 생명 의 연속이	베-르인가 가느란 生 命의連續이	베에르인가 가늘은 生 命의連續이
8행	最後의 頌歌와 不安한 발거름에 마추어	최후의 송가와 불안한 발걸음에 맞추어	最後의 頌歌와 不安한 발걸음에 맞추어	最後의 頌歌와 不安한 발걸음에 맞추어
9행	어데로인가	어디로인가	어데로인가	어데로인가
10행	荒廢한 土地의外部로 떠 나가는데	황폐한 토지의 외부로 떠나가는데	荒廢한 土地의 外部로 떠나가는데	荒廢한 土地의 外部로 떠나 가는데
11행	우름으로서 죽엄을	울음으로서 죽음을	우름으로서 죽엄을	울음으로써 죽음을
12행	수없는 樂器들은	수 없는 樂器들은	수 없는 樂器들이	수 없는 樂器들은
13행	이溪谷에서 ~ 서럽다	이 계곡에서 ~ 서럽다	이 溪谷에서 ~ 서럽다	이 溪谷에서 ~ 서럽다.
14행	江기슭에서 期影할것 없어	강기슭에서 기약할 것 없어	江기슭에서 期影할것 없어	江기슭에서 期影할것 없어
15행	하로만의 人生 華麗한慾望	하루만의 인생 화려한욕망	하로만의 人生 華麗한慾望	하루만의 人生 華麗한慾望
16행	旅券은 散々히	旅券은 산산히	旅券은 散散히	旅券은 散散히
17행	落葉처럼 길위에	낙엽처럼 길 위에	落葉처럼 길위에	落葉처럼 길 위에
18행	카렌다-의	카렌더의	카렌다-의	카렌다의
19행	轉車의 少女여 ~ 살자	自轉의 소녀여 ~ 살자	自轉車의 少女여 ~ 살자	自轉車의 少女여 ~ 살자.
20행	피워물던	피워 물던	피워물던	피워 물던
21행	煙氣의 印象과	연기의 인상과	煙氣의 印象과	煙氣의 印象과
22행	危機에가득찬 세계의邊境	危機에 가득찬 세계의 邊境	危機에 가득찬 世界의 邊境	危機에 가득찬 世界의 邊境
23행	回想의 ~ 溪谷속에서도	회상의 ~ 溪谷 속에서도	回想의 ~ 溪谷속에서도	回想의 ~ 溪谷 속에서도
24행	列을 ~ 죽엄의 빗탈을	열을 ~ 주검의 비탈을	列을 ~ 죽엄의 비탈을	列을 ~ 죽음의 비탈을
25행	幻影에	幻影에	幻影에	幻想에
26행	永遠한 순敎者	영원한 殉敎者	永遠한 殉敎者	永遠한 殉敎者.
27행	우리들	우리들	우리들.	우리들.

1. 최후의 회화會話

발표연월일	1951.7.25	1952.3.5	1952.11.5	1954.2.5	1955.10.15
출전	新調 2호	愛國詩三十三人集	現代國文學粹	現代詩人選集 下	選詩集
제목	最後의 會話	最後의 會話	最後의 會話	最後의 會話	最後의 會話

	연 구성		전체 4연	전체 5연	전체 4연
	연 구성	• 전체 4연으로 이루어짐.	• 전체 4연으로 이루어짐.	• 전체 4연으로 이루어짐.	• 전체 5연으로 이루어짐. • 1연 : 『新潮』 2호의 1~2행. • 2연 : 『新潮』 2호의 3~7행.	• 전체 4연으로 이루어짐.
행 구성	2연 7행	室內는 잠잔한 이러한 幻影의 寢台에서	室內는 잠잠한 이러한 幻影의 寢台에서	室內는 잠잠한 이러한 幻影의 寢台에	室內는 잠잔한 이러한 幻影의 寢台에서	室內는 잔잔한 이러한/幻影의 寢台에서.
	4연 3행	閉鎖된 大学의 庭園은 지금은묘지	閉鎖된 大學의 庭園은 지금은 墓地	閉鎖된 大學의 庭園은 지금은 墓地	閉鎖된 大學의 庭園은 지금은 墓地	閉鎖된 大學의 庭園은/ 지금은 墓地
표현	1연 1행	아무 雜音도 ~ 滅亡하는	아무 雜音도 ~ 滅亡하는	아무 잡음도 ~ 멸망하는	아무 雜音도 ~ 滅亡하든	아무 雜音도 ~ 亡하는
	1연 5행	無수한 인상과	無數한 인상과	무수한 印象과	無數한 인상과	無數한 印象과
	1연 5행	永遠히 흘러가는것	永遠히 흘러가는것	영원히 흘러 가는 것	永遠히 흘러 가는 것	永遠히 흘러가는 것
	1연 6행	新聞紙의 傾斜에 얼켜진	新聞紙의 傾斜에 얼켜진	신문지의 傾斜에 얽혀진	新聞紙의 傾射에 얼켜진	新聞紙의 傾斜에 얽혀진
	1연 7행	불안의 格鬪	不安의 格鬪	不安의 격투	불안의 格鬪	不安의 格鬪
	2연 2행	흑인의 트람뺕	黑人의 트람뺕	黑人의 뜨람빽	흑인의 트람펱	黑人의 트람뺕
	2연 3행	新부의 비명	新婦의 悲鳴	新婦의 悲鳴	新婦의 비명	新婦의 悲鳴
	2연 4행	精神의 皇帝!	精神의 皇帝!	精神의 皇帝!	精神의 皇帝!	精神의 皇帝!
	2연 5행	祕密을누가	祕密을 누가	비밀을 누가	祕密을 누가	祕密을 누가
	2연 6행	体驗만이	體驗만이	体験만이	体験만이	體驗만이
	2연 7행	잠잔한 ~ 寢台에서	잠잠한 ~ 寢台에서	잠잠한 ~ 寢台에	잠잔한 ~ 寢台에서	잔잔한 ~ 寢台에서.
	3연 2행	오욕의 都市	오욕의 都市	汚辱의 都市	오욕의 都市	汚辱의 都市
	3연 3행	황혼의 亡명客	黃昏의 亡命客	황혼의 亡命客	황혼의 亡命客	黃昏의 亡命客
	3연 4행	外套에 ~ 굽히면	外套에 ~ 굽히면	외투에 ~ 굽히며	外套에 ~ 굽히며	外套에 ~ 굽히면
	3연 5행	오는 것	오는것	오는 것	오는 것	오는 것
	3연 6행	永遠히 ~ 싫은것	永遠히 ~ 싫은것	영원히 ~ 싫은 것	永遠히 ~ 싫은 것	永遠히 ~ 싫은 것
	3연 7행	쉬어빠진	쉭어빠진	쉬어 빠진	쉬어 빠진	쉬어 빠진
	3연 9행	또다시 만날수	또다시 만날수	또 다시 만날 수	또 다시 만날수	또 다시 만날 수
	3연 10행	一九五〇年의 사節團	一九五〇年의 使節團	1950年의 使節團	一九五〇年의 使節團	一九五〇年의 使節團
	4연 1행	病든 背경의	病든 背景의	病든 背景의	병든 背景의	病 든 背景의
	4연 2행	국화가 피었다	菊花가 피었다	국화가 피었다	국화가 피었다	菊花가 피었다
	4연 3행	閉鎖된 大学의 庭園은 지금은墓地	閉鎖된 大學의 庭園은 지금은 墓地	閉鎖된 大學의 庭園은 지금은 墓地	閉鎖된 大學의 庭園은 지금은 墓地	閉鎖된 大學의 庭園은 지금은 墓地
	4연 4행	뒤에오는	뒤에오는	뒤에 오는	뒤에 오는	뒤에 오는
	4연 5행	술취한 ~ 팔목에 끼여	술취한 ~ 팔목에 끼여	술 취 ~ 팔목에 끼어	술 취한 ~ 팔목에 끼어	술 취한 ~ 팔목에 끼어

	4연 6행	波도처럼 밀려드는	波濤처럼 밀려드는	파도처럼 밀려 드는	波濤처럼 밀려드는	波濤처럼 밀려 드는
	4연 7행	불안한 ~ 會話	不安한 ~ 會話	불안한 ~ 會話	불안한 ~ 會話	不安한 ~ 會話.
	附記	(一九四九, 十一)	×	×	×	×

2. 무도회

	발표연월일	1951.11.20	1955.10.15
	출전	京鄉新聞	選詩集
	연 구성	• 전체 6연으로 이루어짐.	• 『京鄉新聞』의 6연을 두 개의 연으로 나누어 전체 7연으로 구성함.
행 구성	4연 1~2행	눈을뜨니 運河는 흘렀다 술보담 더욱진한/ 피가 흘렀다	눈을 뜨니 運河는 흘렀다. / 술보다 더욱 진한 피가 흘렀다.
	5연 2행	狂亂된 意識과 不毛의 肉體ㅡ 그리고 一方的인 對話로 充滿된 나의 舞踏會	狂亂된 意識과 不毛의 肉體…… 그리고/ 一方的인 對話로 充滿된 나의 舞踏會.
	6연 2행	石膏의 女子를 힘있게 끼안고 새벽에 도라가는 길 나는 내親友가 戰死한 通知를 받었다	石膏의 女子를 힘 있게 껴안고 // 새벽에 돌아가는 길 나는 내 親友가/ 戰死한 通知를 받었다.
표현	1연 1행	女子들틈에 끼여	女子들 틈에 끼어
	1연 2행	나타나	나갔다.
	2연 1행	추었다	추었다.
	2연 2행	안고	안고.
	3연 1행	「산데리아」와 함께있었고	샨데리아와 함께 있었고
	3연 2행	回轉하였다	回轉하였다.
	4연 1행	눈을뜨니 ~ 흘렀다 술보담 더욱진한	눈을 뜨니 ~ 흘렀다. 술보다 더욱 진한
	4연 2행	흘렀다	흘렀다.
	5연 1행	ㅡ이時間 ~ 關聯이없다	이 時間 ~ 關聯이 없다.
	5연 2행	不毛의肉體ㅡㅡ ~ 舞踏會	不毛의 肉體…… ~ 舞踏會.
	6연 1행	밤속에 가란저간다	밤 속에 가랁아 간다.
	6연 2행	힘있게 끼안고 ~ 도라가는 ~ 내親友가 ~ 받었다	힘 있게 껴안고 ~ 돌아가는 ~ 내 親友가 ~ 받었다.

3. 문제 되는 것

	발표연월일	1951.12.3	1955.10.15
	출전	釜山日報	選詩集

제목	問題되는 것 虛無의作家光洲兄에게	問題되는 것 虛無의 作家 金光洲에게
연 구성	• 전체 3연으로 이루어짐.	• 전체 6연으로 이루어짐. • 『釜山日報』의 2연을 네 개의 연으로 나눔. • 2연 : 『釜山日報』의 2연 1~4행. • 3연 : 『釜山日報』의 2연 5~10행. • 4연 : 『釜山日報』의 2연 11~15행. • 5연 : 『釜山日報』의 2연 16~19행.

행 구성	1연 8~9행	틀리ㅁ없이 實在하여있고 / 또한 그것은	틀림없이 實在되어 있고 또한 그것은
	2연 3~4행	나는 또한 어두움을 차즈어서 / 거러간다	나는 또한 어드움을 찾아 걸어 갔다.
	2연 18~19행	限없이 우리들을 괴롭히는 / 問題되는것	한없이 우리를 괴롭히는 것

표현	1연 1행	風景속으로	風景 속으로
	1연 2행	뻐치면	뻗치면
	1연 3행	길게설래이는	길게 설레이는
	1연 4행	問題되는것을 發見하였다	問題되는 것을 發見하였다.
	1연 5행	즐거움 보담도	즐거움 보다도
	1연 6행	사러나가는	살아나가는
	1연 7행	問題되는것이	問題 되는것이
	1연 8행	틀리ㅁ없이 實在하여있고	틀림없이 實在되어 있고
	1연 9행	그리ㅁ자사히에	그림자 속에
	1연 10행	넘처 흐르고 있는것을 아렀다	넘쳐 흐르고 있는 것을 알았다.
	2연 1행	이暗黑의世上에	이 暗黑의 世上에
	2연 2행	散在되어있고	散在되어 있고
	2연 3행	어두움을 차즈어서	어드움을 찾아
	2연 4행	거러간다	걸어 갔다.
	2연 6행	알지못하는 나만의秘密이	알지 못하는 나만의 秘密이
	2연 7행	발거름을	발걸음을
	2연 8행	樂園이 었던	樂園이었던
	2연 10행	지금은 銃카르로 武裝되었다	지금 銃칼로 武裝되었다.
	2연 11행	木手꾸ㄴ政治家여	木手꾼 政治家여
	2연 13행	이름모르는土地에태여나	이름 모르는 土地에 태어나
	2연 14행	倦怠된 ~ 속어가며	倦怠로운 ~ 속아가며
	2연 15행	너의 慾望은 무엇이 였드냐	네가 바란 것은 무엇이었드냐
	2연 16행	問題되는것	問題되는 것
	2연 17행	죽어ㅁ	죽음
	2연 18행	限없이 우리들을 괴롭히는	한 없이 우리를 괴롭히는 것
	2연 19행	問題되는것	✕

3연 1행	絶望과		젊음의 慾望과
3연 2행	이 悽慘이 연속되는 生命과함께		이 悽慘이 이어주는 生命과 함께
3연 3행	問題되는것		問題되는 것
3연 4행	群集되어 있는것을 아렀다.		群集 되어 있는 것을 알았다.

4. 검은 신이여

발표연월일	1952.2.15	1952.12.31	1955.6.25	1955.10.15
출전	週刊國際3호	韓國詩集 上	戰時 韓國文學選 詩篇	選詩集
연 구성	• 전체 1연 8행으로 이루어짐.	• 전체 10연으로 이루어짐. • 10연을 제외한 나머지 연은 모두 한 행으로 구성됨.	• 전체 9연으로 이루어짐. • 1연과 9연을 제외한 나머지 연은 모두 한 행으로 구성됨.	• 전체 11연으로 이루어짐. • 11연을 제외한 나머지 연은 모두 한 행으로 구성됨.
행 구성 — 1행	저 墓地에서 우는 사람은 누구입니까 저 破壞된 建物에서 나오는 사람은 누구입니까	저 墓地에서 우는 사람은 누구입니까. // 저 破壞된 建物에서 나오는 사람은 누구입니까.	저 墓地에서 우는 사람은 누구입니까 / 저 破壞된 建物에서 나오는 사람은 누구입니까	저 墓地에서 우는 사람은 누구입니까 / 저 破壞된 建物에서 나오는 사람은 누구입니까
행 구성 — 6행	슬픔 代身에 나에게 주검을 주시요 人間을 代身하야 世上을 風雪로 뒤더피어 주시요	슬픔 代身애 나에게 죽엄을 주시요. // 人間을 代身하야 世上을 風雪로 뒤덮어 주시요.	슬픔 代身에 나에게 죽엄을 주시요// 人間을 代身하야 世上을 風雪로 뒤덮어 주시요	슬픔 대신에 나에게 죽음을 주시오. // 人間을 대신하여 世上을 風雪로 뒤덮어 주시오
행 구성 — 7행	建物과 蒼白한 墓地에 있던 자리에 꽃이 피지 않도록.	建物과 蒼白한 墓地에 던 자리에 꽃이 피지않도록.	建物과 蒼白한 墓地있던 자리에 꽃이 피지않도록	建物과 蒼白한 墓地 있던 자리에 // 꽃이 피지 않도록.
행 구성 — 8행	하로의 一年의 戰爭의 처慘한 追억은 검은 神이여 그것은 당신의 主題일 것입니다	하로의 一年의 戰爭의 悽慘한 追憶은/ 검은 神이여 / 그것은 당신의 主題일 것입니다.	하로의 一年의 戰爭의 悽慘한 追憶은 검은 神이여 / 그것은 당신의 主題일 것입니다	하루의 一年의 戰爭의 凄慘한 追憶은 / 검은 神이여 / 그것은 당신의 主題일 것입니다.
표현 — 1행	누구입니까 ~ 누구입니까	누구입니까. ~ 누구입니까.	누구입니까 ~ 누구입니까	누구입니까. ~ 누구입니까.
표현 — 2행	연기 처럼 꺼 진것은 무엇입니까	煙氣처럼 꺼진것은 무엇입니까.	死滅처럼 꺼진것은 무었입니까	연기처럼 꺼진 것은 무엇입니까
표현 — 3행	人間의 內部에서 死滅된 것은 무엇입니까	人間의 內部에서 死滅된것은 무엇입니까.	人間의 內部에서 死滅된것은 무었입니까	人間의 內部에서 死滅된 것은 무엇입니까.
표현 — 4행	始作되는것은 무엇입니까	始作되는것은 무엇입니까.	始作되는것은 무었입니까	시작되는 것은 무엇입니까.
표현 — 5행	빼서간 ~ 만날수 있읍니까	빼서간 ~ 만날 수 있습니까.	빼서간 ~ 만날수 있읍니까	뺏아간 ~ 만날 수 있습니까.
표현 — 6행	代身에 ~ 주검을 주시요 ~ 代身하야 ~ 뒤더피어 주시요	代身애 ~ 죽엄을 주시오. ~ 代身하야 ~ 뒤덮어 주시요.	代身에 ~ 죽엄을 주시오 ~ 代身하야 ~ 뒤덮어 주시요.	대신에 ~ 죽음을 주시오. ~ 대신하여 ~ 뒤덮어 주시오.

	7행	蒼白한 墓地에 있던 ~ 피지않도록.	墓地있던 ~ 피지않도록.	墓地있던 ~ 피지않도록	蒼白한 墓地 있던 ~ 피지 않도록.
	8행	하로의 ~ 처慘한 追억은 ~ 것입니다	하로의 ~ 悽慘한 追憶은 ~ 것입니다.	하로의 ~ 悽慘한 追憶은 ~ 것입니다	하루의 ~ 凄慘한 追憶은 ~ 것입니다.

15. 서부전선에서

	발표연월일	1952.5	1955.10.15
	출전	蒼穹	選詩集
	제목	西部戰線에서	西部戰線에서 尹乙洙神父에게
	1연 3행	오른다	오른다.
	1연 4행	들린다	들린다.
	1연 5행	오는가	오는가.
	1연 6행	오는가	오는가.
	2연 1행	煙氣 나는	煙氣나는
표현	2연 2행	모여 들었고	모여들었고
	2연 3행	비 나린 ~ 걸어	비 내린 ~ 어
	2연 4행	돌아왔다.	돌아 왔다.
	3연 1~2행	『神이여 ~ 주시오』	〈神이여 ~ 주시오〉
	4연 1행	갔다	갔다.
	4연 2행	들린다	들린다.
	4연 3행	비들기들이	비둘기 들이
	4연 4행	햇빛을	햇볕을

16. 신호탄

	발표연월일	1952.5	1955.10.15
	출전	蒼穹	選詩集
	연구성	• 전체 6연으로 이루어짐.	• 전체 5연으로 이루어짐. •『蒼穹』의 1연과 2연을 하나의 연으로 합침.
행 구성	6연 1행	生과 死의 눈부신 外接線을 그으며 하늘에 구멍을 뚫는 信號彈	生과 死의 눈부신 外接線을 그으며 / 하늘에 구멍을 뚫는 信號彈
	6연 2행	그가 沈默한 後 끊임없이 비가 내렸다.	그가 沈默한 後 / 구멍으로 끊임없이 비가 내렸다.

표현		
頭註	−搜索隊長 ~ 죽었다.	搜索隊長 ~ 죽었다 · 一九五一年一月
1연 2행	떠진다.	터진다.
2연 1행	幸福도	幼年도
2연 2행	떠나가 幼年의	떠나간 幸福의
2연 4행	醉化하여	醇化하여
3연 2행	껌은 땅떵어리를	검은 땅덩어리를
3연 4행	太陽 없는	太陽없는
4연 1행	어두운	어드운
4연 2행	마즈막	마지막
4연 3행	表現하였는가	表現 하였는가.
5연 1행~7행	『敵을 ~ 射擊해라 ~ 둘러 쌌소』	〈敵을 ~ 射擊해라. ~ 둘러쌌소〉
5연 3행	벌집 처럼	벌집처럼
5연 4행	化할 때까지 ……	化할 때 까지
5연 5행	불러 주신	불러주신
5연 7행	둘러 쌌소	둘러쌌소
6연 2행	끊임없이	구멍으로 끊임 없이

7. 종말

	발표연월일	1952.6.1	1952.11.5	1955.10.15
	출전	新京鄉 4-1호	現代國文學粹	選詩集
	연 구성	• 전체 7연으로 이루어짐.	• 전체 6연으로 이루어짐 • 『新京鄉』 4-1호의 6연과 7연을 한 연으로 구성함.	• 전체 7연으로 이루어짐.
행 구성	1연 1행	生涯를 끝마칠 臨終의 尊嚴을 앞두고	生涯를 끝마칠 臨終의 尊嚴을 앞두고	生涯를 끝마칠 / 臨終의 尊嚴을 앞두고
	1연 3행	物價指數를 論議하던 不安한 산데리아 아래서	物價指數를 論議하던 不安한 산테리아 아래서	物價指數를 論議하던 / 不安한 샨데리아 아래서
	2연 1행	疲勞한 人生은 支那의 壁처럼 우수수 문허진다.	피로한 인생은 支那의 壁처럼 우수수 무너진다.	疲勞한 人生은 / 支那의 壁처럼 우수수 무너진다.
	5연 2행	眼鏡값을 구두값을 冊값을	안경 값을 / 구두 값을 / 책 값을	洋酒 값을 / 구두 값을 冊 값을
	7연 3행	湖水의물결이나 또는 배처럼 限界를헤매이는	호수의 물결이나 또는 배처럼 / 限界를 헤매이는	湖水의 물결이나 또는 배처럼 / 限界만을 헤매이는
	7연 6행	永遠한終末을 울며헤매는 또하나의 나.	영원한 종말을 웃고 울며 헤매는 또 하나의 나	永遠한 終末을 / 웃고 울며 헤매는 또 하나의 나.

	1연 1행	臨終의 尊嚴을	臨終의 尊嚴을	臨終의 尊嚴을
	1연 2행	政治家와 灰色洋服을	정치가 회색양복을	政治家와 灰色 洋服을
	1연 2행	산데리아	산테리아	산데리아
	2연 1행	문허진다	무너진다	무너진다.
	2연 3행	나의 終末의 目標를 ~ 있었다	나의 終末의 목표를 ~ 있었다	나의 終末의 目標를 ~ 있었다
	2연 4행	숨가쁜呼吸은 끊기지않고	숨가쁜 호흡은 끊기지 않고	숨가쁜 呼吸은 끊기지 않고
	2연 6행	意識은 罪人과같이 밝아질 뿐	의식은 죄인과 같이 밝아질 뿐	意識은 罪囚와도 같이 밝아질 뿐
	3연 1행	薔薇를 꺽그려	장미를 꺾으러	장미를 꺾으러
	3연 2행	禁斷의溪谷으로	禁斷의 溪谷으로	禁斷의 溪谷으로
	3연 3행	人間처럼 ~ 손구락을 ~ 물들이어	인간처럼 ~ 손가락을 ~ 물들여	人間처럼 ~ 손가락을 ~ 물들이어
	3연 4행	暗黑을덮어주는 ~ 가르키었다	암흑을 덮어 주는 ~ 가리키었다	暗黑을 덮어주는 ~ 가리키었다.
	3연 6행	告하는것이다	고하는 것이다	말하는 것이다.
	3연 7~8행	『地獄에서 밀려나간 運命의 敗北者 너는 또다시 돌아 올수도 없다』	『지옥에서 밀려 나간 운명의 패배자 너는 또다시 돌아올 수도 없다』	…… 地獄에서 밀려 나간 運命의 敗北者 너는 또 다시 돌아올 수 없다 ……
표현	4연 1~2행	『處女의 ~ 입술을』	『處女의 ~ 입술을』	…… 處女의 ~ 입술을 ……
	4연 3행	流行歌의	유행가의	流行歌의
	4연 4행	새벽녘 ~ 皮膚가 ~ 肉體와 마주칠때까지	새벽녘 ~ 피부가 ~ 육체와 마마주칠 때까지	새벽녘 ~ 皮膚가 ~ 肉體와 마주 칠 때까지
	4연 5행	千番이나 노래하였다	천번이나 노래하였다	노래하였다.
	4연 6행	멈친다음	멈친 다음	멈춘 다음
	4연 7행	오를때 ……	오를 때 ……	오를 때
	5연 1행	生涯를 끝마칠 ~ 最後의 周邊에	생애를 끝마칠 ~ 최후의 周邊에	生涯를 끝 마칠 ~ 最後의 周邊에
	5연 2행	眼鏡값을 구두값을 冊값을	안경 값을 구두 값을 책 값을	洋酒 값을 구두 값을 冊 값을
	5연 3행	관값을 淸算하여	棺 값을 청산하여	棺값을 淸算하여
	5연 4행	……(그들은 社會의禮節과 言語를確實히 體得하고있었다) ……	(그들은 사회의 예절과 언어를 확실히 체득하고 있었다)	(그들은 社會의 禮節과 言語를 確實히 體得하고 있다)
	5연 5행	달려든 지낸날의 親友들.	달려든 지난날의 親友들	달려 든 지낸 날의 親友들.
	6연 1행	죽을수도	죽을 수도	죽을 수도
	6연 2행	現在나 變함이없는	현재나 변함이 없는	現在나 변함이 없는
	6연 3행	政治家와 灰色洋服을입은 敎授의訃告와	정치가와 회색양복을 입은 敎授의 訃告와	政治家와 灰色洋服을 입은 敎授의 訃告와
	6연 4행	그上段에 報道되어있는	그 上段에 報道되어 있는	그 上段에 報道되어 있는
	6연 5행	物價時勢를보고	物價指數를 보고	物價時勢를 보고
	6연 6행	세사람이 論議하던 그때節보다	세 사람이 논의하던 그 시절보담	세 사람이 論議하던 그 時節보다
	6연 7행	모든것이 千培以上이나 昂騰되어있는것을 나는알았다	모든 것이 천배 이상이나 昂騰되어 있는 것을 나는 알았다	모든 것이 千培 以上이나 昂騰되어 있는 것을 나는 알았다.

6연 8행	몸이되니 ~ 또다시	봄이 되니 ~ 또다시	봄이 되니 ~ 또 다시
6연 9행	나의終末은 언제인가.	나의 종말은 언제인가	나의 終末은 언제인가
7연 1행	어두움처럼 生과死의 區分없이	어두움처럼 生과 死의 區分 없이	어드움처럼 生과 死의 區分 없이
7연 2행	恒常 臨終의 尊嚴만	항상 임종의 존엄만	항상 臨終의 尊嚴만
7연 3행	湖水의물결이나 ~ 限界를헤매이는	호수의 물결이나 ~ 限界를 헤매이는	湖水의 물결이나 ~ 限界만을 헤매이는
7연 4행	地獄으로 돌아갈수도 ~ 運 의 敗北者	지옥으로 돌아갈 수도 湖水의 물결이나 ~ 운명의 패배자	地獄으로 돌아갈 수도 湖水의 물결이나 ~ 者
7연 5행	이제 ~ 스스로記憶치	이젠 ~ 스스로 기억ᄒ지	이젠 ~ 스스로 記憶ᄒ지
7연 6행	永遠한終末을 울며헤매는 또하나의 나.	영원한 종말을 웃고 울며 헤매는 또 하나의 나	永遠한 終末을 웃고 울며 헤매는 또 하나의 나.

18. 미래의 창부娼婦

	발표연월일	1952.7.15	1955.10.15
	출전	週刊國際 10호	選詩集
행 구성	1연 5행	너의希望은 나의誤解와 感興만이다	너의 希望은 나의 誤解와/ 感興만이다.
	2연 2행	설래이며 닥아드는 不運한遍歷의사람들.	설래이며 닥아 드는 / 不運한 遍歷의 사람들
	2연 3행	그속에 나의靑春이자고 絶望살던	그 속에 나의 靑春이 자고 / 希望이 살던
	2연 5행	너의 慾望은 나의 嫉妬와 發狂만이다	너의 慾望은 / 나의 嫉妬와 發狂만이다.
	3연 1행	香氣질은 젖가슴을 銃알로 구멍내고	香氣 질은 젖가슴을 / 銃알로 구멍내고
	3연 3행	피와 눈물과 最後의生命을 이끌며	피와 눈물과 最後의 生命을 이끌며
표현	1연 2행	約束치 않는다	約束ᄒ지 않는다.
	1연 3행	列車내에서	列車 안에서
	1연 5행	너의希望은 나의誤解와 感興만이다	너의 希望은 나의 誤解와 感興만이다.
	2연 2행	닥아드는 ~ 不運한遍歷의사람들.	닥아 드는 ~ 不運한 遍歷의 사람들
	2연 3행	그속에 나의靑春이자고 絶望살던	그 속에 나의 靑春이 자고 希望이 살던
	2연 4행	未來의娼婦여	未來의 娼婦여
	2연 5행	發狂만이다	發狂만이다.
	3연 1행	香氣질은 ~ 구멍내고	香氣 질은 ~ 구멍 내고
	3연 2행	暗黑의地圖	暗黑의 地圖
	3연 3행	最後의生命을	最後의 生命을
	3연 4행	未來의娼婦여	未來의 娼婦여
	3연 5행	너의目標는 나의 무덤인가	너의 目標는 ~ 무덤인가.
	3연 6행	永遠한過去인가	永遠한 過去인가.

19. 살아 있는 것이 있다면

		발표연월일	1952.11.1	1955.10.15
		출전	受驗生 2-3호	選詩集
행 구성	1연 3행		더욱 冷酷하고 切實한 回想과 體驗일지도 모른다.	더욱 冷酷하고 切實한/ 回想과 體驗일 지도 모른다.
	2연 3행		더한 復讐와 孤獨을 아는 苦惱와 抵抗일지도 모른다.	더한 復讐와 孤獨을 아는 / 苦惱와 抵抗일 지도 모른다.
	3연 7행		懷疑와 不安만이 多情스러운 悔恨의 오늘을 살아나간다.	懷疑와 不安만이 多情스러운 / 悔恨의 오늘을 살아 나간다.
	4연 1~2행		아! 最後로 이 聖者의 世界에 살아있는 것이 있다면 / 分明코 그것은 贖罪의 繪畵 속의 裸女와	…… 아 最後로 이 聖者의 世界에 / 살아 있는 것이 있다면 분명히 / 그것은 贖罪의 繪畵 속의 裸女와
	4연 3행		回想도 苦惱도 이제는 亡靈에게 賣却한 철없는 詩人……	回想도 苦惱도 이제는 亡靈에게 팔은/ 철없는 詩人
	4연 4행		나의 눈감지 못한 單純한 狀態의 屍體일 것이다.	나의 눈감지 못한/ 單純한 狀態의 屍體일 것이다……
표현	頭註		─現在의 ～ 거이 나타난다.─(FOUR QUARTETS)	現在의 ～ 거의 ～ 나타난다(T.S.엘리오트)
	1연 2행		죽음보담도	죽음보다도
	1연 3행		體驗일지도	體驗일 지도
	2연 2행		生命보담도	生命보다도
	2연 3행		抵抗일지도	抵抗일 지도
	3연 1행		허물어지는	허무러지는
	3연 2행		靜寞과	靜寂과
	3연 3행		또다시 오지않을	또 다시 오지 않을
	3연 6행		燃燒된 ～ 幻想하면서	消滅된 ～ 回想하면서
	3연 7행		살아나간다.	살아 나간다.
	4연 1행		아! ～ 살아있는	…… 아 ～ 살아 있는
	4연 2행		分明코	분명히
	4연 3행		賣却한 ～ 詩人……	팔은 ～ 詩人
	4연 4행		눈감지 못한 ～ 것이다.	눈 감지 못한 ～ 것이다……

20. 자본가에게

발표연월일	1952.11.5	1955.10.15
출전	現代國文學粹	選詩集
제목	資□家에게	資本家에게

행 구성	1연 3행	태풍처럼 너희들을 휩쓸어갈 위험성이	颱風처럼 너희들을 휩쓸어갈 / 危險性이
	5연 2행	인간이 죽은 토지에서 打算ㅎ지 말라	人間이 죽은 土地에서 / 打算ㅎ지 말라
표현	1연 1행	매니페스□의 ~ 지적한다	마니페스트의 ~ 指摘한다
	1연 3행	태풍처럼 ~ 휩쓸어 갈 위험성이	颱風처럼 ~ 휩쓸어갈 危險性이
	1연 4행	가까와진다는	가까워 진다는
	2연 2행	비행장에 궂은 ~ 나리고	飛行場에 구진 ~ 내리고
	3연 1행	자본가여	資本家여
	3연 5행	비둘기떼의	비둘기 떼의
	4연 1행	신작로를	新作路를
	4연 2행	機体의 中軸은	機體의 中柚는
	4연 3행	절벽	絶壁
	5연 2행	인간이 ~ 토지에서	人間이 ~ 土地에서
	5연 3행	문명의	文明의
	5연 5행	호텔처럼	호텔처럼
	5연 6행	생활과 질서의	生活과 秩序의
	5연 7행	최후의 방랑은	最後의 放浪은
	6연 1행	지금, ~ 흘려버린	지금 ~ 흘려 버린
	6연 2행	계속된다.	나린다.

21. 낙하

발표연월일		1952.11.5	1955.10.15
출전		現代國文學粹	選詩集
표현	1연 1행	미끄름판에서	미끄럼 판에서
	1연 2행	고독한 아키레쓰처럼	孤獨한 아끼레스처럼
	1연 3행	불안의 깃발	不安의 旗ㅅ발
	1연 4행	헤아리면서	헤아리 면서
	2연 1행	이십 년	二十年
	2연 2행	운명의 공원	運命의 公園
	2연 3행	죄의 ~ 따랐다	罪의 ~ 따랐다.
	3연 1행	영원히 반복되는	永遠히 反覆되는
	3연 2행	미끄름판의	미끄럼 판의
	3연 4행	비참과 굴욕에의 반항도	悲慘과 屈辱에의 反抗도

3연 5행	연기 ~ 달려 가면	煙氣 ~ 달려가면	
3연 6행	지난날이 ~ 뿐	지낸 날이 ~ 뿐.	
4연 1행	회색	灰色	
4연 2행	불안한	不安한	
4연 4행	인식하지	認識ㅎ지	
4연 5행	망각의	忘却의	
4연 6행	더욱더욱 ~ 간다	더욱 더욱 ~ 간다.	
5연 1행	미끄름판에서	미끄럼 판에서	
5연 2행	쾌감도	快感도	
5연 3행	森林을	숲 속을	
5연 4행	청춘의 날과 ~ 시간도	靑春과 ~ 時間도	
5연 6행	비극의 ~ 있다	悲劇의 ~ 있다.	

22. 세 사람의 가족

발표연월일		1952. 12. 31	1955. 10. 15
출전		韓國詩集 上	選詩集
행구성	5연 4행	氷花처럼 곱게 잠드른 지나간 歲月을 위해 詩를 써본다.	氷花처럼 잠들은 지나간 歲月을 위해 / 詩를 써본다.
	6연 1행	그러나 窓밖 暗澹한 商街	그러나 窓밖 / 暗憺한 商街
	6연 3~4행	그 곁에는 絶望과 飢餓의 行列이 / 밤을 새우고	그 곁에는 / 絶望과 飢餓의 行列이 밤을 새우고
표현	1연 1행	안해	아내
	1연 4행	쇼-위인드를 ~ 거렸다.	쇼오위인드를 ~ 걸었다.
	2연 3행	短篇的인	斷片的인
	2연 4행	비들기의 ~ 틈을타서	비둘기의 ~ 틈을 타서
	3연 1행	收穫의 가	收獲의 가을
	3연 3행	흙속에	흙 속에
	4연 1행	톱소의	톱소에
	4연 4행	날라 갔다.	날아갔다.
	5연 4행	곱게 잠드른 ~ 써본다.	잠들은 ~ 써 본다.
	6연 1행	그러나 窓밖 暗澹한	그러나 窓 밖 暗憺한
	6연 2행	쇼-위인드	쇼오위인드
	6연 6행	오머는	온다면
	6연 7행	荒蕪地에 暴風雪이	거리에 暴風이

23. 서적과 풍경

발표연월일	1953.4.15	1955.10.15
출전	民主警察 32호	選詩集
연 구성	• 4연이 4행으로만 이루어짐.	• 4연에 5행부터 14행까지가 새롭게 추가됨(蘇聯에서 돌아온 앙드레 · 지이드氏 / 그는 眞理와 尊嚴에 빛나는 얼굴로 / 自由는 人間의 風景 속에서 / 가장 重要한 要素이며 / 우리는 永遠한 〈風景〉을 위해 / 自由를 擁護하자고 말하고 / 韓國에서의 戰爭이 熾熱의 高潮에 / 達하였을 적에 / 侮蔑과 煉獄의 風景을 / 凝視하며 떠났다.).

행 구성	7연 4~5행	너의 久遠한 이야기와 表情은 / 너만의 것이 아니다	너의 久遠한 이야기와 表情은 너만의 것이 아니다.
	7연 9~10행	여러 艦艇과 機銃과 / 太平洋의 波濤는 잠잠 하였다	여러 艦艇과 機銃과 太平洋의 波濤는 잔잔하였다.

표현	1연 1행	荒廢한 ~ 띠웠다	荒廢한 ~ 띠웠다.
	1연 3행	알려주는 것이다.	알려 주었다.
	2연 4행	限없는	限 없는
	3연 2행	混亂을이루웠다	混亂을 이루었다.
	3연 3행	펄덕이는 ~ 페―지들	퍼덕이는 ~ 페에지 들
	3연 4행	그사이에는	그 사이에는
	3연 6행	産業 革命	産業革命
	3연 7행	에후, 루―즈벨트氏의	에후 · 루우스벨트氏의
	3연 8행	「뉴―기니아」와 「오끼나와」를	〈뉴우기니아〉와 〈오끼나와〉를
	3연 9행	미조리號에	미조오리號에
	3연 10행	모다 ~ 나타나는것이다.	모두 ~ 나타나는 것이다.
	4연 1행	企圖하였을때	企圖하였을 때
	4연 2행	장미와	薔薇와
	4연 4행	마음속에 그려주었다	마음 속에 그려 주었다.
	5연 2행	疲勞한몸으로	疲勞한 몸으로
	5연 4행	또하나의	또 하나의
	5연 5행	어데있는 가를	어데 있는가를
	5연 8행	共産主義의 ~ 救出코자	共産主義의 ~ 救出ㅎ고자
	5연 10행	싸운다.	죽는다.
	5연 11행	作別한 「R, 지―미君」	作別한 R · 지이미君
	5연 12행	짠, 다―크의 ~ 펠딕난도氏	짠 · 다아크의 ~ 펠디난드氏
	5연 13행	太平洋의密林과 여러湖沼의 ~ 싸우며	太平洋의 密林과 여러 湖沼의 ~ 싸우고
	5연 14행	「바탄」과 「코레히돌」의 峻烈의神話를	〈바탄〉과 〈코레히돌〉의 峻烈의 神話를

5연 15행	「톰, 밋참」君	톰·밋참君
5연 16행	이들은한사람이 아니다 神의祭壇에서	이들은 한 사람이 아니다. 神의 祭壇에서
5연 18행	祈禱도없이	祈禱도 없이
6연 2행	平和롭던날 나의書齋에 限없이	平和롭던 날 나의 書齋에
6연 3행	외운다	에운다.
6연 6행	죽어간	죽어 간
6연 7행	不滅의精神을	不滅의 精神을
6연 10행	내마음에 投影해주는것이다.	내 마음에 投影해주는 것이다.
7연 1행	持續된다	持續된다.
7연 2행	불타 오른다	불타오른다.
7연 5행	아니다	아니다.
7연 6행	「에후, 루-즈벨트」氏가	에후·루우스벨트氏가
7연 7행	「다그라스, 맥아-더」가 陸地에 오를때	다그라아스·맥아더가 陸地에 오를 때
7연 10행	잠잠 하였다	잔잔하였다.
7연 12행	또다시 自由人間이 ~ 保障될때	또 다시 自由 人間이 ~ 保障될 때
7연 13행	反覆될것이다.	反覆될 것이다.
8연 2행	「미조리」號에의	미조오리號에의
8연 4행	거른 싸움속에	건 싸움 속에

24. 부드러운 목소리로 이야기할 때

	발표연월일	1954. 2. 5	1955. 10. 15
	출전	現代詩人選集 下	選詩集
	제목	부드러운 목소리로 이야기 할때	부드러운 목소리로 이야기할 때
행 구성	5연 7~8행	廣漠한 나와 그대들의 기나긴 / 終來의 路程은	廣漠한 나와 그대들의 기나 긴 終末의 路程은
	1연 4행	이야기 할 때	이야기할 때
	1연 5행	적신다	적신다.
	2연 2행	프르고	푸르고
	2연 4행	書籍 처럼 ~ 버렸다	書籍처럼 ~ 버렸다.
표현	3연 2행	어지러움을恨 하던	어지러움을 恨하는
	3연 3행	어느 해	어느해
	3연 4행	하염 없이 죽는다	하염없이 죽는다.
	4연 1행	愛戀아	愛慾아
	4연 4행	처마끝에서	처마 끝에서

4연 6행	살아나갈 것인가	살아 나갈 것인가.
5연 1행	잠잠한	잔잔한
5연 3행	軍人과	異人과
5연 4행	衰退한	衰頹한
5연 5행	荒墟롭다	荒廢롭다
5연 7행	기나 긴	기나긴
5연 8행	終來의	終末의
5연 9행	變함 없노라	변함 없노라.
6연 3행	몇 줄의	몇줄의
6연 4행	말러 버린	말라 버린
6연 7행	이야기할 때	이야기 할 때
6연 9행	헤여질 ~ 것인가	헤어질 ~ 것인가.

25. 눈을 뜨고도

		1954.3.1	1955.6.20	1955.10.15
발표연월일		1954.3.1	1955.6.20	1955.10.15
출전		新天地 9-3호	1954年刊詩集	選詩集
표현	2연 1행	진눈까비처럼	진눈까비 처럼	진눈까비 처럼
	2연 4행	닥아 오는	닥아오는	닥아오는
	3연 1행	녹 쓸은	녹 쓸은	녹쓸은
	4연 1행	푸른	프른	푸른
	4연 2행	機銃을 스치며	×	기나긴 夏季의 비는 내렸다.
	4연 7행	것인가	것인가	것인가.
	4연 8행	것인가.	것인가	것인가
	5연 2행	살아 있는 者의	살아 있는 者의	살아 있는者의
	5연 4행	보이지는 않으나	보이지 않으나	보이지는 않으나
	5연 5행	믿음만을 願하여	믿음 만을 願하여	믿음 만을 願하며
	5연 6행	오,	오	오
	5연 7행	死者들.	死者들	死者들
	6연 3행	죽엄과	죽엄과	주검과
	6연 4행	기나긴 夏季의 비는 내렸다.	기나긴 夏季의 비는 내렸다.	×
	6연 7행	恥辱이냐	恥辱이냐.	恥辱이냐.
	6연 8행	사이에서.	사이에서	사이에서
附記		×	新天地 五月號	×

26. 미스터 모某의 생과 사

발표연월일		1954.3.1	1955.10.15
출전		現代藝術 창간호	選詩集
제목		現代悲傷詩抄 미스터 某의 生과 死	미스터某의 生과死
표현	1연 2행	미스터 某는 죽는다	미스터某는 죽는다.
	2연 3행	미스터 某의	미스터某의
	3연 2행	더욱없이	더욱 없이
	3연 3행	미스터 某는	미스터某는
	4연 1행	그렇한것과 같이	그러한 것과 같이
	4연 2행	죽엄은	주검은
	4연 3행	多情 스러 웠다.	多情스러웠다.
	5연 1행	미스터 某의	미스터某의
	5연 2행	못된다	못된다.
	5연 5행	그 餘음을	그 餘韻을
	6연 1행	燭光아래	燭光 아래
	6연 3행	미스터 某는 ~ 많었다.	미스터某는 ~ 많았다.
	6연 4행	안해	아내
	6연 5행	흐르고있다.	흐르고 있다.
	7연 1행	決코	결코
	7연 2행	平丸한 ~ 죽엄을 悲劇이라 부를수 없었다	平凡한 ~ 죽음을 悲劇이라 부를 수 없었다.
	7연 3행	散々히	散散히
	7연 6행	미스터 某는	미스터某는
	7연 8행	잡을수가	잡을 수가

27. 밤의 미매장未埋葬

발표연월일		1954.6.1	1955.10.15
출전		現代藝術 2호	選詩集
연 구성		• 연 구분이 이루어지지 않음.	• 전체 5연으로 이루어짐. • 1연: 『現代藝術』의 1~7행. • 2연: 『現代藝術』의 8~15행. • 3연: 『現代藝術』의 16~21행. • 4연: 『現代藝術』의 22~35행. • 5연: 『現代藝術』의 36~57행.
행 구성	2~3행	나는 다음에 오는 時間부터는 / 人間의 家族이 아닙니다.	나는 다음에 오는 時間부터는 人間의 家族이 아닙니다.

	45~46행	나는 다음에 오는 시간부터는 / 人間의 家族이 아닙니다.	나는 다음에 오는 時間부터는 人間의 家族이 아닙니다.
	54~55행	바다와 같은 渺茫한 暗黑속으로 / 뒤 돌아 갑니다.	바다와 같은 渺茫한 暗黑속으로 뒤돌아 갑니다.
	56~57행	허나 당신은 나의 품안에서 / 意識은 恢復치 못합니다.	허나 당신은 나의 품 안에서 意識은 回腹ㅎ지 못합니다.
	頭註	… 우리들을 ~ 葬禮式이다 …	우리들을 ~ 葬禮式이다
	4행	그러할 것인지	그러 할것인지
	5행	지금 처럼	지금처럼
	6행	조금전 처럼	조금 전처럼
	8행	寢台위에서	寢台 위에서
	9행	연속 되었던	連續되었던
	11행	끝나줄 것입니다	끝나 줄 것입니다.
	12행	…… 雷雨속의	…… 雷雨 속의
	13행	토하면 알려주는 ~ 위치는	吐하며 알려 주는 ~ 位置는
	14행	세워진 궁전 보담도 ~ 꿈같고	세워진 宮殿보다도 ~ 꿈 같고
	16행	젓과 ~ 내품안에	젓과 ~ 내 품 안에
	19행	황홀히 생각합니다	恍惚히 생각 합니다
	20행	무지개 처럼 허공에	무지개처럼 虛空에
	21행	감촉과 香氣	感觸과 香氣만이
표현	22행	품속에서	품 속에서
	23행	숨김없이 ~ 들었읍니다	숨김 없이 ~ 들었읍니다.
	24행	代置 하셨읍니다.	代置하셨읍니다.
	25행	호흡이	呼吸이
	27행	어두움속으로	어드움 속으로
	30행	연주하는	演奏하는
	31행	最終列車의 기적이	最終 列車의 汽笛이
	32행	屍体인	屍體인
	33행	사실을	事實을
	35행	모든것은	모든 것은
	37행	결코	決코
	38행	나와함께 있어주시오.	나와 함께 있어 주시오.
	41행	시간은 ~ 짧았읍니다	時間은 ~ 짧았읍니다.
	43행	慾望의	慾望에
	44행	자체와 ~ 소멸 되었고	姿體와 ~ 消滅되었고
	45행	시간부터는	時間부터는
	48행	肉体와	肉體와

50행	旅行者 처럼	旅行者처럼
51행	답니다	답니다.
52행	펄덕이는	펄떡이는
54행	暗黑속으로	暗黑 속으로
55행	뒤 돌아	뒤돌아
56행	품안에서	품 안에서
57행	恢復치	回腹ㅎ지
附記	MAY 1951	×

28. 센티멘털 저니

	발표연월일	1954.7.1	1955.6.20	1955.10.15
	출전	新太陽 3-7호	1954年刊詩集	選詩集
	제목	센치멘탈·짜ー니 洙暎에게	센치멘탈·짜ー니	센치멘탈·짜아니
	1연 3행	서름에	설음에	설음에
	2연 3행	기대여	기대여	기대어
	3연 2행	香氣를 날려 보내라	香氣를 날려보내라	香氣를 날려 보내라
	4연 3행	그저	그저	거저
	5연 3행	어제와,	어제와	어제와
	5연 4행	天上 有史를 모른다	天上有史를 모른다.	天上有史를 모른다.
표현	6연 3행	區分이여	區分이여.	區分이여.
	7연 4행	江은 흐른다	江이 흐른다.	江은 흐른다.
	8연 3행	달 속에	달속에	달 속에
	8연 5행	週末旅行	週末 旅行	週末旅行
	8연 7행	그저 ~ 가는 것이다	그저 ~ 가는것이다.	거저 ~ 가는 것이다.
	9연 1행	센치멘탈·짜ー니	센치멘탈·짜ー니	센치멘탈·짜아니
	9연 2행	센치멘탈·짜ー니	센치멘탈·짜ー니.	센치멘탈·짜아니

29. 가을의 유혹

발표연월일	1954.9.15	1976.3.10
출전	民主警察 43호	木馬와 淑女

표현	1연 1행	내마음 에	내 마음에
	1연 2행	誘惑의 길을	유혹의 길을
	1연 5행	風景으로	風景을
	2연 1행	戰爭이 ~ 머무른 ~ 露台에서	전쟁이 ~ 머물은 ~ 露臺에서
	2연 2행	〈모지리아니〉의 ~ 두적거리며	모딜리아니의 ~ 뒤적거리며
	2연 3행	靜寞한 나의	정막한 하나의
	2연 4행	찾어보는	찾아보는
	2연 5행	瞬間	순간
	2연 6행	그림자 처럼	그림자처럼
	3연 1행	할때	할 때
	3연 3행	펜취에 앉어	벤치에 앉아
	3연 5행	잡던것과	잡던 것과
	4연 2행	느러트리고	늘어뜨리고
	4연 4행	誘惑은 나로하여금 잊을수없는	유혹은 나로 하여금 잊을 수 없는
	4연 6행	눈물젖은 눈瞳子로	눈물 젖은 눈동자로
	4연 8행	날리여 ~ 휘돌고있다.	날리어 ~ 휘돌고 있다.

30. 행복

	발표연월일	1955.2.17	1955.6.25	1955.10.15
	출전	東亞日報	戰時 韓國文學選 詩篇	選詩集
행 구성	1연 3행	시들은 풀잎에 앉아 손금도 보았다.	시들은 풀잎에 앉아 손금도 보았다	시들은 풀잎에 앉아/ 손금도 보았다.
	1연 4행	茶 한잔을 마시고 情死한 女子의 이야기를 新聞에서 읽을 때	茶한잔을 마시고 情死한 女子의 이야기를 新聞에서 읽을때	茶 한 잔을 마시고/情死한 女子의 이야기를/ 新聞에서 읽을 때
	1연 6행	老人은 한숨도 쉬지 않고 더욱 아무것도 바라지 않으며	老人은 한숨도 쉬지 않고 더욱 아무것도 바라지 않으며	老人은 한숨도 쉬지 않고/ 더욱 아무것도 바라지 않으며
	2연 2행	여러 친구와 술을 나누고 그들이 죽엄의 길을 바라보던 전날.	여러 친구와 술을 나누고 그들이 죽엄의 길을 바라보던 전날	여러 친구와 술을 나누고/ 그들이 죽음의 길을 바라 보던 전날.
	2연 5행	그는 지금의 어떠한 瞬間도 憎惡할 수가 없었다.	그는 지금의 어떠한 瞬間도 憎할수가 없었다.	그는 지금의 어떠한 瞬間도/ 憎惡 할 수가 없었다.
	2연 6행	老人은 죽엄을 원하기 전에 옛날이 더욱 永遠한 것 처럼 생각되며	老人은 죽엄을 원하기 전에 옛날이 더욱 永遠한 것 처럼 생각되며	老人은 죽음을 원하기 전에/ 옛날이 더욱 永遠한 것 처럼 생각되며
	2연 7행	自己와 가까이 있는 것이 멀어져 가는 것을	自己와 가까이 있는 것이 멀어져가는 것을	自己와 가까이 있는 것이/ 멀어져 가는 것을

표현	1연 1행	살았다.	살았다	살았다.
	1연 3행	보았다.	보았다	보았다.
	1연 4행	茶 한잔을 ~ 읽을 때	茶한잔을 ~ 읽을때	茶 한 잔을 ~ 읽을 때
	1연 5행	지붕 위서	지붕 위서	지붕위에서
	1연 7행	외우고 ~ 끈다.	외우고 ~ 끈다	에우고 ~ 끈다.
	1연 8행	않았다.	않았다	않았다.
	1연 9행	그저 ~ 것이다.	그저 ~ 것이다	거저 ~ 것이다.
	2연 1행	꾼다.	꾼다	꾼다.
	2연 2행	죽엄의 ~ 바라보던 전날을.	죽엄의 ~ 바라보던 전날을	죽음의 ~ 바라 보던 전날을.
	2연 4행	있다	있다	있다.
	2연 5행	憎惡할 수가 없었다.	憎 할수가 없었다.	憎惡 할 수가 없었다.
	2연 6행	죽엄을	죽엄을	죽음을
	2연 7행	멀어져 가는	멀어져가는	멀어져 가는
	2연 8행	분간할 ~ 있었다.	분간할 ~ 있었다	분간 할 ~ 있었다.

31. 새벽 한 시의 시詩

	발표연월일	1955.5.14	1955.10.15
	출전	韓國日報	選詩集
	제목	아메리카詩抄 새벽한時의詩	새벽 한時의 詩
행 구성	1연 1행	대낮 보담도 눈부신 포ー트랜드의 밤 거리에	대낮 보다도 눈부신 / 포오트랜드의 밤 거리에
	5연 5행	그래도 좋았던 腐□된 過去로 돌아가는 것이다.	그래도 좋았던 / 腐蝕된 過去로 / 돌아가는 것이다.
표현	1연 1행	대낮 보담도 ~ 포ー트랜드의	대낮 보다도 ~ 포오트랜드의
	1연 2행	單調로운 그랜·미ー라의 라브소디ー가	單調로운〈그렌·미이라〉의 라브소디이가
	1연 3행	쇼ー위인드에서 울고있는	쇼오위인드에서 울고 있는
	2연 1행	남지않은 ~ 爲하여	남지 않은 ~ 위하여
	2연 2행	記念이라고 진 휘ー스를	紀念이라고 진·휘이즈를
	2연 3행	녹쓸은가슴과뇌수에차디찬비가나린다.	녹슬은 가슴과 뇌수에 차디찬 비가 내린다.
	3연 1행	애기할것이	애기 할 것이
	3연 2행	맨든	만든
	3연 3행	있는	있던
	3연 5행	외에는ー	외에는…… .
	4연 1행	魅惑시키는	魅惑 시키는
	4연 4행	노래하지않고	노래 하지않고

4연 5행	想念만이		想念 만이
5연 1행	몬지와 같이		먼지와 같이
5연 2행	이異國의땅에선나는하나의微生物이다.		이 異國의 땅에선 나는 하나의 微生物이다.
5연 4행	새벽한時		새벽 한時
5연 5행	腐□된		腐蝕된
附記	―(포―트랜드에서)―		(포오트랜드에서)

2. 충혈된 눈동자

	발표연월일	1955.5.14	1955.10.15
	출전	韓國日報	選詩集
	제목	아메리카詩抄 充血된눈동자	充血된 눈동자
행 구성	1연 1행	Strait of Juan De Fuca를 어제 나는 지냈다.	STRAIT OF JUAN DE FUCA를 어제 나는 / 지냈다.
	3연 1행	世上은 좋았다 피의 비가 나리고	世上은 좋았다 / 피의 비가 내리고
	3연 2행	주검의 재가 나리던 太平洋을건너서 다시 올수 없는 사람은 떠나야한다	주검의 재가 날리는 太平洋을 건너서 / 다시 올 수 없는 사람은 떠나야 한다
	3연 4행	고함친다 몸에서	고함친다 / 몸에서
	4연 2행	내 허리에 悲哀의 그림자를 던졌고都市의溪谷사이를 다름박질치는육중한바람을	내 허리에 悲哀의 그림자를 던졌고 / 都市의 溪谷 사이를 다름박질 치는 / 육중한 바람을
표현	1연 1행	Strait of Juan De Fuca를	STRAIT OF JUAN DE FUCA를
	1연 4행	잠자지 못하든	잠 자지 못하던
	1연 5행	기다리는듯이 거리에나간다.	기다리는 듯이 거리에 나간다.
	2연 1행	맨든	만든
	2연 2행	뵈이지않는다.	보이지 않는다.
	2연 5행	손구락이 가르끼는	손 가락이 가리키는
	2연 7행	발버둥치며 다라나야	발버둥 치며 달아 나야
	3연 1행	나리고	내리고
	3연 2행	나리던 太平洋을건너서 ~ 떠나야한다	날리는 太平洋을 건너서 ~ 떠나야 한다
	3연 3행	不幸하다고	不幸 하다고
	4연 2행	던졌고都市의溪谷사이를다름박질치는육중한 바람을	던졌고 都市의 溪谷 사이를 다름박질 치는 육중 한 바람을
	附記	―(올림피아에서)―	(올림피아 에서)

33. 목마와 숙녀

발표연월일		1955.6.20	1955.10.9	1955.10.15
출전		1954年刊詩集	詩作 5집	選詩集
행 구성	5~6행	가을 속으로 떠났다 / 술병에서 별이 떨어진다	가을 속으로 떠났다 / 술병에서 별이 떨어진다	가을 속으로 떠났다 술병에서 별이 떨어진다
표현	2행	바―지니아·울프의	바―지니아·울프의	바지나아·울프의
	3행	이야기 한다	이야기한다	이야기 한다
	4행	주인을 ~ 그저	주인을 ~ 그저	主人을 ~ 거저
	7행	내가슴에 ~ 부서진다	내 가슴에 ~ 부서진다	내가슴에 ~ 부숴진다
	9행	草木옆에서	草木 옆에서	草木옆에서
	11행	진리 마저 ~ 버릴때	진리마저 ~ 버릴 때	진리마저 ~ 버릴때
	12행	뵈이지	보이지	보이지
	13행	오는것	오는것	오는 것
	14행	한 때는	한때는	한 때는
	16행	쓰러지는 ~ 드르며	쓸어지는 ~ 들으며	쓰러지는 ~ 들으며
	17행	보아야한다	보아야한다	보아야 한다
	19행	뵈이지	보이지	보이지
	20행	그저 ~ 페시미즘의	그저 ~ 페씨미즘의	거저 ~ 페시미슴의
	21행	記憶하여야한다	記憶하여야 한다	記憶하여야 한다
	23행	그저 ~ 흐미한	그저 ~ 흐미한	거저 ~ 희미한
	24행	바―지니아 울프의	바―지니아·울프의	바아지나아·울프의
	25행	바위틈을 ~ 뱀과같이	바위 틈을 ~ 뱀과 같이	바위 틈을 ~ 뱀과 같이
	28행	그저 ~ 通俗하거늘	그저 ~ 通俗하거늘	거저 ~ 通俗하거늘
	29행	그무엇이 ~ 것일가	그무엇이 ~ 것일가	그 무엇이 ~ 것일까
	31행	방울 소리는 귀전에 철렁거리는데	방울소리는 귓전에 철렁거리는데	방울소리는 귓전에 철렁 거리는데
	32행	가을 바람소리는	가을 바람 소리는	가을 바람소리는
	33행	쓰러진 술병속에서 목메여	쓸어진 술병 속에서 목메어	쓰러진 술병 속에서 목매어

34. 여행

발표연월일		1955.7.1	1955.10.15
출전		希望 5-7호	選詩集
표현	1연 1행	사히에 먼나라로	사이에 먼 나라로
	1연 7행	그저	거저

1연 8행	바다를건너서	바다를 건너	
1연 9행	낯서른 ~ 도라다니게	낯설은 ~ 돌아 다니게	
2연 1행	나리는	내리는	
2연 2행	二百餘年前	二百年前	
2연 3행	이다리아래를	이 다리 아래를	
2연 5행	캐프테 …… ××	캐프텐××	
2연 6행	그와나와는	그 사람과 나는	
2연 7행	偶然히	우연히	
2연 8행	푸르게 ~ 水心을	프르게 ~ 수심을	
2연 9행	것일가.	것일까.	
3연 3행	飛簾(염 桂冠과	飛廉桂冠과	
3연 4행	連이여	連이어	
3연 5행	샤―틀	샤아틀	
3연 8행	타―반에 드러가	타아반에 들어가	
4연 4행	商標도없는 〈孔雀〉의	商標도 없는 〈孔雀〉의	
5연 1행	밤거리	밤 거리	
5연 3행	포―트랜드의	포오트랜드의	
附記	(포―트랜드 에서)	(포오트랜드 에서)	

85. 태평양에서

	발표연월일	1955.7.1	1955.10.15	
	출전	希望 5-7호	選詩集	
	제목	太平洋에서	太平洋 에서	
행 구성	3연 3~4행	갈매기 들이 / 나의 가차운 視野에서 나를 조롱 한다	갈매기들이 나의 가까운 視野에서 나를 조롱 한다.	
	6연 1~2행	밤이여 / 無限한 하늘과 물과 그사이에	밤이여. 無限한 하늘과 물과 그 사이에	
표현	1연 6행	부서지는 ~ 거품속에	부숴지는 ~ 거품 속에	
	2연 2행	怒할때	怒할 때	
	2연 4행	그저 ~ 믿음만을	거저 ~ 빋음 만을	
	2연 5행	흘러가는	흘러 가는	
	3연 1행	나릴때	내릴 때	
	3연 2행	껌은 ~ 껌은	껌은 ~ 껌은	
	3연 3행	갈매기 들이	갈매기들이	
	3연 4행	가차운	가까운	

3연 5행	남아있는		남아 있는
3연 6행	잃어버린것과의		잃어버린 것 과의
4연 1행	했었을때		했었을 때
4연 2행	이바다에선		이 바다에선
4연 5행	잠이드렀다.		잠이 들었다.
4연 7행	것만으로서.		것 만으로서.
5연 2행	마음대로 ~ 나는덱키에		마음 대로 ~ 나는 덱키에
5연 3행	記念이라고		紀念이라고
5연 4행	孤獨 저煙氣는 어데로 가나.		孤獨. 저 煙氣는 어디로가나.
6연 1행	밤이여		밤이여.
6연 2행	그사히에		그 사이에
附記	(南海號 에서)		(太平洋 에서)

36. 어느 날

발표연월일	1955.7.1		1955.10.15
출전	希望 5-7호		選詩集
표현	1연 1행	이스타―를	復活祭를
	1연 3행	빌딩의	빌팅의
	1연 4행	에이브람 · 린칸의	에이브람 · 린컨의
	1연 5행	스칠廣告를	스칠 廣告를
	1연 6행	〈카―멘 · 죤스〉	…카아멘 · 죤스…
	2연 2행	안해는 꾹크와	아내는 쿡크와
	2연 3행	〈지렐〉會社의 테레비―를	〈지렐〉會社의 테레비죤을
	3연 2행	처음보는	처음 보는
	3연 3행	샤―를	샤아틀
	4연 2행	우러야하는	울어야하는
	4연 3행	하늘의	하늘에
	5연 1행	드렀다	들었다
	6연 1행	횟트멘의 ~ 아랐건만	횟트맨의 ~ 알았건만
	6연 2행	아렀건만	알았건만
	6연 3행	눈물을	쓴 눈물을
	6연 4행	부라보― 코리아	부라보…… 코리안

37. 수부水夫들

발표연월일		1955.8.1	1955.10.15
출전		아리랑 1-6호	選詩集
제목		아메리카詩抄 水夫들	水夫들
연 구성		• 전체 2연으로 이루어짐. • 12~14행까지가 2연이 됨.	• 전체 1연으로 이루어짐.
표현	1연 4행	부치고	붙이고
	1연 5행	밤거리의	밤 거리의
	1연 8행	얼굴이까만	얼굴이 까만
	1연 9행	부서지라	부숴지라
	1연 10행	헤아릴수없는 ~ 밤이면	헤아릴수 없는 ~ 밤 이면
	2연 1행	포-트랜드 ~ 많어	포오트랜드 ~ 많아
	2연 2행	구레용 칠 한 듯이 네온이 밝은밤	구레용 칠한 듯이 네온이 밝은 밤
	2연 3행	「아리랑」,소리나 ~ 해 보자	아리랑 소리나 ~ 해보자
	附記	(포-트랜드에서 … 이 詩는 ~ 쓸수있는 ~ 이 메-지로 고쳤다)	(포오트랜드에서 …… 이詩는 ~ 쓸수 있는 ~ 이메이지로 고쳤다)

38. 에버렛의 일요일

발표연월일		1955.8.1	1955.10.15
출전		아리랑 1-6호	選詩集
제목		아메리카詩抄 에베렛트의 日曜日	에베렛트의 日曜日
연 구성		• 전체 2연으로 이루어짐.	• 전체 4연으로 이루어짐. • 『아리랑』 1-6호의 2연 5행 끝부분 '夕陽.' ~ 8행까지가 3연이 됨. • 『아리랑』 1-6호의 2연 9행~10행까지가 4연이 됨.
행 구성	2연 5행	여기서 알려주는 사람은 없다 夕陽.	여기서 말해 주는 사람은 없다. // 夕陽.
	2연 9~10행	이야기할 것이 없었다 / 이젠헤져야 된다.	이야기 할것이 없었다 이젠 / 헤져야 된다.
표현	1연 1행	미스터- · 몬은	미스터 · 몬은
	1연 5행	그저 ~ 간앓으게	거저 ~ 가냘프게
	1연 7행	파파 · 레브스 · 맘보 …	…… 파파 · 러브스 · 맘보 ……
	2연 1행	처음보고	처음 보고
	2연 2행	카로리-가없는	카로리가 없는
	2연 5행	알려주는	말해 주는

	2연 6행	연상케하는	연상ㅎ게 하는
	2연 7행	미칠듯이 故鄕 생각이	미칠 듯이 故鄕생각이
	2연 9행	이야기할 것이	이야기 할것이
	附記	(에베렛트에서)	(에베렛트 에서)

39. 십오일 간

	발표연월일	1955.10.1	1955.10.15
	출전	新太陽 4-10호	選詩集
	연 구성	• 전체 6연으로 이루어짐.	• 전체 5연으로 이루어짐. •『新太陽』4-10호의 1연과 2연이 하나의 연으로 구성됨.
행 구성	4연 1~2행	위스키 - 한잔 / 담배 열갑	위이스키 한甁 담배 열갑
	4연 3~4행	아니 내 서러운 精神이 消耗되어간다. / 時間은	아니 내 精神이 消耗되어 간다. 時間은
	4연 6행	허나 孤立과 콤프렉스의 香氣는	허지만 / 孤立과 콤프렉스의 香氣는
	5연 2~3행	累萬年의 自然속에서 / 나는 自我를 꿈군다.	累萬年의 自然속에서 나는 自我를 꿈군다.
	6연 3행	四邊은 鐵과 巨大한 悲哀에 잠긴 하늘과 바다.	四邊은 鐵과 巨大한 悲哀에 잠긴 / 하늘과 바다.
표현	1연 1행	시-스위에서	시이스 위에서
	1연 4행	房에선 나비들이 나른다.	房에서 나비 들이 날은다.
	2연 3행	囚人과같이	囚人과 같이
	3연 2행	거짓말이	거짓 말이
	3연 3행	헐수없이	헐수 없이 나는
	3연 4행	하늘아래서	하늘 아래서
	3연 5행	聯할수있는 사람은	聯할수 있는 사람도
	3연 6행	갈매기처럼	갈매기 처럼
	3연 7행	휘돌아야한다.	휘 돌아야 한다.
	4연 1행	위스키- 한잔	위이스키 한甁
	4연 3행	서러운 精神이 消耗되어간다.	精神이 消耗되어 간다.
	4연 5행	十五日間의	十五日間을
	4연 6행	허나	허지만
	4연 7행	젖어내렸다.	젖어 버렸다.
	5연 6행	어리석은	陰慘한
	6연 2행	不甘한 尺度를 ~ 코-피를	尺度를 ~ 코오피를
	6연 4행	오늘 더 외롭지는 않다.	어제 외롭지 않았다.
	附記	×	(太平洋에서)

40. 어느 날의 시가 되지 않는 시

발표연월일	1955.10.15	1955.11.1
출전	選詩集	아리랑 1-10호
제목	어느날의 詩가 되지 않는 詩	어느날의 詩가 되지않는 詩
연 구성	• 전체 4연으로 이루어짐. • 1연 : 1~6행 • 2연 : 7~12행 • 3연 : 13~16행 • 4연 : 17~21행	• 전체 1연으로 이루어짐.

행 구성	2연 1~3행	나는 거짓말 같은 낡아빠진 歷史와 / 우리 民族과 말이 뿔一하다는 것을 / 자랑스럽게 말했다.	나는 거짓말같은 낡아빠진 歷史와 우리 民族과 말이 뿔一하다는 것을 자랑스럽게 말했다.
	2연 5~6행	타아반 구석에서 黑人은 구두를 닦고 / 거리의 少年이 즐겁게 담배를 피우고 있다.	타一방 구석에서 黑人은 구두를 닦고 거리의 少年이 즐겁게 담배를 피우고 있다.
	3연 1~3행	女優〈갈보〉의 傳記冊이 놓여있고 / 그 옆에는 디텍티이브·스토오리가 쌓여있는 / 書店의 쇼오위인드	女優〈갈보〉의 傳記冊이 쌓여있고 / 그옆에는 디텍티一브·스토一리가 쌓여있는 / 書店의 쇼一위인드.

표현	1연 1행	日本人이지요?	日本人 이시요?
	1연 2행	챠이니이스? ~ 물을때	챠이니一스? ~ 물을 때
	1연 4행	술을	물을
	2연 1행	거짓말 같은	거짓말같은
	2연 5행	타아반	타一방
	3연 1행	女優〈갈보〉의 ~ 놓여있고	女優〈갈보〉의 ~ 쌓여있고
	3연 2행	그 옆에는 디텍티이브·스토오리가	그옆에는 디텍티一브·스토一리가
	3연 3행	쇼오위인드	쇼一위인드
	4연 1행	내린다.	나린다.
	4연 2행	모자위에	모자 위에
	附記	(에베렛트 에서)	아메리카 詩抄中=(에베렛트市에서)

41. 투명한 버라이어티

발표연월일	1955.10.15	1955.11.1
출전	選詩集	現代文學 1-11호
제목	透明한 바라이에티	透明한 바라이티에
연 구성	• 전체 24연으로 이루어짐.	• 전체 14연으로 이루어짐. • 1연 : 『選詩集』의 1연 • 2연 : 『選詩集』의 2연 • 3연 : 『選詩集』의 3~4연

			• 4연 : 『選詩集』의 5~7연
			• 5연 : 『選詩集』의 8연
			• 6연 : 『選詩集』의 9~10연
			• 7연 : 『選詩集』의 11~12연
			• 8연 : 『選詩集』의 13~14연
			• 9연 : 『選詩集』의 15~17연
			• 10연 : 『選詩集』의 18~20연
			• 11연 : 『選詩集』의 21연
			• 12연 : 『選詩集』의 22연
			• 13연 : 『選詩集』의 23연
			• 14연 : 『選詩集』의 24연
행 구성	11연 3~4행	流行에서 精神을 喜悅하는 / 데사이너와	流行에서 精神을 喜悅하는 대사이너ー와
	24연 3~4행	굿·바이 / 굿드·엔드·굿드·바이	굿·바이 굿드·엔드 굿·바이.
표현	1연 1행	녹슬은	녹쓰른
	2연 1행	럭키이·스트라이크	럭키ー·스트라이크
	2연 2행	VANCE호텔 BINGO게엠	VANCE 호텔 BINGO게임
	3연 1행	로비이에서	로비ー에서
	3연 3행	카아드가	카ー드가
	4연 2행	테레비죤의 LATE NIGHT NEWS를	테레비ー의 LATE·NIGHT·NEWS를
	4연 5행	입맞추는 ~ 娼婦.	입마추는 ~ 娼婦
	4연 6행	젖 가슴	젖가슴
	4연 7행	아메리카 워신톤州	아메리카·와싱톤州.
	5연 3행	올드 미스는 ~ 月經이다.	올드·미스는 ~ 月經이다
	6연 1행	喜劇女優처럼 눈살을	喜劇俳優처럼 눈쌀을
	7연 1행	타이프라이터의	타이프라이터ー의
	7연 3행	엔진으로부터	自動車엔진으로 부터
	8연 1행	淑女의	女子의
	8연 3행	사랑하는지?	사랑하는지.
	9연 2행	旗ㅅ발이	旗빨이
	9연 3행	〈파파·러브스·맘보〉	〈파파·레브스·맴보〉
	10연 1행	트람벳트	트람펫트
	10연 2행	꾸겨진	구겨진
	11연 1행	데모크라시이와	대모크라시ー와
	11연 2행	카로리가	카로리ー가
	11연 3행	데사이너와	대사이너ー와
	12연 1행	위에 ~ 시들고	속에 ~ 피고
	12연 2행	긋는다.	근다.
	13연 2행	우리는 페인트 칠한 잔디밭을 본다	펭키 칠을한 잔디밭

13연 3행	〈유니온 · 패시획〉	〈유니온 · 파시획〉
14연 1행	〈M · 몬로〉의	〈몬로一〉의
14연 2행	돋힌	돋친
15연 4행	〈루돌프 · 앨폰스 · 바렌티이노〉의	〈루돌프 · 알폰스 · 바렌티一노〉의
15연 5행	마지한 나라	맞이한 나라.
15연 6행	그 때의	그때의
15연 7행	잊지못했다.	잊지 못한다.
16연 1행	스트립 · 쇼오	스트립 · 쇼一
17연 1행	〈性의 十年〉이 떠난후	性의 十年이 끝난후
17연 2행	戰場에서 ~ 왔다	戰爭에서 ~ 왔다.
17연 4행	사람은 ……	사람은 ….
18연 3행	時間은	時間이
19연 1행	내려쪼이고	네려쪼이고
20연 1행	목구멍 에서	목구녕에서
21연	思念	思念.
22연	아메리카∨∨∨모나리자	아메리카 모나리자
23연	필립 · 모오리스∨∨∨모오리스 · 부릿지	필립 · 모一리스 모一리스 · 부리지
24연 2행	오기 전에	오기전에
24연 4행	굿드 · 엔드 · 굿드 · 바이	굿드 · 엔드 굿 · 바이.
註	VANCE 호텔 …… 샤아틀에 있음. 파파 · 러브스 · 맘보 ……最近의 流行曲. 모오리스 · 부릿지 …… 포오트랜드에 있음.	註 …… VANCE 호텔 …… 샤一틀市에 있음 파파 · 레브스 · 맴보 …… 最近의 流行曲 모一리스 · 부리지 …… 포一트랜드의 다리 이름

42. 세월이 가면

발표연월일	1956.3.12	1956.4.13	1956.6.1	1976.3.10
출전	週刊希望 12호	週刊希望 16호	아리랑 2-6호	木馬와 淑女
연 구성	• 전체 1연 15행으로 이루어짐.	• 전체 1연 4행으로 이루어짐. • 1행 :『週刊希望』12호 의 1~5행 • 2행 :『週刊希望』12호 의 6~10행 • 3행 :『週刊希望』12호 의11~14행 일부 • 4행 :『週刊希望』12호 의 14행 일부~ 15행	• 전체 5연으로 이루어짐. • 1연 :『週刊希望』12호 의 1~2행 • 2연 :『週刊希望』12호 의 3~5행 • 3연 :『週刊希望』12호 의 6~12행 • 4연 :『週刊希望』12호 의 13~14행 • 5연 :『週刊希望』12호 의 15행	• 전체 3연으로 이루어짐. • 1연 :『週刊希望』12호 의 1~2행 • 2연 :『週刊希望』12호 의 3~5행 • 3연 :『週刊希望』12호 의 6~15행

행 구성	1~15행	지금 그사람 이름은 잊었지만 / 그 눈동자 입술은 내가슴에 있네 / 바람이 불고 비가 올때도 / 나는 저 유리창 밖 街路燈 / 그늘의 밤을 잊지 못하지 / 사랑은 가고 옛날은 남는 것 / 여름날의 湖水가 가을의 公園 / 그 펜치 위에 / 나무 잎은 떨어지고 / 나무 잎은 흙이 되고 / 나무 잎에 덮여서 / 우리들 사랑이 사라진다 해도 / 지금 그 사람 이름은 잊었지만 / 그 눈동자 입술은 내 가슴에 있네 / 내 서늘한 가슴에 있네	지금 그사람 이름은 잊었지만 그 눈동자 입술은 내 가슴에 있네 바람이 불고 비가 올때도 나는 저 유리창밖 가로등 그늘의 밤을 잊지못하지 사랑은 가고 옛날은 남는것 여름날 호숫가 가을의 공원 그 펜치 위에 나무잎은 떨어지고 나무잎은 흙이되고 나무 잎에 덮여서 우리들사랑이 사라진다해도 지금 그사람 이름은 잊었지만 그 눈동자 입술은 / 내가슴에있네 내 서늘한 가슴에 있네	지금 그사람 이름은 잊었지만 / 그 눈동자 입술은 / 내 가슴에 있네 / 바람이 불고 / 비가 올때도 / 나는 / 저 유리창밖 가로등 / 그늘의 밤을 잊지 못하지 // 사랑은 가고 옛날은 남는것 / 여름날 의 호숫가 가을의 공원 / 그 펜취 위에 / 나무 잎은 떨어지고 / 나무 잎은 흙이 되고 / 나무 잎에 덮여서 / 우리들 사랑이 사라진다 해도 …… // 지금 그 사람 이름은 잊었지만 / 그 눈동자 입술은 / 내 가슴에 있네 // 내 서늘한 가슴에 있네	지금 그 사람의 이름은 잊었지만 / 그의 눈동자 입술은 내 가슴에 있어. // 바람이 불고 / 비가 올 때도 / 나는 저 유리창 밖 / 가로등 그늘의 밤을 잊지 못하지 // 사랑은 가고 / 과거는 남는 것 / 여름날의 호숫가 / 가을의 공원 / 그 벤치 위에 / 나뭇잎은 떨어지고 / 나뭇잎은 흙이 되고 / 나뭇잎에 덮여서 / 우리 사랑이 사라진다 해도 / 지금 그 사람 이름은 잊었지만 / 그의 눈동자 입술은 내 가슴에 있어 / 내 서늘한 가슴에 있건만
표현	1행	그사람	그사람	그사람	그 사람의
	2행	그 눈동자 ~ 내가슴에 있네	그 눈동자 ~ 내 가슴에 있네	그 눈동자 ~ 내 가슴에 있네	그의 눈동자 ~ 내 가슴에 있어.
	3행	비가 올때도	비가올때도	비가 올때도	비가 올 때도
	4행	유리창밖 街路燈	유리창밖 가로등	유리창밖 가로등	유리창 밖 가로등
	5행	잊지 못하지	잊지못하지	잊지 못하지	잊지 못하지
	6행	옛날은 남는것	옛날은 남는것	옛날은 남는것	과거는 남는 것
	7행	여름날의 湖水가 ~ 公園	여름날 호숫가 ~ 공원	여름날의 호숫가 ~ 공원	여름날의 호숫가 ~ 공원
	8행	펜치위에	펜취위에	펜치 위에	벤치 위에
	9행	나무 잎은 떨어지고	나무잎은 떨어 지고	나무 잎은 떨어지고	나뭇잎은 떨어지고
	10행	나무 잎은 흙이되고	나무잎은 흙이되고	나무 잎은 흙이 되고	나뭇잎은 흙이 되고
	11행	나무 잎에	나무잎에	나무 잎에	나뭇잎에
	12행	우리들 사랑이 사라진다 해도	우리들사랑이 사라진다해도	우리들 사랑이 사라진다 해도 ……	우리들 사랑이 사라진다 해도
	13행	그사람	그사람	그사람	그 사람
	14행	그 ~ 내 가슴에 있네	그 ~ 내가슴에있네	그 ~ 내 가슴에 있네	그의 ~ 내 가슴에 있어
	15행	있네	있네	있네	있건만

작품 연보

I. 시

1. 시 작품 연보에는 창작시 88종과 그 이본 145편을 수록했다. 연보의 전체적인 배열은 최초 발표본의 발표 순서를 따랐으며, 최초 발표본 다음에 이본의 목록을 발표 순서대로 정리했다. 연번은 최초 발표본의 발표 순서를 뜻한다.
2. 작품명은 부제까지 적되, 맞춤법과 띄어쓰기는 원본의 표기를 따른다.
3. 출전은 원본대로 적되, 단행본은 책명만 표기한다. 단행본의 구체적인 서지사항은 다음과 같다.
   - 『純粹詩選』, 八月詩會 靑年文學家協會詩部, 1946.6.20.
   - 新詩論同人會(金暻麟, 金景熹, 金秉旭, 朴寅煥, 林虎權), 『新詩論』第一輯, 珊瑚莊, 1948.4.20.
   - 新詩論同人會(金暻麟, 林虎權, 朴寅煥, 金洙暎, 梁秉植), 『새로운 都市와 市民들의 合唱』, 都市文化社, 1949.4.5.
   - 康世均 編, 『愛國詩三十三人集』, 大韓軍事援護文化社, 1952.3.5.
   - 李相魯 編, 『蒼穹』, 空軍本部政訓監室, 1952.5.
   - 趙鄕 編, 『現代國文學粹』, 自由莊, 1952.11.5.
   - 李漢稷 編, 『韓國詩集』上, 大洋出版社, 1952.12.31.
   - 金容浩 · 李雪舟 編, 『現代詩人選集』下, 文星堂, 1954.2.5.
   - 柳致煥 · 李雪舟 編, 『1954年刊詩集』, 文星堂, 1955.6.20.
   - 金宗文 編, 『戰時 韓國文學選 詩篇』, 國防部政訓局, 1955.6.25.
   - 朴寅煥, 『選詩集』, 珊瑚莊, 1955.10.15.
   - 朴寅煥, 『木馬와 淑女』, 槿域書齋, 1976.3.10.
4. 기존에 알려지지 않은 작품을 새로이 찾은 경우에는 '작품 발굴'로, 이본들 중에서 최초로 발표된 작품을 찾은 경우에는 '최초 발표본 발굴'로, 최초 발표본 이외의 이본을 찾은 경우에는 '이본 발굴'로, 정본을 찾은 경우에는 '정본 발굴'로 비고란에 표시한다. 또한 사후에 발표된 작품은 '유고'로, 『세월이 가면』에 실린 「가을의 誘惑」[2]와 「歲月이 가면」[4]는 참고본으로 표시한다.
5. 근대서지학회 회원들(김병호, 김현식, 박태일, 서상진, 오영식, 이순욱, 이윤정, 최철환)과 아단문고에서 원본 자료의 일부를 제공받았다. 도움을 주신 분들의 호의에 감사드린다.

연번	작품명	출전	발행연월일	비고
1	斷層1	純粹詩選	1946.6.20	최초 발표본 발굴
	不幸한 샨송	選詩集	1955.10.15	
2	仁川港[1]	新朝鮮 改題3호	1947.4.20	
	仁川港[2]	새로운 都市와 市民들의 合唱	1949.4.5	
3	南風[1]	新天地 2-6호	1947.7.1	
	南風[2]	새로운 都市와 市民들의 合唱	1949.4.5	
4	사랑의 Parabola[1]	새한민보 11호	1947.10.10	
	사랑의 Parabola[2]	選詩集	1955.10.15	
5	나의 生涯에 흐르는 時間들[1]	世界日報	1948.1.1	
	나의 生涯에 흐르는 時間들[2]	選詩集	1955.10.15	
6	인도네시아 人民에게 주는 詩[1]	新天地 3-2호	1948.2.1	
	인도네시아人民에게주는詩[2]	새로운 都市와 市民들의 合唱	1949.4.5	
7	地下室[1]	民聲 4-3호	1948.3.1	
	地下室[2]	새로운 都市와 市民들의 合唱	1949.4.5	
8	골키-의달밤	新詩論 1집	1948.4.20	
9	동시 언덕	自由新聞	1948.11.25	
10	田園詩抄[1]	婦人 17호	1948.12.15	
	田園[2]	選詩集	1955.10.15	
11	列車[1]	開闢 81호	1949.3.25	
	列車[2]	새로운 都市와 市民들의 合唱	1949.4.5	
	列車[3]	現代國文學粹	1952.11.5	이본 발굴
12	精神의 行方을 찾아	民聲 5-4호	1949.3.26	
13	一九五〇年의挽歌	京鄉新聞	1950.5.16	
14	回想의 긴 溪谷[1]	京鄉新聞	1951.6.2	
	回想의 긴 溪谷[2]	現代國文學粹	1952.11.5	이본 발굴
	回想의 긴 溪谷[3]	韓國詩集 上	1952.12.31	이본 발굴
	回想의 긴 溪谷[4]	選詩集	1955.10.15	

1　이 작품은 편자들에 의해 발굴된 박인환의 최초 발표작이다. 『選詩集』에는 「不幸한 샨송」으로 개제, 개작되어 수록되었다. 「斷層」과 「不幸한 샨송」은 이본 관계에 있지만 작품명이 상이하기 때문에 따로 [1], [2] 표시는 하지 않는다. 「斷層」에 대한 서지 분석은 작가 연보의 1946년 항목을 참고하기 바란다.

연번	작품명	출전	발행연월일	비고
15	最後의 會話[1]	新調 2호	1951.7.25	
	最後의 會話[2]	愛國詩三十三人集	1952.3.5	이본 발굴
	最後의 會話[3]	現代國文學粹	1952.11.5	이본 발굴
	最後의 會話[4]	現代詩人選集 下	1954.2.5	이본 발굴
	最後의 會話[5]	選詩集	1955.10.15	
16	舞踏會[2][1]	京鄕新聞	1951.11.20	
	舞踏會[2]	選詩集	1955.10.15	
17	問題되는것 −虛無의作家光洲兄에게	釜山日報	1951.12.3	최초 발표본 발굴
	問題되는 것 −虛無의 作家 金光洲에게	選詩集	1955.10.15	
18	검은 神이여[1]	週刊國際 3호	1952.2.15	최초 발표본 발굴
	검은 神이여[2]	韓國詩集 上	1952.12.31	이본 발굴
	검은 神이여[3]	戰時 韓國文學選 詩篇	1955.6.25	이본 발굴
	검은 神이여[4]	選詩集	1955.10.15	
19	西部戰線에서[1]	蒼穹	1952.5[3]	
	西部戰線에서 −尹乙洙神父에게[2]	選詩集	1955.10.15	
20	信號彈[1]	蒼穹	1952.5	
	信號彈[2]	選詩集	1955.10.15	
21	終末[1]	新京鄕 4-1호	1952.6.1	
	終末[2]	現代國文學粹	1952.11.5	이본 발굴
	終末[3]	選詩集	1955.10.15	
22	약속	學友 2年生 2호	1952.6.25	작품 발굴
23	未來의 娼婦 −새로운神에게[1]	週刊國際 10호	1952.7.15	
	未來의 娼婦 −새로운 神에게[2]	選詩集	1955.10.15	
24	바닷가의 무덤	財界 2호	1952.9.1	작품 발굴
25	구름과 장미	學友 2年生 3호	1952.9[4]	작품 발굴
26	살아 있는 것이 있다면[1]	受驗生 2-3호	1952.11.1	
	살아 있는 것이 있다면[2]	選詩集	1955.10.15	
27	資本家에게[1][5]	現代國文學粹	1952.11.5	이본 발굴
	資本家에게[2]	選詩集	1955.10.15	

---

2 '舞踏會'는 '舞蹈會'의 일본식 한자 표기이다.
3 「西部戰線에서」[1]과 「信號彈」[1]이 수록된 『蒼穹』의 판권지에는 발행연월만 기록되어 있다.
4 열람한 『學友 2年生』 3호의 판권지가 낙장되어 정확한 발행일을 확인하지 못했다.
5 「資本家에게」[1], 「落下」[1], 「세사람의 가족」[1], 「부드러운 목소리로 이야기 할때」[1], 「木馬와 淑女」[1] 등은 다른 이본보다 먼저 발표되었기 때문에 편의상 [1]로 표기했지만 최초 발표본은 아닌 것으로 추정된다. 이 점에 대해서는 제2부 원본의 각 작품 제목에 달린 각주를 참고하기 바란다.

연번	작품명	출전	발행연월일	비고
28	落下[1]	現代國文學粹	1952.11.5	이본 발굴
	落下[2]	選詩集	1955.10.15	
29	세사람의 家族[1]	韓國詩集 上	1952.12.31	이본 발굴
	세사람의 家族[2]	選詩集	1955.10.15	
30	書籍과 風景[1]	民主警察 32호	1953.4.15	최초 발표본 발굴
	書籍과 風景[2]	選詩集	1955.10.15	
31	부드러운 목소리로 이야기 할때[1]	現代詩人選集 下	1954.2.5	이본 발굴
	부드러운 목소리로 이야기할 때[2]	選詩集	1955.10.15	
32	눈을 뜨고도[1]	新天地 9-3호	1954.3.1	
	눈을 뜨고도[2]	1954年刊詩集	1955.6.20	이본 발굴
	눈을 뜨고도[3]	選詩集	1955.10.15	
33	現代感傷詩抄 미스터 謀의 生과 死[1]	現代藝術 창간호	1954.3.1	
	미스터謀의 生과死[2]	選詩集	1955.10.15	
34	봄은왔노라	新太陽 3-3호	1954.3.1	
35	밤의 未埋葬[1]	現代藝術 2호	1954.6.1	
	밤의 未埋葬[2]	選詩集	1955.10.15	
36	센치멘탈·쨔ー니-沫暎에게[1]	新太陽 3-7호	1954.7.1	
	센치멘탈·쨔ー니[2]	1954年刊詩集	1955.6.20	이본 발굴
	센치멘탈·쨔아니[3]	選詩集	1955.10.15	
37	가을의 誘惑[1]	民主警察 43호	1954.9.15	최초 발표본 발굴
	가을의 誘惑[2]	木馬와 淑女	1976.3.10	참고본
38	幸福[1]	東亞日報	1955.2.17	
	幸福[2]	戰時 韓國文學選 詩篇	1955.6.25	이본 발굴
	幸福[3]	選詩集	1955.10.15	
39	봄(春)이야기	아리랑 2호	1955.4.1	
40	아메리카詩抄 새벽 한時의 詩[1]	韓國日報	1955.5.14	
	새벽 한時의 詩[2]	選詩集	1955.10.15	
41	아메리카詩抄 充血된눈동재[1]	韓國日報	1955.5.14	
	充血된 눈동재[2]	選詩集	1955.10.15	
42	週末	詩作 4집	1955.5.20	
43	木馬와 淑女[1]	1954年刊詩集	1955.6.20	이본 발굴
	木馬와 淑女[2]	詩作 5집	1955.10.9	
	木馬와 淑女[3]	選詩集	1955.10.15	

연번	작품명	출전	발행연월일	비고
44	旅行[1]	希望 5-7호	1955.7.1	
	旅行[2]	選詩集	1955.10.15	
45	太平洋에서[1]	希望 5-7호	1955.7.1	
	太平洋에서[2]	選詩集	1955.10.15	
46	어느날[1]	希望 5-7호	1955.7.1	
	어느날[2]	選詩集	1955.10.15	
47	아메리카詩抄 水夫들[1]	아리랑 6호	1955.8.1	
	水夫들[2]	選詩集	1955.10.15	
48	아메리카詩抄 에베렛트의 日曜日[1]	아리랑 6호	1955.8.1	
	에베렛트의 日曜日[2]	選詩集	1955.10.15	
49	十五日間[1]	新太陽 4-10호	1955.10.1	
	十五日間[2]	選詩集	1955.10.15	
50	永遠한 日曜日	選詩集	1955.10.15	
51	일곱개의 層階	選詩集	1955.10.15	
52	奇蹟인 現代	選詩集	1955.10.15	
53	不幸한 神	選詩集	1955.10.15	
54	밤의 노래	選詩集	1955.10.15	
55	壁	選詩集	1955.10.15	
56	不信의 사람	選詩集	1955.10.15	
57	一九五三年의 女子에게	選詩集	1955.10.15	
58	疑惑의 旗	選詩集	1955.10.15	
59	어느날의 詩가 되지 않는 詩[1]	選詩集	1955.10.15	
	어느날의 詩가 되지않는 詩[2][6]	아리랑 10호	1955.11.1	
60	다리 위의 사람	選詩集	1955.10.15	
61	透明한 바라이에티[1]	選詩集	1955.10.15	
	透明한 바라이티에[2]	現代文學 11호	1955.11.1	

---

6 『選詩集』의 판본은 두 가지이다. 첫 번째는 1955년 10월 15일 詩作社에서 출간될 예정이었으나 발행 직전에 제본소의 화재로 회진되어, 이 판본의 실물은 아직까지 확인되지 않고 있다. 두 번째는 1956년 1월 중에 珊瑚莊에서 간행되었는데, 이 판본은 시작사 본의 발행연월일을 그대로 쫓아서 발행했기 때문에 판권지의 간행 기록과 실제 발행 시기가 일치하지 않는다. 현전하는 『選詩集』은 산호장 발행본으로 『아리랑』 10호와 『現代文學』 11호보다 사실상의 발행연월일이 뒤지기는 한다. 하지만 『選詩集』의 최초 판본이 1955년 10월에 인쇄까지 마친 상태였고, 산호장 발행본은 시작사 판본을 다시 간행한 것이므로 「어느날의 詩가 되지 않는 詩」와 「透明한 바라이에티」는 시집에 수록된 작품을 [1]로, 『아리랑』 10호와 『現代文學』 11호에 게재된 작품을 [2]로 표기한다.

연번	작품명	출전	발행연월일	비고
62	어린딸에게	選詩集	1955.10.15	
63	한줄기 눈물도 없어	選詩集	1955.10.15	
64	잠을 이루지 못하는 밤	選詩集	1955.10.15	
65	검은江	選詩集	1955.10.15	
66	故鄕에가서	選詩集	1955.10.15	
67	새로운 決意를 위하여	選詩集	1955.10.15	
68	植物	選詩集	1955.10.15	
69	抒情歌	選詩集	1955.10.15	
70	植民港의 밤	選詩集	1955.10.15	
71	薔薇의 溫度	選詩集	1955.10.15	
72	구름	選詩集	1955.10.15	
73	舞姬가 온다 하지만	地方行政 4-11호	1955.11.1	작품 발굴
74	하늘아래서	코메트 18호	1956.1.15	작품 발굴
75	幻影의사람	民主警察 60호	1956.2.15	작품 발굴
76	봄의 바람속에	民主新報	1956.3.9	작품 발굴
77	麟蹄	朝鮮日報	1956.3.11	
78	歲月이 가면[1]	週刊希望 12호	1956.3.12	최초 발표본 발굴
	歲月이 가면[2]	週刊希望 16호	1956.4.13	이본 발굴
	歲月이 가면[3]	아리랑 2-6호	1956.6.1	정본 발굴(유고)
	歲月이 가면[4]	木馬와 淑女	1976.3.10	참고본
79	죽은 아포롱—李箱 그가떠난날에	韓國日報	1956.3.17	
80	瀨戶內海	文學藝術 3-4호	1956.4.1	유고
81	침울한 바다	現代文學 2-4호	1956.4.1	유고
82	異國港口	京鄕新聞	1956.4.7	유고
83	옛날의 사람들에게—物故作家追悼會의밤에	韓國日報	1956.4.7	유고
84	五月의 바람	學園 5-5호	1956.5.1	유고
85	三·一節의 노래	아리랑 3-4호	1957.4.1	유고
86	거리[7]	木馬와 淑女	1976.3.10	유고
87	이 거리는 歡迎한다—反共靑年에게 주는 노래	木馬와 淑女	1976.3.10	유고
88	어떠한 날까지—李 中尉의 輓歌를 대신하여	木馬와 淑女	1976.3.10	유고

---

7   이 작품의 『國際新報』(1946.12) 발표설은 문헌학적으로 어떠한 근거도 찾을 수 없다. 이 점에
대해서는 제1부 정본의 각주 174와 작가 연보를 참고하기 바란다. 이 전집에서는 「거리」를
『木馬와 淑女』에 처음 수록된 것으로 간주한다.

II. 산문 및 번역

1. 산문 및 번역 작품 연보에는 산문 116편과 번역 10편(번역서 3책 포함)을 수록했다. 연보의 전체적인 배열은 4개의 큰 항목과 4~6개의 작은 항목을 설정한 후, 작은 항목에 분류된 작품들의 발표 순서를 따랐다. 원본을 확인하지 못했지만 출판된 것이 분명한 번역 소설집 『慾望의 이름이라는 電車』(테네시 윌리엄스 원작)는 목록에 포함시키고, 박인환의 저술 여부 및 출전이 불분명한 「신협 잡감」은 목록에서 제외한다. 큰 항목과 작은 항목의 분류 방식은 다음과 같다.
   - 평론 : 문학 · 영화 · 사진 · 미술 · 연극 · 음악
   - 수필 : 수상 · 시평 · 수기 · 기행 · 서간
   - 산문 기타 : 전기 · 설문 · 좌담 · 기사
   - 번역 : 시 · 소설 · 희곡 · 기행
2. 작품명은 부제까지 적되, 맞춤법과 띄어쓰기는 현행 국어 어문규정을 따른다.
3. 출전은 원본대로 적되, 단행본은 책명만 표기한다. 단행본의 구체적인 서지사항은 다음과 같다.
   - 新詩論同人會(金璟麟, 金景熹, 金秉旭, 朴寅煥, 林虎權), 『新詩論』第一輯, 珊瑚莊, 1948. 4. 20.
   - 新詩論同人會(金璟麟, 林虎權, 朴寅煥, 金洙暎, 梁秉植), 『새로운 都市와 市民들의 合唱』, 都市文化社, 1949. 4. 5.
   - 존 스타인벡, 朴寅煥 역, 『쏘聯의 內幕』, 白鳥社, 1952. 5. 15.
   - 朴寅煥, 『選詩集』, 珊瑚莊, 1955. 10. 15.
   - 趙豊衍 편, 『世界의 印象』, 進文社, 1956. 5. 20.
   - 윌러 캐더, 朴寅煥 역, 『離別』, 法文社, 1959. 10. 10.
   - 金光均 외, 『歲月이 가면』, 槿域書齋, 1982. 1. 15.
4. 기존에 알려지지 않은 작품을 새로이 찾은 경우에는 '작품 발굴'로, 사후에 발표된 작품은 '유고' 또는 '유저'로 비고란에 표시한다.
5. 근대서지학회 회원들(김현식, 박성모, 서상진, 오영식, 이순욱, 이윤정, 전지니)과 아단문고에서 원본 자료의 일부를 제공받았다. 도움을 주신 분들의 호의에 감사드린다.

1. 평론

분류	작품명	출전	발행연월일	비고
문학	詩壇 時評	新詩論 1집	1948. 4. 20	
	(新詩論) 後記	新詩論 1집	1948. 4. 20	
	新刊評 金起林 詩集『새노래』評	朝鮮日報	1948. 7. 22	
	사르트르의 實存主義	新天地 3-9호	1948. 10. 1	
	書評 金起林 長詩『氣象圖』·展望	新世代 4-1호	1949. 1. 25	작품 발굴
	薔薇의 溫度 (서문)	새로운 都市와 市民들의 合唱	1949. 4. 5	
	新刊評 趙炳華 詩集『버리고 싶은 遺産』	朝鮮日報	1949. 9. 27	작품 발굴
	現代詩의 不幸한 斷面	週刊國際 9호	1952. 6. 16	

분류	작품명	출전	발행연월일	비고
	趙炳華의 詩	週刊國際 13호	1952.9.27	
	李箱 遺稿	京郷新聞	1952.11.22	작품 발굴
	S. 스펜더 別見 詩의 社會의 效用을 爲하여 上, 下	國際新報	1953.1.30~31	
	BOOK REVIEW 現代 詩와 本質 炳華의 「人間孤島」	詩作 2집	1954.7.30	
	世界의 女流作家 群像 버지니아 · 울프 人物과 作品	女性界 3-11호	1954.11.1	
	一九五四年의 韓國 詩 『詩作』一, 二輯에 發表된 作品	詩作 3집	1954.11.20	
	詩壇 時評 現代 詩의 變貌	新太陽 30호	1955.2.1	
	古典 紅樓夢의 受難 作品을 둘러싼 思想의 對立 上, 中, 下	自由新聞	1955.3.18~20	
	學生 懸賞 文藝作品 選後感 大體로 滿足	新太陽 36호	1955.8.1	
	(選詩集) 후기	選詩集	1955.10.15	
	詩에 對한 몇 가지 생각 『사랑이 가기 전에』와 『童土』에서 上, 下	朝鮮日報	1955.11.28~29	
	스코비의 자살	歲月이 가면	1982.1.15	유고
영화	아메리카 映畵 試論	新天地 3-1호	1948.1.1	
	說明 아메리카 映畵에 對하여	新天地 3-1호	1948.1.1	
	戰後 美英의 人氣 俳優	民聲 5-11호	1949.11.1	
	美 · 英 · 佛에 있어 映畵化된 文藝 作品	民聲 6-2호	1950.2.1	
	人氣 女優에게 보내는 便紙 로렌 · 바콜에게	新京郷 2-6호	1950.6.1	작품 발굴
	그들은 왜 密航하였나? 樂劇界의 彗星 孫牧人 · 申카나리아 · 朴丹馬 등 10餘 名 問題의 密渡日 眞想記	財界 창간호	1952.8.1	
	自己 喪失의 世代 映畵 「젊은이의 陽地」에 關하여	京郷新聞	1953.11.29	
	영화 평 「終着驛」感想 『데 시카』와 『셀즈닉』의 영화	朝鮮日報	1953.12.19	작품 발굴
	新映畵 「제니의 肖像」感賞	太陽新聞	1954.1.9	
	로버트 · 네이선과 W · 디터리 映畵 제니의 肖像의 原作者와 監督	映畵界 창간호	1954.2.1	작품 발굴
	1953 各界에 비친 Best Five는?	映畵界 창간호	1954.2.1	작품 발굴
	韓國 映畵의 現在와 將來 無稅를 契機로 한 印象的인 展望	新天地 9-5호	1954.5.1	
	韓國 映畵의 轉換期 映畵 「코리아」를 契機로 하여	京郷新聞	1954.5.2	
	앙케트	신태양 24호	1954.8.1	
	映畵 感賞 特輯 英國 映畵	現代女性 2-7호	1954.8	
	映畵 時評 沒常識한 考證 韓國 戰亂의 孤兒	韓國日報	1954.9.6	작품 발굴
	鑑賞과 批評 물랭 루주	新映畵 창간호	1954.11.1	
	作品과 人物 研究 존 · 휴스턴	新映畵 2호	1954.12.1	작품 발굴
	鑑賞과 批評 深夜의 脫走	新映畵 2호	1954.12.1	작품 발굴
	챔피언	映畵世界 창간호	1954.12.1	

분류	작품명	출전	발행연월일	비고
	外畵 本數를 制限 映畵審委 設置의 矛盾性	京鄕新聞	1955.1.23	
	最近의 外國 映畵 水準	映畵世界 4호	1955.3.1	
	紹介와 展望 最近의 國內外 映畵	코메트 13호	1955.4.20	작품 발굴
	一九五四年度 外國 映畵 베스트 · 텐	신태양 34호	1955.6.1	작품 발굴
	映畵 時評 시네마스코프의 문제	朝鮮日報	1955.7.24	
	産苦 中의 韓國 映畵들 春香傳의 影響	新太陽 37호	1955.9.1	
	回想의 名畵選「鐵路의 白薔薇」「西部戰線 異常 없다」「密會」	아리랑 8호	1955.9.1	
	西歐와 美國 映畵「로마의 休日」「마지막 본 巴里」를 主題로 上, 下	朝鮮日報	1955.10.9 · 11	
	映畵 常識8	週刊希望 창간호~13호	1955.12.26~1956.3.19	작품 발굴
	三人 鼎談會 1955年度의 總決算과 新年의 展望	映畵世界 7호	1956.1.1	작품 발굴
	現代 映畵의 感覺 錯雜한 思考와 心理 描寫를 中心하여	國際新報	1956.1.27	
	回想의 名畵選「선 라이즈」「어느 날 밤에 생긴 일」「自轉車 盜賊」	아리랑 2-3호	1956.3.1	
	映畵 全般에 걸친 對談 韓國 映畵의 新構想	映畵世界 9호	1956.3.1	작품 발굴
	伊太利映畵와 女俳像	女苑 2-6호	1956.6.1	유고
	回想의 名畵「白雪公主」「情婦 마농」9	아리랑 2-7호	1956.7.1	유고
	절박한 인간의 매력	歲月이 가면	1982.1.15	유고
사진	報道寫眞 雜考	民聲 4-11호	1948.11.20	
미술	鄭鍾汝 東洋畵 個人展을 보고	自由新聞	1948.12.12	작품 발굴
연극	演劇 評 黃金兒(Golden-boy)	京鄕新聞	1952.4.21	
	테네시 · 윌리엄스 雜記 그의 作品 世界를 理解하는 길	한국일보	1955.8.24	

8 「映畵 常識」은『週刊希望』에 10회 연재되었다. 연재 내용은 '비스타 비전'(창간호, 1955.12.26), '금룡상을 제정'(2호, 1956.1.2), '영화 법안'(3호, 1956.1.9), '영화 구성의 기초'(4호, 1956.1.16), '몽타주'(5호, 1956.1.23), '아메리카의 영화 잡지'(6호, 1956.1.30), '시나리오 ABC'(8호, 1956.2.13), '다큐멘터리 영화'(11호, 1956.3.5), '세계의 영화상'(12호, 1956.3.12), '옴니버스 영화'(13호, 1956.3.19) 등이다.

9 원본에는「白雪公主」와「情婦 마농」에 대한 해설 뒤에「自由夫人」과「流轉의 哀愁」에 대한 신 영화 소개가 이어지고 있다. 기간의 전집에서는「自由夫人」과「流轉의 哀愁」에 대한 소개 글까 지 더불어 수록했다. 그러나 '回想의 名畵'라는 부제와 영화의 개봉일자(「自由夫人」 1956년 6 월 9일,「流轉의 哀愁」 1956년 7월 25일)를 염두에 둔다면「自由夫人」과「流轉의 哀愁」는 박인환 의 글이 아니라고 판단되어 제외한다. 두 영화가 개봉되기 이미 3개월 전에 이미 박인환이 사망했기 때문이다.

2. 수필

분류	작품명	출전	발행연월일	비고
수상	故邊君	京畿公立中學校 學友會誌 7호	1940.6.20	작품 발굴
	유머 美學 女性美의 本質 코	婦人 4-3호	1949.4.30	
	失戀記	靑春 창간호	1951.8.1	작품 발굴
	내 고장 자랑 江原道 篇 原始林에 새소리 金剛은 國土의 자랑	新太陽 20호	1954.4.1	
	泉筆	民主警察 41호	1954.7.15	작품 발굴
	新綠에 붙여서 즐겁지 않은 季節	서울신문	1955.5.29	
	꿈같이 지낸 신생활	女性界 4-10호	1955.10.1	
시평	內外 時事 自由에서의 生存權 東部 百林 反共 暴動의 眞相	首都評論 3호	1953.8.1	
	女性에게	京鄕新聞	1954.1.8	
	現代 女性에게 보내는 메시지 여자여! 거짓말을 없애라!	女性界 3-4호	1954.4.1	
	美談이 있는 社會	家庭 창간호	1954.12.24	
	直言春秋 社會 全般에 걸친 批判·建議·意見	新太陽 44호	1956.4.1	유고
수기	三八線 現地 視察 報告 上, 中, 下	自由新聞	1949.4.26~28	작품 발굴
	서울 再奪還	司正報 14호	1951.4.9	작품 발굴
	戰線 畵帖 1 산·산·산	京鄕新聞	1951.11.21	작품 발굴
	追憶의 서울 서울驛에서 南大門까지	新太陽 4호	1952.11.1	
	動亂 手記 暗黑과 더부러 三個月	女性界 3-6호	1954.6.1	
	回想 우리의 約婚 時節 환경에의 유혹	女苑 2-2호	1956.2.1	작품 발굴
	밴 플리트 장군과 시	歲月이 가면	1982.1.15	유고
기행	十九日 間의 아메리카 上, 下	朝鮮日報	1955.5.13·17	
	아메리카 雜記 西北 美洲의 港口를 돌아	希望 5-7호	1955.7.1	
	特種 記事 美國에 사는 韓國 移民 그들의 生活과 意見	아리랑 11호	1955.12.1	
	몇 가지의 노트	世界의 印象	1956.5.20	유고
서간	이정숙에게	歲月이 가면	1982.1.15	유고
	사랑하는 아내에게	歲月이 가면	1982.1.15	유고
	사랑하는 나의 정숙이에게	歲月이 가면	1982.1.15	유고
	정숙, 사랑하는 아내에게	歲月이 가면	1982.1.15	유고
	정숙이	歲月이 가면	1982.1.15	유고
	정숙이	歲月이 가면	1982.1.15	유고
	무제	歲月이 가면	1982.1.15	유고
	정숙이	歲月이 가면	1982.1.15	유고
	정숙이	歲月이 가면	1982.1.15	유고

분류	작품명	출전	발행연월일	비고
	무제	歲月이 가면	1982.1.15	유고
	무제	歲月이 가면	1982.1.15	유고
	이봉구 형	歲月이 가면	1982.1.15	유고
	이봉구 학형	歲月이 가면	1982.1.15	유고

3. 산문 기타

분류	작품명	출전	발행연월일	비고
전기	英雄 傳記 成吉思汗 진기스칸	野談 5호	1955.11.1	
설문	說問 五月달에 당신은?	女性界 3-5호	1954.5.1	
좌담	男性이 본 現代 女性	女性界 3-6호	1954.6.1	
기사	서울 突入!	京鄕新聞	1951.2.13	
	果敢 六一八五 部隊 沈着, 餘裕 있는 進攻	京鄕新聞	1951.2.13	
	地下壕에 숨은 老幼 하루바삐 國軍의 入城만을 苦待	京鄕新聞	1951.2.13	작품 발굴
	一月 末現在 서울의 物價 小斗 한말에 二萬 二千 圓	京鄕新聞	1951.2.13	작품 발굴
	道路 沿邊은 거의 破裏相 鷺梁津 近方 山밑은 若干의 被害	京鄕新聞	1951.2.13	작품 발굴
	六一八五 部隊 漢江 沿岸 待機 서울 奪還 命令을 苦待	京鄕新聞	1951.2.18	
	혁혁한 戰果 六一八五 部隊 勇戰	京鄕新聞	1951.2.18	
	我軍 進擊 뒤이어 기쁨에 疲勞에도 姑捨! 情든 땅 찾는 從軍 避難民	京鄕新聞	1951.2.18	
	極度로 시달리는 食糧難 住民은 거의 饑餓 狀態	京鄕新聞	1951.2.18	
	漆黑의 강물 건너 우렁찬 對敵 肉聲의 傳波	京鄕新聞	1951.2.18	
	彼我 永登浦 漢南洞 間 對峙 敵은 兵力 補充에 汲汲	京鄕新聞	1951.2.20	작품 발굴
	짓밟힌 '民族 마음의 故鄕 서울' 首都 再奪還에 總蹶起하자!	京鄕新聞	1951.2.20	
	의복과 총을 바꾼 오랑캐 盜取品 메고 市街를 行步	京鄕新聞	1951.2.20	
	永登浦 鷺梁津은 이제부터 不變 서울 市內는	京鄕新聞	1951.2.20	
	中共軍 서울 退却? 傀儡軍만 最後 發惡	京鄕新聞	1951.2.21	
	裝備 없이 出戰한 오랑캐 手榴彈에 볶은 쌀가루뿐	京鄕新聞	1951.2.21	
	居昌事件 遂 言渡!	京鄕新聞	1951.12.18	
	兵器廠 放火犯 一黨 八名 主犯은 鄭芝漢	京鄕新聞	1952.1.3	작품 발굴
	例年에 없는 旱害 松皮나 먹도록 해 주오	京鄕新聞	1952.1.6	작품 발굴

4. 번역

분류	작품명	출전	발행연월일	비고
시	都市의 女子들을 위한 노래(알렉스 컴포트)	詩作 2집	1954.7.30	
소설	現代 探偵小說 選集 새벽의 死線(윌리엄 아이리시)	希望 2-8호	1952.9.1	작품 발굴
	名作 解說 우리들은 한 사람이 아니다(제임스 힐튼)	新太陽 21호	1954.5.1	작품 발굴
	世界 名作 解說 事件의 核心(그레이엄 그린)	民主警察 44호	1954.11.15	작품 발굴
	名作 紹介 바다의 殺人(어니스트 헤밍웨이)	新太陽 28호	1954.12.1	작품 발굴
	探偵小說 白晝의 惡魔(아가사 크리스티)	아리랑 2-2호	1956.2.1	작품 발굴
	名作 그림 이야기 자랑스러운 마음(펄 벅)	女苑 2-2호	1956.2.1	작품 발굴
	이별(윌러 캐더)	단행본	1959.10.10	작품 발굴 유저
희곡	慾望의 이름이라는 電車(테네시 윌리엄스)	미상10	미상	
기행	쏘聯의 內幕(존 스타인벡)	단행본	1952.5.15	작품 발굴

---

10 박인환은 1955년 극단 신협의 제38회 공연 작품인 「慾望이라는 이름의 電車」를 번역한 바 있다. 또한 사후에 출간된 번역 소설집 『離別』의 판권지에는 『慾望의 이름이라는 電車』가 역서로 기록되어 있기도 하다. 하지만 『慾望의 이름이라는 電車』의 원본을 확인하지 못했기 때문에 이것이 공연 대본이었는지 아니면 단행본으로 출간되었는지 등에 관한 구체적인 서지 사항은 알 수 없다.

작가 연보

1. ▶ 부분은 작가 연보를 구성하는 주요 사실들이다. 한글 표기를 원칙으로 하되 필요한 경우 (사건명, 인명, 단체명, 작품명, 도서명 등)에는 한자를 부기한다.
2. [문헌]은 작가 연보를 구성하는 주요 사실에 대한 1차 증빙자료이다. 원문을 현행 국어 어문 규정에 따라 한글로 적되 필요한 경우에는 한자로 표기한다.
3. [주석]은 작가 연보를 구성하는 주요 사실에 대한 보충 해설과 논평이다. 한글 표기를 원칙 으로 하되 필요한 경우에는 한자로 표기한다.
4. 도판은 작가 연보와 관련된 자료를 보여주거나 [문헌]의 내용을 대신할 필요가 있을 때 제 시한다. 자료명과 출전명은 원문대로 표기한다.

1926년 1세

▶ 8월 15일 강원도 인제군 인제면 상동리 159번지에서 아버지 박광선朴光善과 어머니 함숙형咸 淑亨의 4남 2녀 중 장남으로 출생하다.

1933년 8세

▶인제공립보통학교에 입학하다.

1936년 11세

▶ 경성으로 이주하여 종로구 내수동에서 얼마간 지낸 후 종로구 원서동 134번지로 이사하다.
▶ 덕수공립보통학교 4학년에 편입하다.

1938년 13세

▶ 3월 제3차 조선교육령(칙령 제103호) 개정에 따라 교명이 덕수공립보통학교에서 덕수공립소학 교로 변경되다.

1939년 14세

▶ 3월 18일 덕수공립소학교를 졸업하다.

▶ 4월 2일 경기공립중학교(5년제)에 입학하여 1학년 1반一年一組에 편성되다.

[주석] 「각 교 입시 합격자」(『매일신보』, 1939.3.20) 기사의 경기중학교 합격생 명단에서 박인환의 이름이 확인된다. 경기공립중학교 1939학년도 교지인 『학우회지』 7호를 참고하면 입학식은 4월 2일에 열렸으며, 이 책에 수록된 「고 변 군故邊君」의 서두에는 박인환의 학반이 '一年一組'로 기록되어 있다.

1940년 15세

▶ 종로구 원서동 215번지로 이사하다.

▶ 6월 20일 경기공립중학교 『학우회지』 7호(1939학년도 교지)에 수필 「고 변 군故邊君」을 발표하다.

『學友會誌』 7호(京畿公立中學校, 1940.6.20)의 앞표지   「故邊君」,(『學友會誌』 7호, 38〜39쪽)의 본문 첫째 면

1941년 16세

▶ 3월 16일 경기공립중학교를 자퇴하고, 한성학교 야학에 다니다.

1942년 17세

▶ 황해도 재령의 명신중학교 4학년에 편입하다.

1944년 19세

▶ 명신중학교를 졸업하고, 관립 평양의학전문학교(3년제)에 입학하여 해방 무렵까지 2년 동안
 수학하다.

[문헌] 「집필시인약력」(강세균 편, 『애국시삼십삼인집』, 대한군사원호문화사, 1952.3.5, 140쪽)
 학력 평양의전 이년 수업.

1945년 20세

▶ 광복 후 평양의학전문학교를 중퇴하고 상경하다.
▶ 1945년 말 종로 3가 2번지에 서점 마리서사茉莉書舍를 개업하다.

[주석1] 유족과 김수영의 증언에 따르면 박인환은 1945년 말에 마리서사를 개업하여
1948년 초까지 만 2년여 정도 운영한 것 같다. 서점의 상호에 대해 유족 측은 프랑스의
여류화가 '마리 로랑생'의 이름을 따왔다고 증언한 반면, 김수영은 일본의 모더니즘
시인인 안자이 후유에(安西冬衛, 1898~1965)의 시집 군함마리軍艦茉莉에서 차용했다고 회
고한 바 있다.

[문헌1] 편집부, 「마리서사와 마리 로랑생」(김광균 외, 『세월이 가면』, 근역서재, 1982, 272~276쪽)
 헤방되던 해를 넘기기 전의 일로 알려지고 있는데, 아버지한테서 돈 3만 원과 작은 이
 모에게서 돈 2만 원을 얻어 가지고 종로3가 2번지 ― 파고다 공원 정문에서 동대문 쪽으
 로 약 60미터 거리인 낙원동 입구 ―에서 이모부의 포목점 바로 옆 자리에다 서점을 열었
 다. 그가 책방을 경영한 가장 큰 동기는 '책을 좋아했기 때문'이었다고 한다. (…중략…)
 마리서사의 '마리'에 대하여 부인 이정숙 여사는 다른 이야기를 들려주었다. 부인은 "마
 리 로랑생인지 하는 프랑스의 여류 예술가가 있었는데, 그 여자를 좋아해서 그녀의 이름

마리를 붙였다고 한 말을 들었다." 이렇게 한마디로 이야기해 주었다.

[문헌2] 김수영, 「茉莉書舍」(이병도 외, 『고요한 기대』, 창우사, 1965, 64~65쪽)

　　죽은 인환이가 해방 후에 종로에서 한 이년 동안 책가게를 한 일이 있었다. 그가 자유신
문사에 들어간 것이 책가게를 집어치운 후였고, 명동에 진출한 것이 『경향신문』에 들어
갔을 무렵부터이었으니까 문단의 어중이떠중이들은 — 인환이하고 가장 가까운 체하는
친구들까지도 — 그의 책가게 시대를 잘 모른다. (…중략…) 요즘의 소위 '난해시'라는 것
을 그는 벌써 그 당시에 해방 후 처음으로 본격적으로 시작하고 있었다. 그의 책방에는
그 방면의 베테랑들인 이시우 조우식 김기림 김광균 등도 차차 얼굴을 보이었고, 그 밖에
이흡 오장환 배인철 김병욱 이한직 임호권 등의 리버럴리스트도 자주 나타나게 되어서
전위예술의 소굴 같은 감을 주게 되었지만, 그때는 벌써 마리서사가 속화의 제일보를 내
딛기 시작한 때이었다. 인환의 최면술의 스승은 따로 있었다. 박일영朴一英이라는 화명畫
名을 가진 초현실주의 화가였다. 그때 우리들은 그를 '복쌍'이라는 일제 강점기의 호칭을
그대로 부르고 있었다. (…중략…) 말리서사의 '말리'를 시집 『軍艦말리』에서 따 준 것도
이 복쌍이었다.

茉莉書舍의 서점인

[주석2] 편자들은 『횃불—해방기념시집』(우리문학사, 1946.4.20)
의 면지에 찍힌 마리서사의 서점인을 확인했다. '茉莉書舍 서울
鍾路三街二'라는 서점인을 통해 박인환이 1946년 봄 무렵 실제
로 마리서사를 운영했으며, 그 주소도 유족의 증언대로 종로 3
가 2번지였음을 알 수 있다. 한편 박인환은 마리서사를 서적 총
판매소로도 활용했다. 우영雨映이 편집한 『신인문학』 1집(조선
문학신인회서기국출판부, 1947.10.25)의 판권지에는 마리서사가 총
판매소로 기록되어 있다.

『新人文學』제1집(朝鮮文學新人會書記局出版部,
1947.10.25)의 앞표지

『新人文學』제1집의 판권지

1946년 21세

▶ 6월 20일 조선청년문학가협회 시부가 주최한 '예술의 밤'에 참여하다. 예술의 밤 낭독시집인
『순수시선』(팔월시회 청년문학가협회시부 발행)에 시 「단층斷層」을 발표하고 이를 낭독하다.

[주석] 「단층」(『순수시선』, 팔월시회 청년문학가협회시부, 1946.6.20)은 현재까지 확인된, 박
인환이 발표한 최초의 실물 작품이다. 「단층」은 「불행한 샨송」으로 개제, 개작되어
『선시집』에 수록되었다.

「단층」이 발굴되기 전까지만 해도 박인환의 최초 발표작은 「거리」(『국제신보』, 1946.12)
로 알려져 왔다. 가장 최근에 발행된 전집인 『박인환 전집』(맹문재 편, 실천문학사, 2008)
의 작품 연보에서도 「거리」를 최초 발표작으로 인정하고, 그 서지사항을 '거리 국제신
보 1946.12 『목마와 숙녀』(근역서재, 1979)에 근거'라고 정리했다. 그러는 한편 편자는
발표지면인 『국제신보』의 정체에 대해 다음과 같은 의문을 제기하기도 했다.

지금까지 박인환은 1946년 12월 『국제신보』에 「거리」를 발표하면서 등단했다고 알려
져 있다. 그렇지만 필자가 확인해 본 결과 정답처럼 알고 있는 이 사실은 재고되어야 한
다. 『국제신문』의 전신 『국제신보』는 1947년 9월 1일 『산업신문』이라는 제호로 창간되
었다. 『국제신보』는 한국전쟁 동안인 1950년 8월 19일 바꾼 제호이다. (…중략…) 이와

같은 사실로 볼 때 박인환의 등단 연도, 등단 매체, 등단 작품은 정확하게 알 수 없다. 「거리」를 등단작으로 인정한다고 치더라도 1946년에 존속하지 않은 『국제신보』를 등단 매체라고 할 수는 없는 것이다.(맹문재 편, 『박인환 전집』, 실천문학사, 2008, 652~653쪽)

이 논의의 핵심은 「거리」의 발표 지면이 불분명하다는 점을 지적한 데 있다. 1950년부터 발행된 『국제신보』에 「거리」가 발표되었을 리 없다는 편자의 지적은 일면 타당성을 지닌다. 하지만 「거리」의 출전에 관한 편자의 논의는 두 가지 점에서 모순과 오류를 범하고 있다. 편자 스스로 『국제신보』에 「거리」가 게재되었을 가능성이 희박하다고 추론했음에도 불구하고 작품 연보에서는 여전히 출전을 『국제신보』로 적고 있으며, 그 출전의 근거로 『목마와 숙녀』(근역서재, 1979)를 들고 있기 때문이다. 즉 전자는 논리적 모순성을, 후자는 문헌학적 오류를 드러낸다. 특히 후자의 경우에는 『목마와 숙녀』 그 어디에도 「거리」가 『국제신보』에 발표되었다는 기록이 없다는 점에서 서지 정보를 왜곡했다는 비판을 면하기 어렵다.

「거리」가 문헌에 처음 등장한 것은 박인환 사후 20주기를 추모하여 유족들이 엮은 『목마와 숙녀』(근역서재, 1976)에서이다. 이 시집에는 『선시집』에 수록된 56편의 시 작품 중 「자본가에게」와 「문제 되는 것」 등 2편이 제외되고 「거리」, 「지하실」, 「이국항구」, 「이 거리는 환영한다」, 「어떠한 날까지」, 「세월이 가면」, 「가을의 유혹」 등 7편이 추보되어 총 61편의 시 작품이 수록되었다. 「거리」가 실린 지면을 살펴보면, 작품 말미에 '一九四六年 十二月'만 표기되어 있을 뿐 발표지면 등 다른 사항은 기록되어 있지 않다. 만약 게재지가 함께 소개되었다면 '1946년 12월'은 발표연월로 보는 것이 맞지만, 작품 말미에 연월만 표기되어 있을 경우 이는 창작연월로 간주하는 것이 마땅하다.

그렇다면 「거리」의 '1946년 12월 『국제신보』' 발표설은 어떻게 생산되고 유포된 것일까. 그것은 박인환의 연보를 작성하는 과정에서 몇 단계의 윤색을 거쳐 사실의 왜곡이 심화되었기 때문에 빚어졌다. 먼저 『세월이 가면』(근역서재, 1982)의 작가 연보에서는 '1946년 12월'이 창작 시기가 아닌 발표 시기로 바뀌게 된다. 그런 다음 박인환 30주기를 맞이하여 발행된 『박인환 전집』(문학세계사, 1986)의 작가 연보를 통해 '「거리」, 『국제신보』, 1946년 12월 발표'설이 본격적으로 대두되었다. 문제는 이 견해가 어떠한 문헌학적 근거도 갖추지 않은 자의적인 주장이라는 점에 있다. 그럼에도 불구하고 『박인환 전집』의 발행 이후 『국제신보』 발표설을 무의식적으로 받아들인 연구들이 다수 수행됨으로써 박인환의 등단에 관한 잘못된 정보가 널리 퍼지게 된 것이다. 문학세계사 발행본 이후의 전집들도 이러한 왜곡을 심화시키는 데 가세했다. 문승묵 편집본과 맹문재 편집본은 「거리」의 『국제신보』 발표설을 받아들이면서 그 출전으로 『목마와 숙녀』를 들었다. 하지만 『목마와 숙녀』에는 '1946년 12월'이라는 창작연월만 표기되어 있을 뿐 발표지면 등의 다른 서지 정보는 제시되지 않고 있다. 즉 편자들에 의해 근거 없는 출전이 임의대로 만들어진 것이다. 이처럼 「거리」의 서지정보는 발표연도, 발표지면, 출전(인용 근거)의 순으로 왜곡이 점점 심화되는 양상을 띤다.

「단층」의 발굴로 「거리」가 박인환의 최초 발표작이 아님이 분명해졌다. 또한 앞서 밝힌 것처럼 「거리」의 『국제신보』 발표설도 설득력이 없는 주장에 불과할 따름이다. 『목마와 숙녀』의 「거리」 말미에 있는 '一九四六年 十二月'은 발표연월이 아닌 창작연월을 표기한 것이며, 『국제신보』 또한 1946년 12월에 발행된 적이 없기 때문이다. 그렇다면 「거리」는 「이 거리는 환영한다」, 「어떠한 날까지」와 마찬가지로 『목마와 숙녀』에 처음 발표된 작품으로 간주하는 것이 마땅하다.

[문헌] 「예술의 밤 개최」(『동아일보』, 1946.6.15) 기사
조선청년문학가협회 시부에서는 오는 6월 20일 오후 6시부터 조선기독교청년회관에서 백조시대 이래의 시단 악단의 권위 총망라로 '예술의 밤'을 개최하리라는데 이에 참가할 시인 음악가의 씨명은 다음과 같다고 한다.
◇시단 박월탄 양주동 오상순 조운 변영로 김영랑 김광섭 정지용 이병기 이하윤 김달진 유치환 서정주 신석초 윤태웅 박두진 박목월 조지훈 이한직 김수돈 조연현 이정호 조인행 송돈식 이상로 박인환 모윤숙 김오남
◇악단 김형로 안병소 김순애 김자경 경기여고합창단

『純粹詩選─藝術의 밤 朗讀詩集』(八月詩會 靑年文學家協會詩部, 1946.6.20)의 앞표지

藝 術 의 밤 順 序

6月20日 下午6時30分 ● 鍾路YMCA會舘

司會　柳　致　環

1. 開 會 辭　趙 芝 薰

第 1 部

2. 合 唱　京畿高女合唱團
　①忠誠歌 鄭圓臣詩 朴殷用曲　②그리운江南 金石松詩 安基永曲
　③榮光 모찰트曲
3. 故人詩朗讀

진달래꽃	金素月	辛	錦 善愛
나의寢室로	李相和	金	順 愛緖
山 居	韓龍雲	朴	喜 善緖
떠나가는배	朴龍喆	辛	錦 善緖
五月의花壇	吳一島	朴	喜 緖

4. 바이오린獨奏　安 柄 珆
5. 自作詩朗讀

日月・植木祭	柳	致	環薰
借舞・芭蕉雨	趙	芝	木月行
산그늘・閏四月	朴	仁	吉
霧夜行	趙	宗	稷鎭
落花賦	金	漢	鎭植
騈儷體	李	達	演珺
꿈・諦念	金	宋	敦慈
나홀로가는길			
忍冬의노래	宋	金	

6. 獨 唱
　①또하나다른太陽 鄭圓溶詩 金順愛曲　②愛愁 金珖燮詩 金順愛曲
　③落 花 趙芝薰詩 金順愛曲
7. 自作詩朗讀

史論・朝鮮의脈搏	梁	柱	東
코 향	異	河	潤溶
白鹿潭	鄭	芝	郎變
모란・五月	金	永	珖
海愁・마음	金		

第 2 部

8. 純粹詩의思想　金 東 里
9. 피아노獨奏　金 順 愛
10. 自作詩朗讀

歸蜀道・復活	徐	廷	柱
나 무	尹	泰	雄煥
바 라 춤	申	石	艸鎭
斷 層	朴	寅	煥鎬
해・墓地頌	朴	斗	鎬
玉 笛	李	正	鎬
召 燕 歌	金	洙	敦
五 月	李	相	

11. 自作詩朗讀

나는王이로소이다	洪	露	雀
靑磁賦・白磁賦	朴	鍾	和淳
아시아의 마지막 밤風景	吳	相	淳
땅거미질때・꿈	卞	榮	魯
팔아외롬사서	李	乘	岐
파랑새・監房	金	炯	魯

12. 獨 唱
　①幻 想 金珖燮詩 金順愛曲　②다른하늘 鄭芝溶詩 金順愛曲
　③밤 金順愛詩 同人曲
13. 合 唱　京畿高女合唱團
　①알모하오메 널리워할 따니曲　②流浪의무리 슈만曲
　③花爛春城 金順愛曲
14. 詩人賞創定披露　朴 斗 鎭
15. 閉 會

「藝術의 밤 順序」

▶ 7월 20일 김병욱, 양병식, 김수영, 박일영, 송기태, 이한직 등과 '전후 세계의 현대시의 동향과 새 시인 소개'라는 문학 행사를 개최하려고 기획했으나 무산되다.

[문헌] 박인환, 「'전후 세계의 현대시의 동향과 새 시인 소개' 초안 메모」(김광균 외, 『세월이 가면』, 근역서재, 1982, 화보)

> 20日. July. 46
>
> Sat. 6.30-10.00 p.m.
>
> 金秉旭 梁秉植 朴寅煥 金洙暎 朴一英 宋基態 李漢稷
>
> 사회 : 이한직
>
> 선언문 낭독 : 송기태
>
> 현 시단에 보내는 메시지 : 박인환
>
> 번역시 낭독 : 박인환 김수영
>
> 원시 낭독 : 김수영 김병욱 이한직
>
> 자작시 낭독 : 회원
>
> 강연 : 이한직
>
> Print 낭독시집 Program

1947년 22세

▶ 5월 10일 발생한 시인 배인철裵仁喆 사망 사건과 관련하여 중부경찰서에서 조사를 받다.

[문헌] 「남산에서 남녀 권총 살해 사건」(『경향신문』, 1947.5.13) 기사

> 10일 오후 6시 반경 시내 필동 3가 부근 남산에서 살인 사건이 있었다. 피해자는 모 대학 교수 배인철(裵寅鐵=28 가명) 씨와 모 여자대학생 김명자(金明子=21 가명) 양으로 이 두 사람은 이날 서울극장에서 영화 구경을 하고 남산을 산보하던 중 돌연 괴한이 나타나서 권총을 발사하여 전기 배 씨는 머리에 관통상을 입어 즉사하고 김 양은 왼쪽 배에 부상을 입은 것인데 소관 중부서에서는 치정 관계로 인정하고 서적상을 경영하는 박 모 외 남자 대학생 약간 명을 구속 취조 중에 있다 한다. 한편 이 살인 사건은 치정 관계가 아니라 전기 배 씨가 모 단체의 소속원이므로 반대 측에서 정치적인 대립 관계로 살해한 것이라는 말도 있다.

[주석] 신문 기사의 당사자인 裵寅鐵의 본명은 배인철(裵仁哲, 1920~1947)로 인천에서 출생하여 인천제일공립보통학교와 중앙고보를 거쳐 일본대학 영문과에서 수학했다. 1944년 징용을 피해 중국 상해로 피신하였다가 충남 서산으로 잠입하여 은거하던 중 해방을 맞이했다. 그는 해방 직후 인천에서 신예술가협회를 조직하여 오장환, 함세덕, 김영건, 조규봉, 김만형, 최재덕, 서정주 등과 친교하며 몇 차례의 문화강연회(문학 : 임화 김남천 이원조, 미술 : 김주경, 연극 : 안영일, 영화 : 김정혁)를 개최하기도 했다. 1946년 이후 박인환이 경영하는 마리서사를 드나들며 김기림, 김광균, 오장환, 김병욱, 이한직, 임호권 등과 교유하는 한편 조선문학가동맹에 가담하여 본격적인 문학 활동을 전개했다. 해양대학에 재직하던 1947년 5월 불의의 총격사고로 의문사함으로써 그의 작품 활동은 매우 한정적일 수밖에 없지만, 흑인들의 피압박 현실과 해방기 조선의 신식민지적 실상을 절묘하게 매개시킴으로써 당대 시단의 주목을 끌었다. 배인철이 남긴 시 작품에는 「노예해안」(『독립신보』, 1947.1.1), 「흑인녀」(『백제』 3호, 1947.2), 「쪼 · 루이스에게」(『문화창조』 2호, 1947.3; 『신천지』 4-1호, 1949.1), 「인종선─흑인 쫀슨에게」(『연간조선시집』, 조선문학가동맹, 1947.4), 「흑인부대」(조병화, 「흑인부대와 배인철」, 『현대문학』 98호, 1963.2) 등이 있다. 박인환의 「남풍」과 「인도네시아 인민에게 주는 시」 등은 약소민족의 역사적 상황에 견줘 해방기 현실을 풍유적으로 묘파했다는 점에서 배인철의 흑인시와 그 발상법을 같이한다.

한편 신문 기사의 또 다른 당사자인 金明子의 본명은 김현경金顯敬으로 1950년 시인 김수영과 결혼했다.

▶ 연말 무렵 김경린金璟麟, 김경희金景熹, 김병욱金秉旭, 임호권林虎權과 시 동인 '신시론新詩論'을 결성하다.

[주석] 시인 장만영은 해방기에서부터 1960년대 말까지 출판사인 산호장을 운영했다. 산호장에서 발행된 주요 출판물로는 『빈처』(현진건), 『소녀의 노래』(릴케, 윤태웅 역, 1947.12.13), 『맹인과 그의 형』(슈니츨러, 김진섭 역), 『소월민요집』(장만영 편, 1948.1), 『블레익시초』(블레이크, 임학수 역, 1948.7.20), 『원유회』(맨스필드, 장서언 역, 1948.8.10), 『배신자』(메리메, 전창식 역, 1948.10.10) 등의 산호문고를 비롯하여 시집 『기상도』 재간본(김기림, 1948.9.20), 『유년송』(장만영, 1948.10.30), 『추풍령』(김철수, 1949.1.15), 『버리고 싶은 유산』(조병화, 1949.7.1), 『하루만의 위안』(조병화, 1950.4.13), 『인간고도』(조병화, 1954.3.20),

『나비와 광장』 초판본(김규동, 1955.10.20), 『선시집』(박인환, 1955.10.15. 1955년 10월 15일은 시작사 판본의 발행 예정일이고, 현전하는 『선시집』은 산호장에서 1956년 1월에 간행됨. 산호장 판본은 시작사 판본의 발행연월일을 그대로 따랐기 때문에 판권지의 기록과 실제 간행연월이 일치하지 않음. 이 점에 대해서는 작가 연보의 1955년 항목을 참조하기 바람), 『다시 살아나는 생명』(김봉룡, 1957.4.20), 『황혼가』(김광균, 1957.7.1 초판 / 1969.12.30 재판), 『나아드의 향유』 재판본(김남조, 1959.6.30), 『와사등』 개정본(김광균, 1960.9.25) 등과 수필집 『예루살렘의 닭』(유치환, 1953.4.20), 그리고 시론서 『현대시감상』(장만영, 1952.12.10), 『시의 원리』(조지훈, 1953.6.20), 『새로운 시론』(김규동, 1959.7.30) 등이 있다. 이외에 인천지역의 문학동인지인 『소택지대』(1955.4.15)도 발행했다. 이처럼 장만영은 해방 이후 1950년대까지 꾸준하게 출판 활동을 벌였기 때문에 『신시론』 제1집의 간행에도 기여할 수 있었다. 이 점은 박인환의 증언(「후기」, 『신시론』 제1집, 산호장, 1948.4.20, 16쪽)에서도 여실히 확인된다. 박인환의 증언처럼 장만영의 지원으로 동인 결성이 활성화되었다면, 신시론의 결성 시기는 장만영이 출판 활동을 벌인 직후일 가능성이 짙다. 산호장의 최초 간행물(산호문고1 『빈처』의 발행일을 확인하지 못했기 때문에 산호문고2 『소녀의 노래』를 비교 대상으로 삼음)은 1947년 12월 13일 발행되었고, 산호장의 정식적인 출판사 등록은 1947년 12월 31일에 이루어졌다. 이런 점으로 미루어 보아 신시론 동인의 결성 시기는 1947년 연말쯤으로 추정할 수 있다.

신시론의 결성 시기와 아울러 문학사에서 자주 혼동되고 있는 신시론의 동인 구성 문제도 명확하게 확정될 필요가 있다. 가장 최근에 작성된 『박인환 전집』(맹문재 편, 실천문학사, 2008, 672쪽)과 『약전으로 읽는 문학사』(근대문학100년 연구총서 편찬위원회, 소명출판, 2008, 173~176쪽)의 「박인환 연보」에는 박인환 이외에 양병식, 김차영, 김규동, 김수영, 김경희, 김병욱 등이 신시론 동인으로 참여했다고 소개되어 있다. 그러나 이러한 기술은 "우리는 김수영, 임호권, 양병식 등과 함께 1948년 4월에 『신시론』 1집을, 1949년 4월 앤솔로지 『새로운 도시와 시민들의 합창』을 발간하기에 이르렀다"(김경린, 「인환과 나와 그리고 현대시 운동」, 김광균 외, 『세월이 가면』, 근역서재, 1982, 175쪽)라는 증언을 검증 없이 수용했거나 신시론 동인과 후반기 동인을 혼동했기 때문에 빚어진 결과이다. 박인환과 김경희가 작성한 『신시론』 제1집의 「후기」에는 박인환, 김경린, 김경희, 김병욱, 임호권 등 5인이 신시론 초기 동인으로 적시되어 있다. 즉 김수영과 양병식은 『새로운 도시와 시민들의 합창』(1949.4.5)에 관여한 신시론의 후기 동인으로 『신시론』

제1집(1948.4.20)이 간행될 당시의 초기 동인은 아니었다. 한편 김차영과 김규동은 후반기 동인으로 신시론 활동과는 무관한 시인들이다.

[문헌1] 박인환, 「후기」(『신시론』 제1집, 산호장, 1948.4.20, 16쪽)

　　어느 날 다방에서 T. S. 엘리엇의 「황무지」의 번역에 관하여 이야기하고 있는 분을 쳐다보았더니 그가 내가 잘 아는 C의 친우인 김경희 씨라는 것을 알게 되었다. 며칠 후 前記 다방에서 잡담 비슷한 동인지의 말을 하고 있었는데 우연히도 나타나신 분이 장만영 씨이다. 장 씨는 곧 당신네들이 새로운 시 운동을 끝끝내 하신다면 넉넉지 못한 재정이나마 힘자라는 데까지 협력을 하여 주겠다는 믿을 수 없는 선의의 말이었다. 그리하여 그길로 임호권 씨 김경린 씨를 찾았다. 얼마 되어 김경린 씨가 부산에 내려가 김병욱 씨에게 연락을 하였다. 참으로 우연한 소 사건이었다. 이리하여 신시론이라는 제호는 탄생하였다. 신시론은 절대로 상업 잡지가 아니다. 시와 문화의 새로운 발전을 위해서 上記의 시인들이 먼저 동인이 되고 거기에 새로운 시와 시론의 기고를 기재할 뿐이다.

[문헌2] 김경희, 「후기」(『신시론』 제1집, 산호장, 1948.4.20, 16쪽)

　　인환이가 결혼할 날도 멀지 않았다. Will-Mrs.와 함께 거니는 그의 모습은 댄디스럽다. 계산기와 같은 경린의 미소가 이층 아래로 그들을 따라간다. 거북이 같은 호권이가 한 잔의 위스키에 얼근하여 그에게 설교한다. 노가다를 했다는 병욱이는 여학생들을 앞에 두고 무슨 말을 하는지. 나는 봄이 되어 제주 바다 넘어서 돌아올 病妻를 위해 조그만 준비를 하느라고 바쁘게 돌아다니고 있다.

1948년 23세

▶ 입춘을 즈음하여 마리서사를 폐업하다.

▶ 4월 20일 김경린, 김경희, 김병욱, 임호권과 동인지 『신시론』 제1집을 산호장에서 간행하다. 여기에 시 「골키―의 달밤」과 평론 「시단시평」을 발표하다.

[문헌1] 「시지 『신시론』 제1집을 발간」(『경향신문』, 1948.4.3) 기사

　　예쁘장스러운 문고 출판으로 특색을 가진 서울 산호장에는 이번에 詩誌 『신시론』 제1집을 내게 되었다는데 그 편집위원은 김병욱 박인환 임호권 외 수인이라고 한다.

[주석] 장만영에게서 『신시론』 1집의 발행 약속을 얻어낸 것 이외에 박인환이 초기 동인 활동의 중심 역할을 맡았음을 알 수 있는 또 다른 근거는 『신시론』 1집의 표지 장정이다. 할스먼(Philippe Halsman, 1906~1979)의 인물 사진 〈Lauren Bacall was named "The Look"〉을 활용한 『신시론』 1집의 표지 장정은 당대 박인환의 예술적 관심을 그대로 드러낸다. 할스먼은 유명인들의 인물 사진을 주로 찍은 사진작가로 그의 초기 대표작으로는 초현실주의 화가인 달리의 기괴한 포즈를 담은 사진집 『달리의 콧수염(*Dali's Mustache*)』(1954)이 널리 알려져 있다. 김수영의 회고에 의하면 박인환은 할스먼의 이 사진을 마리서사에 걸어 놓을 정도로 그의 작품을 선호

『新詩論』 제1집(珊瑚莊, 1948.4.20)의 앞표지

했다고 한다(김수영, 「茉莉書舍」, 이병도 외, 『고요한 기대』, 창우사, 1965, 64쪽). 할스먼의 사진 작품 〈Lauren Bacall was named "The Look"〉의 모델인 로렌 바콜(Lauren Bacall, 1924~2014) 역시 박인환이 좋아했던 여배우이다. 박인환은 자신의 예술적 기호에 따라 로렌 바콜을 찍은 할스먼의 사진으로 『신시론』 1집의 표지를 장정했던 것이다. 전집 편찬 과정에서 새롭게 발굴된 「로렌 바콜에게」라는 산문(『신경향』 2-6호, 1950.6.1)을 통해 박인환의 그녀에 대한 호감과 『신시론』 1집의 표지 장정에 얽힌 비화를 엿볼 수 있다.

[문헌2] 박인환, 「로렌 바콜에게」,(『신경향』 2-6호, 1950.6.1, 48쪽)
　　　　처음 바콜을 발견하였을 때의 나의 환희는 하늘을 나는 천사와도 같았고 연못가에서 사랑을 고할 때와도 같은 치밀어 오는 즐거움을 느꼈습니다. 수만리를 떨어져 사는 비극으로 지상紙上에서 사진으로 볼 수밖에 없었는데 그 사진을 촬영한 사람은 현대 아메리카사

진 예술가로서는 제일자인 '필립 할스먼'이었습니다. 그는 '윌리키' '버그만' 미술가 '달리'의 긴 수염이 특징인 얼굴과 음악가 '레오폴드 스토코프스키' 그리고 당신의 허즈번드 '험프리 보가트' 등 여러 인상적이며 사실적인 프로필을 보여주는 한편 '로렌 바콜'의 이름은 '룩(LOOK)'이라는 설명문을 걸고 오늘의 근대적 시각을 상징하고 있는 불안의 의혹에 넘친 지성적인 눈과 황폐한 현대문명에서 떠나간 과거에의 노스탤지어를 회상케 하는 당신의 원시적(야성적이라는 것이 지당할 지도 모름)인 자태를 소개하였던 것입니다. 나는 그 무렵 우리들의 비상업적인 동인 시지 『신시론』의 표지 구성에 부심하였을 때인 만큼 동인들과 당신의 포트레이트(이는 할스먼 작품이라는 데 더욱 의의가 있었다)를 우리 잡지의 겉장으로 하자고 주장하였는데 이들의 대부분은 영화 잡지가 아닌 순수한 시지의 표지를 여배우의 얼굴로 조화시킨다는 것은 저속한 일이라고 거부했으나 수일 후 당신의 얼굴이 발산하는 페시미스틱한 어떠한 영감이 우리의 시 정신과 흡사하며 우리의 문명 비판적 시각이 당신의 근대적인 눈의 모색과 복합이 빚어내는 환상의 감정과 공통된다는 데 의견의 일치를 보고 우리 잡지는 바콜의 얼굴과 함께 인습의 거리에 나타났습니다. 일반은 물론 여러 문화인의 비난의 소리는 높았고 표지에 대한 공격은 전개되었습니다. 이 잡지는 이 호로 절명되어 버렸고 비난이 고조할수록 나의 당신에 대한 애호감은 가일층 점고蘯高되었습니다. 이것이 당신을 처음으로 우리나라에 소개한 나에 대한 박해이었습니다.

▶ **4월경 덕수궁에서 이정숙李丁淑과 결혼하고, 종로구 세종로 135번지로 이거하다.**

[주석] 김경희의 「후기」를 참조하면 박인환의 결혼 시기는 『신시론』 제1집 발간 무렵이 된다. 편자들에 의해 새롭게 발굴된 「환경에의 유혹」(『여원』 2-2호, 1956.2)에도 박인환의 결혼 시기는 1948년 4월로 밝혀져 있다. 「환경에의 유혹」은 박인환이 자신의 약혼 시절을 회상한 글이다. 한편 전향 「성명서」(『자유신문』, 1949.12.4) 및 「시인 박인환씨 사망」 기사(『경향신문』, 1956.3.22)에 기재된 주소가 '서울시 종로구 세종로 135'인 것으로 보아 박인환은 결혼 이후 사망 시까지 줄곧 이곳에 거주했음을 알 수 있다.

[문헌] 박인환, 「환경에의 유혹」(『여원』 2-2호, 1956.2.1, 245쪽)

　　　1947년 초겨울에 약혼을 하였습니다. (…중략…) 그 다음해 4월에 결혼을 하기까지 약혼 시절을 5, 6개월 보낸 것 같습니다.

▶ 11월 이전에 자유신문사 문화부 기자로 입사하다.

[주석] 박인환과 같이 근무한 적이 있는 이혜복은 박인환이 1948년 자유신문사에 입사했다고 증언했다.

> 시인 박인환 씨를 알게 된 것은 내가 풋내기 기자로 뛰어다니던 시절이었다. 그러니까, 1948년의 일, 햇수로 33년 전의 일이다. (이혜복, 「박인환 씨와 자유신문 시절」, 김광균 외, 『세월이 가면』, 근역서재, 1982, 175쪽)

그런데 박인환은 『자유신문』에 동시 「언덕」(1948.11.25)을 발표한 후, 문화 기사 「정종여 동양화 개인전을 보고」(1948.12.12)를 잇달아 게재한 바 있다. 이러한 사실과 '進呈 自由新聞 朴寅煥 先生'이라는 문구가 앞표지에 적힌 『민성』 5-1호(1948.12.30)의 실물을 참고하면 박인환의 자유신문사 입사 시기는 1948년 11월 이전으로 추정할 수 있다.

『民聲』 5-1호(高麗文化社, 1948.12.30)의 앞표지

▶ 4월 5일 김경린金璟麟, 임호권林虎權, 김수영金洙暎, 양병식梁秉植과 동인시집『새로운 도시와 시민들의 합창』을 도시문화사에서 간행하다. '장미의 온도'라는 소제목 아래 시「열차」, 「지하실」, 「인천항」, 「남풍」, 「인도네시아 인민에게 주는 시」를 수록하다.

[주석1] 1948년 12월 26일 자『경향신문』에는 김병욱, 임호권, 박인환, 김경린, 김종욱이 동인이 되어 1949년 1월 20일에『새로운 도시와 시민들의 합창』을 발간할 것이라는 기사가 실려 있다. 그러나 신시론 동인들 간에 발생한 사상적 대립으로 인해 동인이 교체되고 간행 시기도 1949년 4월로 늦춰지게 되었다. 즉 현실주의를 문학적 토대로 삼았던 김병욱 등은 해방기 민족의 현실을 직시하고 이에 대응하는 시운동을 벌이려고 했던 반면, 김경린은 '언어의 구상성'에 관심을 기울여 문학의 정치적 참여에 반대했다. 결국 양측은『새로운 도시와 시민들의 합창』의 간행을 둘러싸고 이념적으로 충돌하게 된다. 그 결과 조선문학가동맹에 가담했던 김병욱, 김종욱이 신시론에서 탈퇴하고 김수영과 양병식이 새로운 동인으로 충원되었다. 김경린의『새로운 도시와 시민들의 합창』「후기」, 이진섭의「후반기 동인 노트」, 김수영의 회고 등에서 이러한 문학적 갈등 양상을 확인할 수 있다.

[문헌1]「신시론 동인 앤솔러지 발간」(『경향신문』, 1948.12.26) 기사

새로운 시의 발전을 위해 애써오던 신시론 동인 金秉旭 林虎權 朴寅煥 金璟麟 金宗郁 제씨는 이번 최초의 앤솔러지「새로운 도시와 시민들의 합창」을 발간키로 되었다는 바 편집 겸 발행자는 洪性弗 씨이며 명년 정월 20일에 발매되리라 한다.

[주석2]「신시론 동인 앤솔러지 발간」(『경향신문』, 1948.12.26) 기사를 참조하면,『신시론』1집 간행 이후 동인 구성에 약간의 변화가 있었음을 알 수 있다. 즉 김경희 대신 金宗郁이 새로운 동인으로 참여한 것이다. 그러나 김종욱은 실제적인 동인 활동을 펼치지는 못했다. 동인들 간의 사상적 대립으로 인해『새로운 도시와 시민들의 합창』의 발행이 지연되자 신시론을 탈퇴했기 때문이다. 김종욱은 '흑인문학특집'(『신천지』4-1호, 1949.1.1)에「흑인시초」를 번역하여 게재했으며, 우리나라 초유의 흑인시 번역시집인『강한 사람들』(민교사, 1949.1.10)을 간행하기도 했다. 흑인시를 창작한 배인철과 흑

인시를 번역한 김종욱이 박인환 및 신시론 동인들과 직간접적으로 연관된 사실은 초기 신시론의 정체성을 규명하는 주안점이 될 수 있다.

[문헌2] 「신간소개」(『자유신문』, 1949.5.17) 기사
　　새로운 도시와 시민들의 합창(신시론 시
　　집) 김경린 임호권 박인환 김수영 양병식 5
　　인 시집=도시문화사 발행=價350원

[문헌3] 김경린, 「후기」(『새로운 도시와 시민들의
합창』, 도시문화사, 1949.4.5, 95쪽)

　　'신시론'을 어떠한 시인들의 모임이라
고 평하는 것도 자유다. 그러나 우리들은
어떠한 정치적인 세력에 공헌하기 위한 모
임이 아님은 자명한 일이다. 정치도 현실
인 이상 그리고 시인이 현실 위에 서 있는
이상 새삼스러이 정치를 말함은 위선적인
행위임이 틀림없다. 우리들은 우리들의 앞
에 놓여 있는 현실을 어떠한 각도로서 관찰

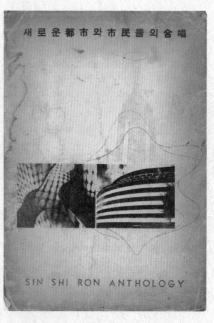

『새로운 都市와 市民들의 合唱』(都市文化社, 1949.4.5)
의 앞표지

하는가 그리하여 얻은 경험을 어떠한 방법
으로 구상화하는가에 시간과 공간이 동위적 가치에 서 있는 것이다. 그리고 또한 우리는
'신시론'의 멤버를 고정하여 두고 싶지도 않다. 이론과 인간성이 합하는 데 스스로 모이고
이론과 인간성에 간격이 생기는 데 스스로 흩어지고 그러나 이러한 유동과 함께 '신시론'이
발전하여 나아갈 수 있는 계기를 갖는다면 새로운 시가 전진하는 한 모멘트가 될 것이다.

[문헌4] 이진섭, 「후반기 동인 노트」(『주간국제』 9호, 1952.6.16, 19쪽)
　　후반기의 처음 출발은 신시론에 있었다. (…중략…) 당시의 동인은 김경린, 김병욱, 박
인환, 김경희, 임호권 등이었으며 시인 장만영 씨의 물심양면의 원조로써 1948년 4월에
1호를 발간한 이후 동인 간의 사상적인 불일치로 인하여 김병욱, 김경희 등은 신시론에서

이탈하였고 (…중략…) 『새로운 도시와 시민들의 합창』을 1949년 4월에 발간할 시에는 김수영, 양병식 등이 나머지 동인들과 보조를 같이 하고 있었다.

[문헌5] 김수영, 「연극하다가 시로 전향」(『시여 침을 뱉어라』, 민음사, 1975, 58쪽)

인환이가 『새로운 도시와 시민들의 합창』을 계획했을 때, 병욱도 처음에는 한몫 끼일 작정을 하고 있었는데, 경린이와의 헤게모니 다툼으로 병욱은 빠지게 되었다. 그렇지 않아도 인환의 모더니즘을 벌써부터 불신하고 있던 나는 병욱이까지 빠지게 되었다는 말을 듣고, 나도 그만둘까 하다가 겨우 두 편을 내주었다.

▶ 4월 26~28일 자유신문사 특파원으로 「삼팔선현지시찰보고」를 연재하다.
[주석] 이 기사는 「삼팔선현지시찰보고(상)-절망의 삼팔선상 이북 산천도 눈물로 젖어」(『자유신문』, 1949.4.26), 「삼팔선현지시찰보고 (중)-북천을 바라보며 향수에 우는 경비대원」(『자유신문』, 1949.4.27)과 「삼팔선현지시찰보고 (하)-부역과 기부금에 주민 생활 극도로 피폐」(『자유신문』, 1949.4.28) 등 3회 연재되었다.

▶ 7월 16일 국가보안법 위반 혐의로 내무부 치안국에 체포되었다가 석방되다.
[문헌1] 「1949년 7월 19일 자 서울(무초)에서 국무장관에게, "신문기자 체포" Seoul(Muccio) to Secretary of State, 19 Jul 49, "Arrest of newspaper reporters"」(『유엔의 한국문제처리에 관한 미국무부의 문서』, 한국사데이터베이스에서 재인용)

FROM : Seoul

TO : Secretary of State

NO : 884, July 19, 2pm.

REEMBTEL 881, July 18.

Following arrest Choi Yung Sik Saturday, four other newspaper reporters arrested later same day : Lee Moon Nam, reporter Korea Press; Pak In Hwan, reporter CHA YOO SHIN MOON; Sim Rai Sup, reporter KOOK TO SHIN MOON; Huh Moon Taek, reporter CHO SUN CHONG ANG DAILY. All five arrested assigned cover UNCOK press conferences and presumed to have prepared Communist-slanted questionnaire handed UNCOK delegate

Singh July 14, copy of which being air pouched. Lee Ho, Director National Police, informed AP correspondent today all five have since confessed membership SKLP, Communist underground organization South Korea. Arrested men heid incommunicado since arrest despite requests US reporters and UNCOK secretariat see arrested men.

[문헌2] 「유엔 한국위원단 출입기자 3명, 국가보안법 위반 혐의로 송청」(『조선중앙일보』, 1949.8.4) 기사

유엔 한위에 출입하는 도하 서울타임스 기자 崔永植, 고려통신 기자 李文南, 조선중앙일보 기자 許汶澤, 국도신문 기자 沈來燮, 자유신문 기자 朴寅煥, 공립통신 기자 鄭仲安은 과반 돌연 내무부 치안국에 구속되어 그 동안 문초를 받고 있었는데 재작 2일 국가보안법 위반 혐의로 1건 서류와 같이 전기 최(서울타임스)·이(고려통신)·허(조선중앙일보) 3명은 구속으로 서울지방검찰청에 송청되어 李柱永 검사의 취조를 받고 있는데 작 3일에는 담당 검사가 형무소에 출장하여 취조를 하리라 하며 이에는 공보처와 유엔위원단에서도 입회하리라 한다.

[주석] 당시 신문을 비롯한 여러 기록에 따르면 자유신문 기자였던 박인환은 1949년 7월 16일에 다른 기자들과 함께 내무부 치안국에 체포되었다. UNCOK, 즉 유엔한국위원회에 소속되어 있던 이들 기자들은 남로당의 평당원normal member으로서 국가보안법 2항을 위반한 혐의를 받았던 것이다. 결국 서울타임스 기자 최영식, 고려통신 기자 이문남, 조선중앙일보 기자 허문택 등 3인은 8월 2일 구속되었고, 박인환과 국도신문 기자 심래섭은 석방되었다.

▶ 여름 무렵부터 김경린, 조향 등과 시 동인 후반기의 결성을 준비하다.
[주석] 후반기의 결성 시기에 대해서는 여러 가지 설이 있으나 주요 동인이었던 조향의 증언에 따르면 1949년 여름 무렵부터 결성 준비가 이루어졌음을 알 수 있다. 『새로운 도시와 시민들의 합창』의 발행을 둘러싸고 신시론 동인 간에 사상적인 대립이 발생하여 더 이상의 동인 활동이 어렵게 되자 박인환은 김경린을 매개로 하여 조향과 새로운 모더니즘 시 동인의 결성을 논의하게 된 것이다.

[문헌] 조향, 「인환과 '후반기'」(김광균 외, 『세월이 가면』, 근역서재, 1982, 116~118쪽)

　　　　1949년 여름 방학 때 나는 서울로 가서 고 이한직을 만나 보기로 마음을 굳히곤 상경했다. (…중략…) 이한직의 가락 높은 서정시는 현대시에로의 반전이 의외로 쉬울 것이라고 내 나름대로 생각했기 때문에 한직과 상의해 보기로 작정했던 것이다. 한직과 만나서 의논했더니 대뜸 좋은 시인이 있다는 것이다. 둘이서 찾아간 곳이 서울시 수도국이었다. (…중략…) 비좁은 사무실에서 만난 사람이 바로 김경린이었다. 나의 모더니즘 운동 전개에 대해서 경린은 전적으로 찬성이었다. 나는 그를 통해 「새로운 도시와 시민들의 합창」이라는 앤솔러지가 나와 있는 것을 알았다. 경린은 또 나에게 인환을 동인으로 삼자면서 소개했다. 경린과 함께 인환의 집으로 찾아갔다. (…중략…) 인환은 그즘 자유신문사의 기자라고 들었다. 인환의 집 방 안에서 동인회의 명칭이 거론되었는데, 인환이 後半紀가 어떠냐고 내놓았는데, '20세기 후반'이라는 뜻이었다. 모두 찬성했으며, 편집은 한 사람씩 돌아가면서 하기로 결정을 본 다음, 창간호 편집은 인환이 맡기로 했었다. 인환은 고 이상로 형을 동인으로 넣자고 제의했다. (…중략…) 인환의 제의가 또 있었다. 김차영과 배 모를 넣자는 것이었다. 모두들 찬성이었다. 그렇게 해서 동인 구성은 김경린, 박인환, 이상로, 이한직, 조향, 그리고 준 동인으로 김차영, 배모 이렇게 7명으로 출발을 다짐했던 것이다.

▶ 9월 30일 임호권林虎權, 박영준朴榮濬, 이봉구李鳳九와 조선문학가동맹을 탈퇴하는 성명서를 발표하다.

[문헌] 임호권 박영준 박인환 이봉구, 「성명서」(『자유신문』, 1949.10.2)

　　　　본인 등이 해방 직후 가맹한 '조선문학가동맹'을 비롯한 좌익 계열에서 탈퇴하는 동시 앞으로 대한민국의 발전에 적극 참여할 것을 玆에 성명함. 단기 4282년 9월 30일 임호권 박영준 박인환 이봉구

▶ 11월 30일 전향 성명서를 발표하다.

[문헌] 박인환, 「성명서」(『자유신문』, 1949.12.4)

　　　　해방 후 본인이 가맹한 문학가동맹을 비롯한 좌익 계열에서 탈퇴한 지는 이미 오래이나 일반의 의혹이 있으므로 재차 탈퇴함을 성명하며 대한민국에 충성을 다할 것을 굳게 맹서함. 단기 4282년 11월 30일 서울시 종로구 세종로 135 박인환

▶ 12월 17일 한국문학가협회 결성식에 추천위원으로 참가하다.

[문헌] 「한국문학가협회 결성식」(『경향신문』, 1949.12.14) 기사

　　종래의 전국문학가협회 문학부와 한국청년문학협회를 중심으로 그 밖에 일반 무소속 작가 및 전향 문학인을 포함한 전 문단인의 총 결속하에 대한민국을 대표하는 유일한 문학 단체로서 『한국문학가협회』를 다음과 같이 결성키로 되었다는 바 준비위원과 추천회원은 다음과 같다고 한다.

　　◇일시 12월 17일(토) 하오 1시 정각

　　◇장소 남대문로 1가 문총회관

　　◇준비위원

　　위원장 박종화

　　부위원장 김진섭 염상섭

　　위원 이헌구 김광섭 김동리 계용묵 김영랑 서정주 오종식 김억 이하윤 최정희 조지훈 조연현 김송 홍구범 임옥인 구상 백철 주요섭 박목월 홍효민 유치진 무순

　　◇추천회원

　　강신재 강노향 강학중 계용묵 곽하신 곽종원 고정옥 구자균 구상 권명수 김광섭 김진수 김진섭 김영랑 김용호 김동명 김동리 김동인 김동사 김내성 김달진 김태오 김말봉 김윤성 김춘수 김기림 김광주 김광균 김을윤 김수영 김영일 김억 김송 김영수 김사엽 김상옥 김경린 김형원 김삼규 김현승 김해강 김상원 김소운 김소엽 김을한 노천명 모윤숙 민영식 박인환 박종화 박노춘 박연희 박영준 박목월 박두진 박화목 박용덕 박용구 박태원 박계주 박노갑 박화성 방기환 방종현 변영만 변영로 백철 방인근 손소희 설창수 서정태 서정주 서항석 신석정 신석초 신서야 손우성 여상현 염상섭 엄흥섭 오영수 오영진 오종식 오상순 유치환 유치진 윤백남 윤석중 윤영춘 윤곤강 윤복진 윤태웅 윤금숙 유동준 안수길 양운한 양주동 유진오 이한직 이봉구 이은상 이석훈 이선구 이상로 이정호 이숭녕 이윤수 이경순 이하윤 임옥인 임긍재 이호우 이춘인 이인수 이시우 이서구 이상필 이원섭 이원수 이종산 이양하 이광래 이무영 이헌구 이희승 이병기 이해문 이기현 이재욱 임학수 임호권 임원호 임영빈 안석주 안응렬 임서하 피천득 공중인 장서언 정인택 정인보 정지용 정인섭 전영택 장만영 장덕조 정비석 조윤제 조지훈 조연현 조영암 조향 조진대 정훈 전숙희 조병화 조용만 조풍연 전희복 조희순 조경희 주요섭 정규창 정래동 전홍준

조영흠 최병화 최정수 최독견 최정희 최태응 최인욱 최영수 채만식 한무숙 한흑구 허윤석 홍효민 홍구범 홍재범 황순원 현동염 무순

▶ 1월 8일부터 10일까지 보도연맹에서 주최한 '국민예술제전'에 참여하다.

[문헌] 「국민보도연맹, 제1회 국민예술제전을 개최」(『서울신문』, 1950.1.8) 기사

국민보도연맹에서는 동 연맹 문화실 소속 각계 문화인을 총동원하여 제1회 국민예술제전을 8일부터 10일까지 3일 간 시공관에서 개최키로 되었는데 하루에 오전 10시 반, 오후 2시 반, 오후 6시 반씩 세 차례에 걸쳐 공연한다고 하며 제전 순서는 다음과 같다 한다.

◇강연

제1일(8일) : 정갑 김기림 송지영

제2일(9일) : 인정식 설의식 홍효민

제3일(10일) : 최진태 전원배 김병규

◇음악

제1일(8일) : A.현악합주─이계성 외 8명   B.바이올린 독주─문학준   C.2중창─
　　　　　　한평숙 노광욱

제2일(9일) : A.테너 독창─신용대   B.현악합주─동상   C.테너 독창─박은용
　　　　　　D.중창─이순애 신용대

제3일(10일) : A.현악합주─동상   B.테너 독창─이창식   C.알토 독창─김혜란

◇시 낭독

제1일(8일) : 설정식 양주동 박인환 임학수

제2일(9일) : 송돈식 정지용 김용호 김상훈

제3일(10일) : 임호권 김병욱 여상현 박거영

◇무용 : A.무용시 〈영원한 조국〉   B.발레─한동인 외 서울발레단   C.군무─최가야
　　　　무용단   D.〈유상〉─장추화 무용연구소   E.〈구하자〉─박남호 박나비 무용단
　　　　F.〈나는 재미있어요〉─김막인 무용클럽   G.〈미정〉─정인방 무용단

◇메시지낭독

제1일(8일) : 안기영 정인택 정현웅

제2일(9일) : 김정혁 엄흥섭 김용환

제3일(10일) : 박노갑 김막인 신막

◇연극 : 박로아 작 〈돌아온 사람들〉

▶ 1월 이후 자유신문사를 퇴사하고 경향신문사에 입사하다.

[주석] 두 번의 전향 「성명서」(『자유신문』, 1949.10.2 / 12.4)를 동지에 게재한 점과 1950년 1월의 「문단소식」(『신경향』 2-1호, 1950.1.1)을 참고할 때 박인환은 1950년 1월 무렵까지는 자유신문사에 근무한 것으로 보인다. 시 「1950년의 만가」(『경향신문』, 1950.5.16)가 발표된 시기까지 염두에 둔다면, 박인환은 1950년 1월 이후에 자유신문사를 퇴사하고 5월 이전에 경향신문사에 입사한 것으로 추정할 수 있다.

[문헌] 「문단소식」(『신경향』 2-1호, 1950.1.1)

　　　 박인환 씨(시인) 자유신문 기자

▶ 5월 상순 김경린金璟麟, 김수영金洙暎, 이상로李相魯, 이한직李漢稷, 임호권林虎權, 조향趙鄕 등과 동인지 『후반기』 제1호를 발행하려고 했으나 무산되다.

[문헌1] 「시지 『후반기』 발행」(『경향신문』, 1950.4.12) 기사

　　　 今般 도시문화사에서는 시를 중심으로 한 해외 문학지 월간 『후반기』를 발행하게 되었다는 바 동인은 임호권 김경린 박인환 이한직 조향 이상로 외 제씨이며 5월 상순에는 제1호가 발간되리라 한다.

[문헌2] 「시지 『후반기』 발행」(『자유신문』, 1950.4.12) 기사

　　　 今般 도시문화사에서는 시를 중심으로 한 해외 문학지 월간 『후반기』를 발행하게 되었다는 바 동인은 김수영 이한직 이상로 임호권 김경린 박인환 외 제씨이며 5월 상순에는 제1호가 발간될 것이라 한다.

[주석] 김차영의 회고에 따르면 박인환은 『후반기』에 「세 사람의 가족」, 「서적과 풍경」, 「최후의 회화」, 「회상의 긴 계곡」, 「자본가에게」, 「검은 신이여」 등을 발표할 예

정이었다고 한다.

『선시집』맨 앞의 '서적과 풍경'으로 모은 작품 중 「세 사람의 가족」, 「서적과 풍경」, 「최후의 회화」, 「회상의 긴 계곡」, 「자본가에게」, 「검은 신이여」 등 (…중략…) 6편은 당초 6·25 전에 계획된 『후반기』에 넣을 작정으로 쓴 것이다.(김차영, 「박인환의 높은 시 미학의 위치」, 김광균 외, 『세월이 가면』, 근역서재, 1982, 79쪽)

▶ 6월 한국전쟁 발발 후 서울에서 소설가 김광주, 이봉구 및 시인 김경린, 김광균과 밀회하며 숨어 지내다. 8월 말 부산으로 피신하려 했으나 뜻을 이루지 못하고 서울로 돌아와 9·28 서울 수복을 맞이하다.

『女性界』 3-6호(1954.6.1)의 앞표지

[문헌1] 박인환, 「암흑과 더불어 삼 개월」
(『여성계』 3-6호, 1954.6.1, 158~161쪽)

7월 18일 소설가 김광주 씨와 만났다. 그래서 우리 두 사람은 반가웠다. 앞으로 살아가기 위한 방도를 이 이야기 저 이야기 하며 그 전날 '유엔' 공군에 의하여 폭격된 서울역과 용산 일대를 두 사람이 산보했다. (…중략…) 소설가 이봉구 시인 김경린 김광균 씨 등은 그동안 가장 친했고 자주 만난 사람들이었다. (…중략…) 8월 말경 친구 세 사람과 서울을 탈출하여 부산으로 갈 것을 약속하고 30일 날 아침에 출발했다. (…중략…) 동대문에서 기동차를 타고 광나루에서 내린 다음 하루에 백 리를 걸었다. 그 다음날은 팔십 리 폐허가 된 집터에서 자고 나서는 아직도 안개 짙은 새벽길을 떠나 칠십 리를 지났고 9월 23일 결국엔 소위 보안대원에게 세 사람이 잡혀 이천 보위부에서 밤새도록 취조를 받은 후 겨우 석방되었다. 그간의 경위를 여기에 적을 필요는 없고 다시 서울로 오는 수밖에 도리가 없었다.

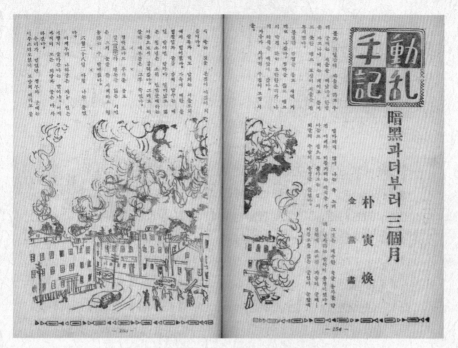

「暗黑과 더부러 三個月」(『女性界』3-6호, 158~161쪽)의 본문 첫째 면과 둘째 면

[문헌2] 김기영, 「소감 일주년(중)」(『경향신문』, 1952.4.9)

　　9·28이 돌아오기 전야에 놈들의 감시와 살육이 서울의 거리와 골목골목을 휩쓸 때 우리 편집국원은 마치 나무뿌리처럼 태양을 보지 못하였으나 그러나 힘차게 땅속에서 서로 연락하였던 것이다. (…중략…) 김문용 박성환 황태열 이원교 네 국우들은 남하했고 그 나머지 국우들의 얼굴을 더듬는다. (일)박운대 씨는 창동 촌으로 나가서 피신 (이)임순묵 씨가 통 연락이 두절 (삼)민 국장은 체포되었다는 비보 (사)신태민 씨는 누님과 동생이 납치된 후로 시내 모처에 피신 (오)박홍섭 씨는 한번 잡히었다가 이층에서 내려 뛰어 도망 피신 (육)이혜복 씨는 양평 부근 산촌에서 농사꾼으로 변신 (칠)이형백 씨는 시중에서 두부 비지로 겨우 한 끼를 때우고 있다고 (팔)박인환 씨는 부산으로 도망가다 충청도 모처에서 잡히었다가 간신히 빠져 서울로 돌아왔다고 (구)한기찬 씨는 동소문 밖 모처에서 숨고 이러한 정보 수집과 연락은 주로 이지찬 씨가 했다.

▶ 12월 가족들을 대구로 피난시키고, 서울의 경향신문사로 돌아오다.

▶ 1월 1·4후퇴로 인해 대구로 내려오다.

▶ 2월 민재원, 박성환 등과 함께 경향신문사 특파원 자격으로 육군 6185 부대의 서울 재탈환 작전에 참여하다. 안양과 과천 일대에 머물며 한강의 최전선에 종군하여 「서울 돌입!」, 「과감 6185부대 침착, 여유 있는 진공」, 「지하호에 숨은 노유 하루바삐 국군의 입성만을 고대」, 「일월 말 현재 서울의 물가 소두 한말에 이만 이천 원」, 「도로 연변은 거의 파괴 상 노량진 근방 산 밑은 약간의 피해」(1951.2.13), 「6185부대 한강 연안 대기 서울 탈환 명령을 고대」, 「혁혁한 전과 6185부대 용전」, 「아군 진격 뒤이어 기쁨에 피로에도 고사! 정든 땅 찾는 종군 피난민」, 「극도로 시달리는 식량난 주민은 거의 기아 상태」, 「칠흑의 강물 건너 우렁찬 대적 육성의 전파」 (1951.2.18), 「피아 영등포 한남동 간 대치 적은 병력 보충에 급급」, 「짓밟힌 '민족 마음의 고향 서울' 수도 재탈환에 총궐기 하자!」, 「의복과 총을 바꾼 오랑캐 도취품 메고 시가를 행보」, 「영등 포 노량진은 불변 서울 시내는 이제부터」(1951.2.20), 「중공군 서울 퇴각? 괴뢰군만 최후 발 악」, 「장비 없이 출전한 오랑캐 수류탄에 볶은 쌀가루뿐」(1951.2.21) 등의 기사를 쓰다.

[문헌] 박인환, 「서울 재탈환」(『사정보司正報』 14호, 1951.4.9, 2쪽)

　　　　서울이 我 국군 6185 부대에 의하여 재탈환되었다는 것을 나는 병석에서 들었다. 지난 이월 초순에서 월말에 걸쳐 나와 2명의 동료는 탱크대의 砂塵이 자욱하고 쉴 새 없이 포성 이 요란한 서부전선 특히 안양과 과천 부근에서 보낸 일이 있었다. (…중략…) 2월 9일 저녁 한강 최전선에 도달한 국군 장병은 매일처럼 서울 돌입의 상부의 명령만 기다렸으 나 상부에서는 전연 그러한 명령을 내리지 않아 종군했던 우리들 일행도 기다리는 지루 함에 그대로 대구로 귀환하지 않으면 안 되게 되었다.

▶ 5월 26일 대구 아담다방에서 개최된 '육군종군작가단' 결성식에 참여하다.

[문헌] 최독견, 「육군종군작가단」(한국문인협회 편, 『해방문학20년』, 정음사, 1966.2.20, 89~90쪽)

　　　　1951년 5월 26일 오후 6시 대구에 있는 아담다방에서 '육군종군작가단'은 결성되었다. 그 장소에 참석한 인사들은 당시의 육군 정훈감이었던 박영준 대령을 비롯하여, 작가 장 덕조, 최태응, 조영암, 김송, 정비석, 이덕진, 김진수, 박영준, 정운삼, 성기원, 박인환, 방 기환, 최상덕 등 제씨이었다.

▶ 10월 경향신문사 본사를 따라 부산으로 이주한 후, 특파원으로 대구를 왕래하며 기사를 쓰다.

[주석] 「대구고등군법회의, 거창사건 피고인들 언도공판 진행」 기사(『경향신문』(전선판), 1951.12.18)는 '대구에서 본사특파원 朴寅煥 16일 특전'으로 시작된다. 이외에도 「병기창 방화범 일당 팔명 주범은 정지한」(『경향신문』, 1952.1.3), 「예년에 없는 한해 송피나 먹도록 해 주오」(『경향신문』, 1952.1.6) 등의 기사가 확인된다.

1952년 27세

▶ 2월 21일 「작가 김광주 씨의 인치 구타사건에 대한 在邱 문화인의 성명서(특히 문화인의 인권과 창작 행동의 자유 옹호를 위하여…)」에 서명하다.

[문헌] 「국민 앞에 사과하라 「나는 너를 싫어한다」 사건 또 확대 在邱 문인들 분개 성명」(『경향신문』, 1952.2.25) 기사

창작 「나는 너를 싫어한다」의 작가 김광주 씨의 수난 사건의 여파는 영남의 문화도시 대구에서 하나의 강경한 당국과 전 국민에 대한 성명으로서 확대되었는 바 동 성명에 서명한 분은 김영수 마해송 정비석을 위시한 저명 문화인 사십오 명이다. 즉 이들 재구 문화인 성명서는 「문화인의 인권과 창작 행동의 자유 옹호를 위하여」라는 부제 아래 다음과 같은 것이다.

「작가 김광주 씨의 인치 구타사건에 대한 재구 문화인의 성명서」(특히 문화인의 인권과 창작 행동의 자유 옹호를 위하여…)

지난 17일 오후 3시 현 공보처장 이철원 씨 저택 내에서 소설가 「김광주」 씨가 이 씨 측근자에게 불법 인치 구타당하였다는 지난 20일부 부산 발행 신문 보도에 접하여 재구 문화인 일동은 일 작가에 가한 불법 폭력일 뿐 아니라 언제 발생할지도 모르는 위기와 전 문화인의 인권 급 예술 창작 운동의 자유를 옹호하기 위해서 아래와 같이 성명을 전 국민에게 발표하는 동시에 요로 당국에도 이를 지상 전달함으로써 적절한 조치가 있기를 바란다.

일. 당국은 인권 옹호의 존엄한 정신에 입각하여 폭행자를 엄벌하라.

이. 당국은 월간잡지 「자유세계」에 소재된 김광주 작 소설 「나는 너를 싫어한다」의 전문 삭제 사유를 해명하라

삼. 이철원 공보처장 부인인 이 씨는 피해자 김광주 씨를 비롯하여 전국 문화인에게 신문지상을 통하여 사죄하라 당국은 진정한 민주 예술의 발전과 보장을 위하여 금번

사건을 철저히 규명하는 동시 예술 활동에 대한 행정 태도를 명백히 표명하라.

단기 사이팔오년 이월 이십일일

재구 문화인(무순) 마해송 장만영 전숙희 이상로 박기준 김팔봉 박영준 이상범 최정희 김영수 박두진 유주현 최재서 한병용 양명문 윤방일 박훈산 이호우 조지훈 박목월 방기환 김용환 이순재 이윤수 최인욱 이정수 김동사 정비석 김동원 이해랑 유계선 황정순 최은희 김정환 강성범 박경주 박상익 송재노 김승호 홍성유 백낙종 이목우 고설봉 곽하신 박인환

▶ 3월 5일 강세균이 편집한 『애국시삼십삼인집』(대한군사원호문화사 발행)에 시 「최후의 회화」가 수록되다.

▶ 5월 15일 존 스타인벡의 『쏘련의 내막』(백조사 발행)을 번역하여 간행하다.

[문헌] 「신간소개 소련의 내막」(『경향신문』, 1952.5.30) 기사

소련의 내막(존 스타인벡 저 박인환 역) 방금 전국 유명 각서점에서 판매 중=정가 육천 원

『愛國詩三十三人集』(康世均 編, 大韓軍事援護文化社, 1952.3.5)의 앞표지

『쏘聯의 內幕』(白鳥社, 1952.5.15)의 앞표지

▶ 5월 이상로가 편집한 시집 『창궁』(공군본부정훈감
실 발행)에 시 「서부전선에서」와 「신호탄」이 수록
되다.

▶ 5월 이후 경향신문사를 퇴사하고, 대동신문사
문화부장으로 이직하다.

[주석] 유족들이 작성한 「박인환 시인의 해적
이」에는 박인환이 1952년 경향신문사를 퇴
사했다고 기록되어 있을 뿐, 정확한 퇴사 시기
는 밝혀져 있지 않다.(김광균 외, 『세월이 가면』,
근역서재, 1982, 281쪽) 다만 『애국시삼십삼인
집』이 발행된 3월까지는 경향신문사 사회부
에 재직한 것이 분명하며, 『경향신문』에 발표
된 박인환의 글이 「演劇評 黃金兒(Golden-boy)」
(『경향신문』, 1952.4.21)를 끝으로 1952년에 더
이상 게재되지 않고 있는 점으로 미루어 볼 때
그의 퇴사 시기는 5월 이후로 추정할 수 있다.

『蒼穹』(李相魯 編, 空軍本部政訓監室, 1952.5)의
앞표지

한편 박인환의 사망 직후에 작성된 최초의 약력(「젊은 시인은 눈감고―멋을 풍긴 채 간 박
인환 회상」, 『주간희망』 제15호, 1956.4.2, 44쪽)과 당대 문단의 기록(「시인약력」, 『한국문학전집
35―시집』 하, 민중서관, 1959.11.20)을 통해서는 박인환이 경향신문사를 퇴사한 후, 1952
년 말 대한해운공사에 입사하기 전까지 잠시 동안 대동신문사 문화부장을 역임했음
을 알 수 있다.

[문헌1] 「집필시인약력」(강세균 편, 『애국시삼십삼인집』, 대한군사원호문화사, 1952.3.5, 140쪽)
박인환 현직 경향신문사 사회부 기자

[문헌2] 「시인약력」(『한국문학전집 35―시집 하』, 민중서관, 1959, 1959.11.20, 36쪽)
1948년 이정숙 씨와 결혼하다. 동년 이래 6년 간 『자유신문』 기자로 『자유신문』, 『경향
신문』을 거쳐 『대동신문大同新聞』 문화부장을 역임하다.

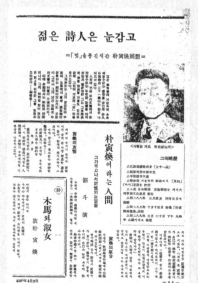

「젊은 詩人은 눈감고-멋을 풍긴 채 간 朴寅煥 回想」(『週刊希望』
제15호, 1956.4.2, 44쪽)의 본문 첫째 면과 '그의 약력'

『週刊國際』 제9호(國際新報社, 1952.6.16)의 앞표지

▶ 6월 16일 『주간국제』 제9호의 '후반기 동
인 문예'에 평론 「현대시의 불행한 단면」을
발표하다.

[주석] '후반기 동인 문예'에는 이봉래의
「현대시의 발상의 경지」(평론), 김경린의
「화장한 연대를 위하여」(시), 김차영의
「내일의 오늘」(시), 조향의 「투명한 오
후」(시), 박인환의 「현대시의 불행한 단
면」(평론), 김규동의 「밤의 계제에서」(시)
등이 수록되었다. 이 특집은 집단적으로
행해진 후반기 동인들의 최초이자 최후
의 문학적 발언이며, 조향, 김경린, 김차
영, 이봉래, 박인환, 김규동 등이 후반기
의 실제 동인이었음을 확인할 수 있다는
점에서 의의를 지닌다. 한편 『주간국제』

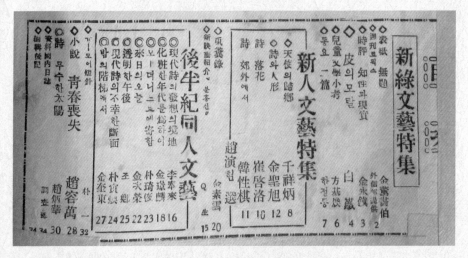

『週刊國際』 제9호의 목차

9호의 목차에는 박기준朴琦俊도 후반기 동인인 것처럼 소개되어 있다. 그러나 "전호에서 박기준朴琦俊 씨를 '후반기 동인'으로 취급된 듯 된 것은 편집의 오차로 이에 사과한다"라고 차호의 「편집후기」(『주간국제』 10호, 1952. 7. 15, 34쪽)에서 밝힌 점을 감안하면 후반기 동인은 박인환 등 6명이 분명하다.

▶ 6월 28일에 결성된 자유예술인연합自由藝術人聯合에 가입하다.

[문헌] 「부록 1. 선언」(『자유예술』 창간호, 1952. 11. 15, 121~122쪽)

선언

오늘 우리는 국제적으로 연결된 반공투쟁 속에서 정치적 위기와 사회적 혼란에 봉착하고 있다.

민족의식이 자유세계를 향하여 민주적으로 발전하여 나아가는 이 위대한 시련 과정에 처하여 우리는 과거의 예술의식에서 한정된 전통과 유산에 안한安閒히 사로잡혀 신을 대신하여 거창한 세기의 사업을 진행시키고 있는 민중의 행렬에서 과연 이탈할 수 있을 것인가. 아니다. 우리는 사색하며 행동하는 혁신적인 신흥사회의 형성 속에서 예술인의 지위를 차지하고 있는 민족의 순수한 아들로서 민중의식의 전위에 엄연히 서서 일체의 예술 활동을 국가와 민족에게 봉사하면서 신흥사회의 건설과 제도에 우리의 문화의식을 반영시키고자 한다.

그리하여 우리는 다음과 같은 공동 주장 아래 '반공자유예술인연합'을 조직한다.

일. 예술은 인류사적 체계에 있어서 정치, 경제, 종교, 과학과 더불어 문화 영역의 기본적 지위에 있다.

이. 우리의 예술 활동의 당면 과제는 역사적 현실의 필연성을 일체의 예술 형상에 반영시키는 데 있다.

삼. 예술은 개성의 자유를 완성하며 인간의 존엄성을 침해하는 전체주의적 일체의 압력을 배격한다.

사. 예술은 진정한 민주주의적 세계정신에 입각하여 유물론의 독재적 지배를 분쇄함으로써 신세대의 휴머니즘을 전취戰取한다.

오. 예술은 퇴영退嬰적인 현실 방기放棄의 자기도취를 지양하고 민족적 자아의식을 앙양함으로써 세계의 평화와 인류의 복리에 기여한다.

1952년 6월 28일

『자유예술』 창간호(1952.11.15)의 앞표지

회원(무순)

오상순 김경린 최태응 김규동 박인환 김유경 박연희 노천명 박기준 조영암 전창근 공중인 윤금숙 유계선 김광섭 윤백남 안수길 양명문 유주현 윤영춘 강소천 최은희 박성환 박남수 조병화 김내성 이봉구 박계주 조풍연 양주동 염상섭 임진수 이무영 이상범 변관식 최인욱 이은상 유치진 한형석 장호강 김천애 이인석 박태현 최독견 이진순 김종문 이영순 김송 임옥인 윤고종 이상춘 장수철 안종화 정재인 고봉인 김찬희 백철 박영준 김흥수 김대현 김훈 임긍재 윤극영 김세종 구상 김성민 최성진 이준 김순애 최요안 임원식 박용덕 윤석중 강영수 박귀송 한승권 김상화 백영수 권옥연 이봉래 조영식 김해연 김중희 이건혁 김팔봉 조흔파 허승균, 임만섭, 양병식, 이순섭

[주석] 자유예술인연합은 김광섭의 주도로 문화예술인 90명이 참여하여 1952년 6월 28일 조직되었고, 그 기관지인 『자유예술』 창간호는 1952년 11월 15일 발행되었다. 부산 정치파동의 와중에 자유예술인연합이 조직된 점이나 「선언」 및 『자유예술』의 창간사 격인 김광균의 「자유예술 창간에 제하여」(『자유예술』 창간호, 1952. 11. 15, 6~9쪽)를 참고하면 이 단체는 반공을 앞세워 이승만 정권을 옹호하려고 했던 관변단체로서의 성격이 매우 짙다. 한편 김광섭은 한국문학가협회 내부의 세대 갈등을 거치면서 1954년 4월 한국자유문학자협회의 결성을 주도하게 되는데, 자유예술인연합은 이 단체의 모체 격에 해당한다.

후반기의 입장에서 본다면 김경린 김규동 박인환 이봉래 등은 자유예술인연합에 참여하고, 조향은 불참함으로써 동인들 간에 정치적 입장 차이가 발생하게 되는데, 이 점은 후반기 해체의 주요한 원인으로 작용한다.

▶ 7월 하순 반공통일연맹의 창립 1주년 기념대회에 참가하여 시 낭송을 하다.

[문헌] 장수철, 『격변기의 문화수첩』(현대문화, 1991, 87~88쪽)

1952년 6월 25일, 공보처 주최로 '북한예술인대회'가 개최됐는데 '문총 북한지부' 멤버들이 거의 참가했다. (…중략…) 7월 하순에는 반공통일연맹의 창립 1주년 기념대회가 부산극장에서 성대히 열렸다. 시낭송에는 조영암 박인환 손동인 이한직 등이 참여했다.

▶ 8월 무렵 부산에서 후반기 동인이 해체되다.

[주석] 후반기의 해체 과정에 대해서는 여러 가지 설이 있으나, 주요 동인이었던 조향의 증언에 따르면 1952년 여름 무렵 정치적인 갈등으로 인해 해체가 결정되었음을 알 수 있다. 그가 해체 논의의 배경으로 언급한 '부산정치파동'은 1952년 5월 25일에 발생하여 7월 28일에 일단락된 사건이다. 이 사건의 와중에 여당 입장에 서느냐 마느냐 문제를 둘러싸고 동인들 간에 입장 차이가 발생하여 후반기는 결국 해체에 이르게 된다. 즉 조향의 반대에도 불구하고 김경린 김규동 박인환 이봉래 등 동인 대부분이 자유예술인연합에 가담했던 것이다. 박인환은 이때 자유예술인연합에 가입하는 한편 반공통일연맹의 창립 1주년 기념대회에 참여하여 시를 낭독하는 등 여당의 선전 공세에 적극 참여했다.

[문헌] 조향, 「인환과 '후반기'」(김광균 외, 『세월이 가면』, 근역서재, 1982, 120~121쪽)

　　임시 수도 부산에서는 정치 파동이 있었다. '땃벌떼'가 온 부산의 거릴 매일같이 휩쓸던 공포 시대였다. (…중략…) 그 즈음 이 박사의 공보비서였던 고 김광섭 씨가 문총구국대의 대장이었다. 그런 관계도 있고 해서 거의 모든 문인 예술가들이 여당 편에 서게 되었다. '후반기' 동인들도 그런 예에서 벗어나질 못했었다. 나는 동인들의 그런 행동을 받아들일 수가 없었다. (…중략…) 그런 파동이 가라앉은 어느 날, 녹원다방 옆에 있던 온달다방 2층에서 나, 경린, 인환, 봉래가 한 자리에 모였다. (…중략…) 거기에서 여러 가지 복합된 원인으로 '후반기' 해체론이 나왔다. 대체로 찬성이었다. (…중략…) 그러나 인환만은 완강히 해체론에 반대하고 나섰다.

「現代國文學粹」(趙鄕 編著, 自由莊, 1952.11.5)의
앞표지

▶ 11월 5일 조향이 편집한『현대국문학수』(자유장
　발행)에 시 「열차」, 「최후의 회화」, 「자본가에게」,
　「종말」, 「낙하」, 「회상의 긴 계곡」이 수록되다.
▶ 12월 이전 처삼촌인 이순용李淳鎔이 사장으로 있
　던 대한해운공사에 입사하다.
[주석] 박인환의 처삼촌인 이순용은 한국전쟁 중에 6대 내무부장관(1951.5~1952.1), 3대 체신부장관(1952.1~1952.3), 2대 대한해운공사사장(1952.5~1953.5), 초대 외자청장(1953.5~1956.1) 등을 역임했다. 박인환이 한국전쟁 중에 부인 이정숙에게 보낸 서간을 참조하면 그는 이순용에게 대단한 호의를 지녔음을 알 수 있다.

　　그리고, 끝으로는 이순용 장관을 위해 최후까지 같이할까 합니다. 내려오던 날 밤(17일), 그 다음 다음 날(19일), 오늘 밤(21일), 세 번 만나고 있는데, 3, 4일간의 대화가 의견의 일치를 보고 있습니다. 그분은 당신의 삼촌이라기보담 나의 존경하는 분입니다. (…중략…) 앞으로 2개월 후면 늦어도 2개월 반이면 좋은 소식이 있을 것입니다. 진리는 그의 뒤를 따르고,

그는 인간으로서 성실한 분입니다. (…중략…) 체신부 장관은 얼마 하지 않을 것이며, 다른 곳으로 가게 될 것입니다.(「정숙, 사랑하는 아내에게」, 김광균 외, 『세월이 가면』, 근역 서재, 1982, 216쪽)

한편 다음의 문헌들을 참고하면 박인환은 이순용이 사장으로 재직하고 있던 1952년 12월 이전에 대한해운공사에 입사하여 1955년 6월 이후에 퇴사한 것으로 짐작된다.

[문헌1] 「수록시인 약력」(이한직 편, 『한국시집』 상, 대양출판사, 1952.12.31, 224쪽)
박인환 현재 해운공사 사원

[문헌2] 「자유에서의 생존권─동부 백림 반공폭동의 진상」(수도평론, 3호, 1953.8.1)의 본문 말미
대한해운공사 조사역

[문헌3] 「수록시인 약력」(유치환 이설주 공편, 『1954연간시집』, 문성당, 1955.6.20. 532쪽)
박인환 대한해운공사원(현재)

『韓國詩集』 上(李漢稷 編, 大洋出版社, 1952.12.31)의 앞표지

▶ 12월 31일 이한직이 편집한 『한국시집』 상(대양 출판사 발행)에 시 「세 사람의 가족」, 「검은 신이여」, 「회상의 긴 계곡」이 수록되다.

1953년 28세 ───────────────────

▶ 4월 15~16일 시인의 집(박거영) 주최로 부산의 이화여대에서 열린 제2회 '시의 밤'에 참가하여 시 낭독을 하다.
[주석] 2면의 제1부 프로그램과 3면의 제2부 프로그램에 제시된 행사 참석자는 다음과 같다. 사회 이하윤 송지영, 개회사 오상순, 축사 국회의장 신익희 문교장관 김법린, 제

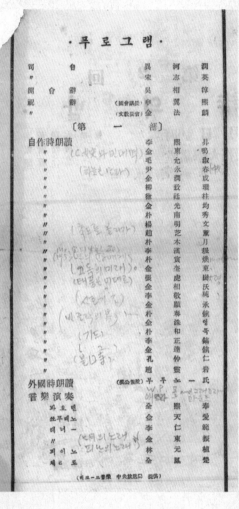

第2回 '詩의 밤' 안내지 1면의 표지와 2면의 제1부 프로그램

第2回 '詩의 밤' 포스터

1부 자작시 낭독 박인환 외 25명, 제2부 자작시 낭독 오상순 외 25명, 신 작품 낭독 김구용 외 13명 등이다. '현 시단 총등장'이란 포스터의 문구처럼 60여 명이 넘는 시인이 참가했다는 점에서 이 시 낭독회는 전쟁 중에 개최된 문학 행사 중 가장 큰 규모였을 것으로 짐작된다.

▶ 7월 중순 무렵 가족들과 서울로 돌아오다.
▶ 11월 22일 이상李箱의 유고시 「이유 이전理由以前」을 발굴하여 게재하다.

[문헌] 박인환, 「이상 유고 이유 이전」(『서울신문』, 1953.11.22)

고 이상 씨의 이 미발표 유고는 그 가족(누구인지 알 수 없다)의 손에서 고 윤곤강 씨의 손으로 넘어간 것이었는데 윤 씨는 당시의 『시학』 지에 싣기 위하여 김정기 씨(시학사 주간)에게 주었으나 계속 발간을 보지 못하여 여기 이십년이라는 세월을 김 씨의 세간살이 한 구석에 잊어버린 채 있었던 것이다. (…중략…) 김정기 씨의 맏아들 즉 시인 金浩 군(시집 수액의 저자)의 호의로써 그의 유고가 세상에 또 다시 나타나게 된 것을 우리들은 즐거워하여야만 될 것이다.

1954년 29세

▶ 1월 31일 한국영화평론가협회 상임간사에 취임하다. 이후 『영화계』(1954년 2월 1일 창간), 『신영화』(1954년 11월 1일 창간), 『영화세계』(1954년 12월 1일 창간) 등의 영화 잡지에 영화평론을 활발히 발표하다.

[문헌] 「회장에 오종식 씨 영화평론가협회」(『경향신문』, 1954.2.3) 기사

한국영화평론가협회에서는 지난 1월 31일 「귀거래」 그릴에서 제2회 정기총회를 개최하였다는 바 이번 새로이 회장에는 오(吳宗植)씨가 취임하였으며 규약 개정과 아울러 다음과 같이 역원의 개선을 보았다.

회장 오종식
상임간사 유두연 박인환
간사 이봉래 허백년 김소동

『映畫界』창간호(1954.2.1)의 앞표지 : 「로버―트・네이산과　　　『映畫世界』창간호(1954.12.1)의 앞표지 : 「참피온」수록
디・타―레 : 제―니 肖像의 監督과 原作者」수록

「座談 韓國映畫의 新構想」(『映畫世界』3-4호, 1956.4.1)에 수록된 박인환의 캐리커처

▶ 2월 5일 김용호와 이설주가 공편한 『현대시
인선집』 하(문성당 발행)에 시 「최후의 회화」
와 「부드러운 목소리로 이야기 할 때」가 수
록되다.

▶ 5월부터 동문사에서 『검은 준열의 시대』라
는 제목으로 시집 출판을 준비했으나 간행되
지 못하다.

[주석] 박인환의 회고를 참조하면 그는 한
국전쟁 발발 후 서울에서 숨어 지내며 시
「검은 준열의 시대」를 창작했다고 한다.
하지만 이 시는 아직까지 발표 여부조차
확인되지 않고 있다.

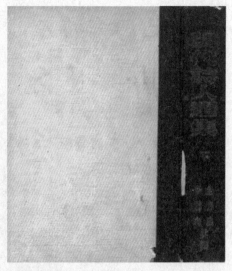

『現代詩人選集』 下(金容浩 李雪舟 編, 文星堂,
1954.2.5)의 앞표지

　　　　7월 말도 호지부지 지나고 마음의 고
　　　통만이 늘었다. 집에서 시를 한 편 썼
　　　다. 제목은 「검은 준열의 시대」라는 것
　　　이다. 그러나 시가 나를 위로해주는 것
　　　도 아니며 자유를 가지고 오지 못했
　　　다.(「암흑과 더불어 삼 개월」, 『여성
　　　계』 3-6호, 1954.6.1, 158쪽)

　　한편 『여성계』와 『신태양』에 게재된
광고들로 미루어 볼 때 박인환은 1954년
5월 이후 『검은 준열의 시대』라는 표제
로 시집을 간행하려고 했음을 알 수 있다.

『女性界』 3-5호(女性界社, 1954.5.1)의 앞표지

朴寅煥 詩集『검은 峻烈의 時代』 광고 (『女性界』 3-5호, 213쪽)

朴寅煥 詩集『검은 峻烈의 時代』 광고(『新太陽』 3-9호, 1954.9.1, 70쪽)

『詩作』 2집(詩作社. 1954.7.30)의 앞표지

▶ 7월 30일 시인 고원이 주재한 계간 시지『시작』 2집에 평론「현대시와 본질—병화의 인간고도」와 번역시「도시의 여자들을 위한 노래」를 발표하다. 이후 평론「1954년의 한국시—시작 일, 이집에 발표된 작품」(『시작』 3집, 1954.11.20), 시「주말」(『시작』 4집, 1955.5.20), 시「목마와 숙녀」(『시작』 5집, 1955.10.9)를 연이어 게재하다.

1955년 30세

▶ 3월 5일 '남해호'의 사무장으로 부산항을 출발하여 일본과 미국을 거쳐 5월에 귀국하다. 귀국한 지 얼마 후에 대한해운공사에서 퇴사하다.

[주석] 박인환이 남해호를 타고 미국에 다녀왔음은 시 「태평양에서」와 「이국항구」 본
문 말미의 기록을 통해서도 잘 확인된다. 남해호는 대한해운공사 선적으로 1950년대
한국에서 가장 큰 배였다. 박인환의 귀국 시기는 「젊은 시인은 눈감고─멋을 풍긴 채
간 박인환 회상」(『주간희망』 제15호, 1956.4.2, 44쪽)의 '그의 약력'에 5월로 밝혀져 있다.

[문헌] 「고속도 교통기관」(『우주시대의 과학』, 학원사, 1959.2.25, 162쪽)
　　　　　현재는 대한해운공사에서 가지고 있는 남해호가 7,607톤으로 제일 크고 다음에는 극
　　　동해운공사의 신라호가 7,476톤, 해운공사의 동해호와 서해호가 7,176톤, 극동해운의 고
　　　려호가 6,800톤이라는 순서로 되어 있다.

『宇宙時代의 科學』(學園社, 1959.2.25)에 수록된 남해호 사진

▶ 5월 13일 기행문 「19일 간의 아메리카」를 『조선일보』에 두 번(1955. 5.13 · 5.19)에 걸쳐 게재
　하다. 이후 여행에서 얻은 다수의 시와 산문을 여러 매체에 발표하다.
[주석] 미국 여행의 체험을 바탕으로 창작되어 발표된 작품으로는 「새벽 한 시의 시」(『한국
일보』, 1955.5.14), 「충혈된 눈동자」(『한국일보』, 1955.5.14), 「여행」(『희망』 5-7호, 1955.7.1), 「태평양
에서」(『희망』 5-7호, 1955.7.1), 「어느 날」(『희망』 5-7호, 1955.7.1), 「수부들」(『아리랑』 1-6호, 1955.8.1),
「에베렛트의 일요일」(『아리랑』 1-6호, 1955.8.1), 「십오일 간」(『신태양』 4-10호, 1955.10.1), 「어느
날의 시가 되지 않는 시」(『아리랑』 1-10호, 1955.11.1), 「투명한 바라이티에」(『현대문학』 11호,
1955.11.1) 등의 시와 「아메리카 잡기 서북 미주의 항구를 돌아」(『희망』 5-7호, 1955.7.1), 「미국
에 사는 한국이민(우리이민) 그들의 생활과 의견」(『아리랑』 1-11호, 1955.12.1) 등의 산문이 있다.
이 중 시 작품들은 『선시집』의 제2부인 '아메리카 시초'에 함께 묶여서 수록되었다.

『希望』5-7호(희망사, 1955.7.1)의 앞표지와 수필 「아메리카 雜記 西北 美洲의 港口를 돌아」, 시 「旅行」, 「太平洋에서」, 「어느 날」(『희망』 5-7호, 180~185쪽)의 본문

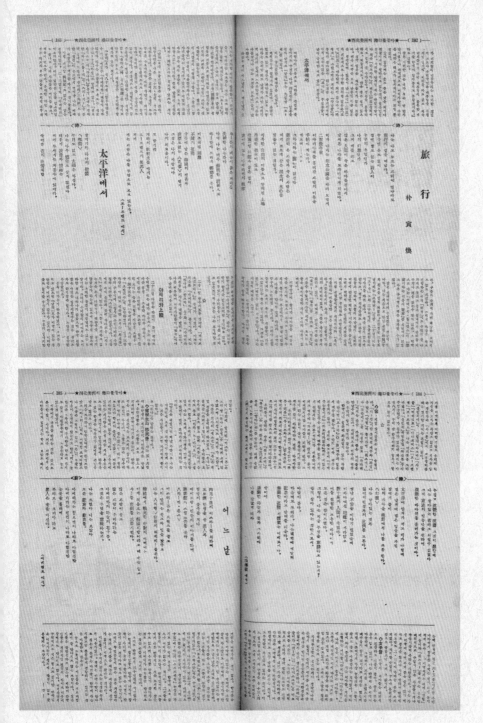

『아리랑』 1-6호(아리랑사, 1955.8.1)의 앞표지   「水夫들」,「에베렛트의 日曜日」,(『아리랑』 1-6호, 215
쪽)의 본문

▶ 5월 20일 간행된 『시작』 4집 및 『시작』 5집(1955.10.9)의 편집위원으로 활동하다.

[문헌] 「社告」(『시작』 4집, 1955.5.20, 32쪽)

　　　본지의 편집 내용을 쇄신 강화하기 위하여 제4집부터 다음 칠 명으로 구성된 편집 위원

제를 채택하였습니다. 여러 선배 동지들의 더욱 큰 편달을 바라 마지않습니다.

　　　고원 박인환 박태진 이봉래 장호 전봉건 조병화 (가나다順)

▶ 6월 20일 유치환과 이설주가 공편한 『1954연간시집』(문성당 발행)에 「눈을 뜨고도」,「목마와
숙녀」,「센티멘털 저ー니」가 수록되다.

▶ 6월 25일 김종문이 편집한 『전시 한국문학선 시편』(국방부정훈국 발행)에 「행복」과 「검은 신이
여」가 수록되다.

▶ 7월 16일 한국자유문학자협회 문총중앙위원으로 선출되다.

『1954年刊詩集』(柳致煥 李雪舟 編, 文星堂, 1955.6.20)의 앞표지

『戰時 韓國文學選 詩篇』(金宗文 編, 國防部政訓局, 1955.6.25)의 앞표지

[문헌] 「자유문협회 총회 문총 중앙위원 선출」(『동아일보』, 1955.7.19) 기사

　　　한국자유문학자협회에서는 지난 16일 하오 3시부터 동회 사무실에서 총회를 개최하
　　여 문총 중앙위원으로 정비석, 박인환, 모기윤, 김종문, 노천명, 양주동, 박계주, 송지영,
　　주요섭, 조병화 등 10명을 선출하였다.

▶ 8월 26일부터 31일까지 『욕망이라는 이름의 전차』를 번역하여 극단 신협에서 공연하다.

[문헌] 「신협 제38회 공연」 광고(『경향신문』, 1955.8.24)

　　　〈욕망이라는 이름의 전차〉

　　　테네시 윌리엄스 작

　　　박인환 역

　　　유치진 연출

　　　박석인 장치

　　　8월 26일부터 31일 시공관

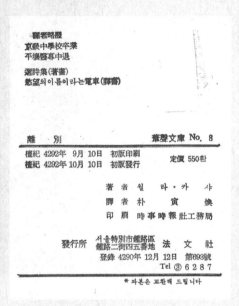

「신협 제38회 공연」 광고(『경향신문』, 1955.8.24)　　　　「이별」(박인환 역, 법문사, 1959.10.10)의 판권지

[주석] 극단 신협의 제38회 공연 작품인 〈욕망이라는 이름의 전차〉는 1955년 8월 26일 부터 31일까지는 시공관에서, 9월 1일부터는 성남극장에서, 12월 21일부터는 동양극 장에서 각각 공연되었다. 박인환은 〈욕망이라는 이름의 전차〉 공연에 앞서 「테네시 윌리엄스 잡기―그의 작품 세계를 이해하는 길」(『한국일보』, 1955.8.24)을 발표한 바 있 다. 또한 사후에 출간된 『이별』(윌러 캐더, 박인환 역, 법문사, 1959.10.10)의 판권지를 참고하면, 박인환은 『욕망의 이름이라는 전차』라는 번역서까지 발행한 것 같지만 아 직까지 원본을 확인하지는 못했다.

▶ 10월 9일 시작사에서 주최한 제1회 '시 낭독회'에 참여하여 「목마와 숙녀」를 낭독하다.
[문헌] 「詩作社 '시 낭독회'」(『동아일보』, 1955.10.7) 기사

시작사 주최 제1회 시 낭독회는 오는 9일(일) 하오 7시 배재 강당에서 개최하는데 백철 씨의 문학 강연과 구상 김광섭 김규동 김남조 김수영 김용호 김종문 김차영 박거영 박귀 송 박인환 박태진 박훈산 석계향 양명문 오상순 유정 이덕진 이봉래 이상로 이용상 이인 석 이활 장호강 장호 정한모 조병화 함윤수 제씨의 시 낭독과 이헌구 씨의 강평이 있으리

라고 하며 회원권(100환)은 명동 문예서림 삼문사 대학사서점에서 예매를 하고 있으며 낭독 작품은『시작』5집에 수록하리라고 한다.

▶ 10월 15일 시작사에서 시집『선시집』을 간행하려고 했으나 불의의 사고로 출판을 완료하지 못하다.

[주석] 현전하는『선시집』의 판권지에는 이 시집이 1955년 10월 15일에 발행된 것으로 기록되어 있다. 그러나 신간도서 소개 및 신간평이 게재되고 출판기념회가 열린 때는 1956년 1월이다. 이러한 시차가 발생하게 된 것은 1955년 10월 15일에 간행될 예정이었던『선시집』(이하 '첫 번째『선시집』'으로 표기)이 불의의 사고로 출판을 완료하지 못하자, 1956년 1월 시집을 재발행(이하 '두 번째『선시집』'으로 표기)한 데서 연유한다. 그 사정에 대해서는 박인환과 비슷한 시기에『바다와 광장』(산호장, 1955.10.20)을 간행한 김규동의 증언을 참고할 만하다. 그는 첫 번째『선시집』이 제본소의 화재로 대부분 소실되었다고 회고한 바 있다.

　　1955년 가을에 나는 첫 시집『나비와 광장』을 내었다. 이 시집의 출판기념회에서 인환은 나의 시「보일러 사건의 진상」을 낭독해 주었다. 뒤따라 이 해에 인환이 또한 시집을 내었다. 아직 풀이 마르지 않은『박인환 선시집』견본을 가지고 한국일보사 2층 좁은 계단을 황급히 달려 올라오던 그의 상기된 모습이 지금도 눈에 선하다. 그런데『박인환 선시집』은 제본소에서 책을 다 찾기도 전에 화재를 당해 灰塵되고 만 것이다. 운이 나빴던 것이다. 그래서 시집은 냈지만, 이 시집을 받아 본 사람은 많지 않다.(김규동,「한 줄기 눈물도 없이」, 김광균 외,『세월이 가면』, 근역서재, 1982, 59쪽)

그렇다면 첫 번째『선시집』의 출판을 담당했던 곳은 어디일까? 화재로 회진되어 부전하는 이 시집은 시작사에서 출간될 예정이었다. 그 유력한 근거는『시작』5집(1955.10.9)의 뒤표지 안쪽 면에 게재된『선시집』의 발행 광고이다. 여기에는 "朴寅煥 著 選詩集 菊版 250面 模造洋裝 값 700환 詩作社 發行"이라는 내용이 수록되어 있다.

시작사는 본래 고원이 시 잡지『시작』을 발행하던 곳이었지만 1950년대에 몇 권의 시집을 펴내기도 했다.『이율의 항변』(고원, 1954.12.15),『호흡』(이덕성, 1954.12.20),『종

『詩作』 5집(1955.10.9)의 앞표지

朴寅煥 著 『選詩集』 광고(『詩作』 5집, 뒤쪽 면지)

『詩作』 5집의 판권지

려』(석용원, 1955.2.29), 『선시집』(박인환, 1955.10.15), 『하나의 행렬』(박치원, 1955.10.15), 『파충류의 합창』(장호, 1957.12.5), 『회색의 거리를 걸어간다』(김경옥, 1958.1.10) 등이 그것이다. 이 시집들의 저자들은 『시작』을 주재(고원)했거나, 편집위원(박인환, 장호)이었고, 필진(이덕성, 석용원, 박치원, 김경옥)으로 참여했다는 공통점이 있다. 박인환의 경우 『시작』 2집에서 5집까지 매호 시와 평론을 발표했으며, 특히 4집과 5집은 편집위원으로도 활동했다. 이런 연유로 해서 박인환은 시작사에서 『선시집』을 간행하게 된 것이다. 물론 광고의 게재 여부를 시집의 발행 문제와 무조건적으로 등식화할 수는 없다. 1954년 간행될 예정이었던 박인환의 『검은 준열의 시대』가 그 대표적인 사례이다. 그러나 주목해야 할 것은 『선시집』의 발행 광고가 이 시집과 발행소가 같은 『시작』 5집에 게재되었고, 『시작』 5집과 『선시집』의 발행일도 불과 6일밖에 차이나지 않는다는 사실이다. 이것은 『시작』 5집이 발행될 즈음 『선시집』 역시 출간 준비가 완료되었음을 의미한다. 더욱이 『시작』 5집에는 『선시집』 이외에 "朴致遠 詩集 하나의 行列 菊版 300환 詩作社 發行"이라는 광고도 함께 게재되었다. 흥미로운 사실은 『선시집』과 『하나의 행렬』의 발행일이 동일하다는 점이다. 같은 출판사에서 같은 날 나오기로 한 시집이 불과 6일 사이에 어느 것은 원래대로 출간되고, 어느 것은 출판사(珊瑚莊)를 바꾸어 발행되었을 리는 없다. 이처럼 출판이 완료되지는 못했지만, 첫 번째 『선시집』의 발행처는 시작사였던 것이다.

제작 과정의 불찰로 인해 시작사 간행본 『선시집』의 현물이 존재하지 않게 되자 박인환은 장만영의 도움을 얻어 1956년 1월 산호장에서 두 번째 『선시집』을 간행했다. 산호장 간행본은 원래의 발행일인 '1956년 10월 15일'을 고수한 채 양장본과 호부장본 두 종으로 제작되었다. 현전하는 『선시집』은 산호장 간행본들로 대부분 호부장본이고, 양장본은 현재까지 한 책 정도만 소장처가 확인된다. 그런데 양장본의 소장자는 자신의 소장본이 1955년 10월 15일에 간행된 것이고, 여타의 호부장본들은 1956년 1월에 간행된 것이라는 주장을 펼친 바 있다.

원래 1955년 10월 15일에 발행된 『선시집』은 책이 서점에 배포되기 직전에 제책소 화재로 모두 소실되었다. 그리고 그 다음해 1월 초쯤 다시 책을 발행하면서 처음의 紙型 그대로 인쇄하였다. 이 책이 지금 우리가 1955년 10월 15일 발행된 것으로 알고 있는 호부장 제책의 『선시집』이다. 엄밀히 말해 이 책은 1955년 10월 15일이 아니라 1956년 1월 초쯤에 두 번째로 발행한 책이다. 실제로 1955년 10월 15일 발행된 『선시집』의 첫 번째 판은 지금까지 알려진 것으로는 유일하게 내가 소장하고 있는 책 한 권뿐이다. 이 책은 일반적으로 알려진 호부장 제책이 아닌 양장 제책으로 본문을 실로 엮었다. 당시로서는 호화판으로 만들었다. (박대헌, 『한국 북디자인 100년』, 21세기북스, 2013, 77~79쪽)

이 논의에서 가장 크게 문제가 되는 것은 제책 방식(양장, 호부장)의 차이를 가지고 간행 시기를 특정할 수 없다는 점이다. 발행일자가 같고 장정 도안이 동일하더라도 양장본과 호부장본이 모두 간행된 경우가 더러 있기 때문이다. 그 대표적인 사례로 산호장에서 출간한 시집인 『추풍령』(김철수, 1949. 1. 15)을 들 수 있다. 통상적으로 양장본은 호부장본과 견줄 때 특장본 또는 호화본의 의미로 간주될 뿐이다. 한편 양장본의 소장자는 이 책의 "앞면지와 속표지 그리고 뒷면지에는 김광주, 이진섭, 송지영, 박거영, 차태진, 김광식, 조영암 등의 친필 메시지와 함께 '1956년 1월 16일' 기록이 있다"(박대헌, 위의 책, 79쪽)라고도 밝혔다. 그런데 이 일자는 출판기념회 11일 전으로 『선시집』에 대한 최초의 서평(부완혁, 「강인성과 긍지―박인환 선시집」, 『한국일보』, 1956. 1. 16)이 발표된 날이기도 하다. 서평은 실물을 보고 쓰는 것이 상례이다. 그렇다면 1956년 1월 16일 자 신문에 서평이 게재되었다는 사실은 이날 이전에 두 번째 『선시집』(산호장)이 발행되었다는 결정적인 증좌일 수밖에 없다. 실제로 『선시집』의 발행 소식은 1956년 1월 12일 자 『경향신문』의 신간도서 난을 통해 처음 보도되고 있다. 즉 1956년 1월 12일 즈음에 『선시집』이 간행되고 1월 16일에 서평까지 게재되자 박인환과 김광주 등은 정식적인 출판 기념회에 앞서 조촐한 모임을 가졌던 것이다. 참석자들이 이 자리에서 특장본 격인 양장본 시집에 축하 글귀를 썼기 때문에 그 서명 날짜는 '1956년 1월 16일'로 기록될 수밖에 없었다.

또한 장만영은 박인환의 부탁에 의해 자신이 『선시집』을 간행했다고 회고한 바 있다. 그런데 이 증언에서 정작 중요한 점은 장만영이 산호장에서 『선시집』을 발행한 직후에 출판기념회가 열렸다는 사실이다. 따라서 『선시집』의 출판기념회가 1956년 1월 27일에 개최되었다는 점은 두 번째 『선시집』이 1956년 1월 초순 무렵에 산호장에서 간행되었음을 입증하는 논거가 된다.

어느 날 좀체 안 나가는 명동에 나갔다가 우연히 그를 만났더니 마침 잘 나왔다 하면서, 이번에 『선시집』을 내는데, 꼭 산호장 이름으로 내고 싶다고 한다. 그때 내가 가지고 있는 출판사 산호장은 등록뿐으로 별로 출판을 하지 못하고 있었다. 허나 그가 여기서 꼭 책을 내겠다는 그 마음을 이해할 수 있어 쾌히 승낙했던 것이다. 얼마 뒤에 책은 나왔고, 우리는 그를 위해 출판 기념회를 마련했다. 그날 밤 부인이랑 애들을 데리고 나온 그는 몹시 행복해 보였다. 그러나 이것이 처음 겸 마지막 출판기념회가 될 줄을 누가 알았으랴.(장만영, 「박인환 회고」, 『그리운 날에』, 한일출판사, 1962.12.5, 191~192쪽)

▶ **11월 13일 김규동의 시집 『나비와 광장』**(산호장, 1955.10.20) **출판기념회에 참석하여 시 낭독을 하다.**

[문헌] 「『나비와 광장』 출판기념회 13일 밤 성황」(『경향신문』, 1955.11.16) 기사

김규동 시집 「나비와 광장」의 출판을 기념하는 「비평의 밤」은 지난 30일 하오 6시부터 동방문화회관 강당에서 열렸는데 이날 김종문 씨의 "김규동 씨는 노래하는 시보다 생각하는 시를 지향했다"라는 말과 이봉래 씨의 "김규동 씨의 시는 새로운 시에의 전환을 가져올 것이다"라는 요지의 말이 있었고 오상순 씨의 축시 낭독을 비롯한 유광열, 박성환, 이무영, 정비석, 김용호, 구상 제씨의 축사와 유정, 김차영, 박인환 씨 등의 시 낭독이 있은 다음 이헌구 씨의 개평으로 이 밤의 행사를 마쳤는데 특히 서울대학교 문리대생 이연영 군을 비롯하여 참석한 문학도의 솔직한 논평이 이채를 띠었다.

▶ **12월 26일 발행된 『주간희망』 창간호부터 13호**(1956.3.19)**까지 「영화상식」을 10회 연재하다.**

[주석] 연재된 「영화상식」의 항목들은 '비스타 비전'(『주간희망』 창간호, 1955.12.26), '금룡상을 제정'(『주간희망』 2호, 1956.1.2), '영화 법안'(『주간희망』 3호, 1956.1.9), '영화 구성의 기초'(『주간희망』 4호, 1956.1.16), '몽타주'(『주간희망』 5호, 1956.1.23), '아메리카의 영화 잡지'(『주간희망』 6호, 1956.1.30), '시나리오 ABC'(『주간희망』 8호, 1956.2.13), '다큐멘터리 영화'(『주간희망』 11호, 1956.3.5), '세계의 영화상'(『주간희망』 12호, 1956.3.12), '옴니버스 영화'(『주간희망』 13호, 1956.3.19) 등이다.

▶ **12월 28일 제1회 금룡상 심사위원회 위원으로 선임되어 심사에 참여하다.**

[문헌] 「金龍賞 첫 수상자 결정」(『주간희망』 3호, 1956.1.9. 24쪽)
지난해 12월 28일에 개최되었던 제1회 금룡상 심사위원회는 김관수 오영진 송지영 한영

모 허백년 안종화 최완규 박인환 유두연 전택이 이봉래 이진섭 구상 복혜숙 김소동 이청기

김일해 한림 이한종 씨 등 19위원 참석 아래 개최되어 1955년도 제1회 수상자로서 연출상에

이강천(피아골) 연기상에 노경희(막난이 비사) 녹음상에 이경순을 각각 선출하였다.

1956년 31세

▶ 1월 초순 산호장에서 시집 『선시집』을 재간행하다.

[문헌] 「신간도서」(『경향신문』, 1956.1.12) 기사
박인환 선시집=산호장 발행 값 700환

[주석] 1954년 동문사에서의 시집 발행은 좌절되었고, 1955년 시작사에서 출간하려고

한 책은 화재로 소실되는 등 박인환은 1956년 산호장에서 『선시집』을 간행하기까지

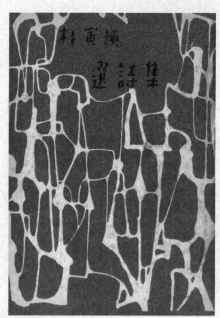

『選詩集』(珊瑚莊, 1955.10.15)의 앞표지

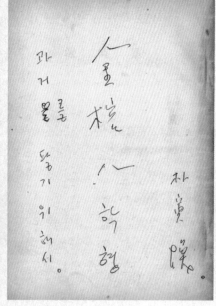

『選詩集』 속표지의 박인환 서명

많은 우여곡절을 겪었다. 그래서인지 각종 신문과 잡지에는 지인들의 서평이 연속적으로 게재되었다. 부완혁의 「강인성과 긍지-박인환 선시집」(『한국일보』, 1956.1.16)을 위시하여 이봉래의 「박인환 저 선시집」(『동아일보』, 1956.1.20), 홍효민의 「젊은 세대의 심금-박인환 선시집을 읽고」(『조선일보』, 1956.1.22), 조병화의 「장미의 온도-박인환 선시집」(『경향신문』, 1956.1.23), 김광주의 「건방진 '멋'-박인환 선시집에 부치는 글」(『주간희망』 2-6호, 1956.2.6) 등이 이어졌다.

▶ 1월 27일 『선시집』 출판기념회를 갖다.

[문헌1] 「박인환 선시집 27일 출판기념회」(『경향신문』, 1956.1.27) 기사

　　　　박인환 씨의 『선시집』 출판을 기념하는 모임을 금 27일 하오 5시 반 시내 동방문화회관 3층에서 갖는다고 한다.

[문헌2] '출판기념회' 초청장(문승묵 편, 『박인환 전집-사랑은 가고 과거는 남는 것』, 예옥, 2006.8.20, 화보에서 재인용)

　　　　　　　　　　　　　　초청장

　　　　　　　　　　　　　　　　　　　　선생 귀하

　　　　박인환 씨의 『선시집』 출판을 기념하기 위하여 다음과 같이 모임을 갖고자 하오니 부디 참석하여 주십시오

　　　　시일 1956년 1월 27일 하오 5시 반 정각

　　　　장소 명동 소재 동방문화회관 3층

　　　　회비 200원

　　　　1956년 1월　일

　　　　발기인(무순) 박영준 송지영 이봉구 전창근 이순재 김경린 이덕진 장만영 이봉래 이진섭 김광주 김종문 홍효민 조경희 조병화 유두연 김규동 부완혁 김수영 조연현 전택이

▶ 1월 28일 한국자유문학자협회에서 개최한 '회원 합동 출판 기념회'에 참석하다.

[문헌] 「자유문협 회원 주최 회원 합동 출판 기념회」(『동아일보』, 1956.1.28) 기사

　　　　한국자유문학자협회에서는 동 회원들의 저간의 출판을 기념하고자 금 28일(토) 하오 5시

문총회관에서 축연(회비 300원)을 갖게 되었다는데 그 회원과 저작은 다음과 같다. 백철(『세계문학사전』) 이무영(장편소설『삼년』) 박계주(장편소설『자유 공화국 최후의 날』) 곽하신(제일 창작집『신작로』) 안수길(장편소설『화환』) 양명문(시집『화성인』) 조병화(시집『사랑이 가기 전에』) 김종문(시집『시사시대』) 박인환(시집『박인환 선시집』) 박거영(시집『인간이 그립다』) 장호강(시집『항전의 조국』) 조경희(수필집『우화』) 정비석(『비석문학독본』)

▶ 2월 21일 제3회 자유문학상의 최종심에 올랐으나 수상자로 선정되지 못하다.

[문헌] 「4씨에게 수상 확정」(『동아일보』, 1956. 2. 28) 기사

다시 한 부문에 3명 이내로 축소시키는 투표를 통한 결과 시에 서정주 박목월 박인환 소설에 염상섭 김동리 최정희 평론에 백철 곽종원 등 8명의 작품으로 축소되었다. 여기에서 각 위원들의 의견 교환으로서의 토론이 시작되었는데 2시간여에 긍하는 신랄한 작품 비평이 진격하게 전개된 끝에 금년도 수상자를 4명으로 결정을 하고 최종 투표를 한 결과 득점 순으로 염상섭 서정주 김동리 박목월 등 4씨가 당선되었다.

[주석] 한국문학가협회(1949년 12월 9일 결성)의 헤게모니를 둘러싼 세대 간 갈등은 1954년의 예술원 파동으로 표면화되었다. 1954년 3월 25일 창건된 예술원의 초대 회원으로 뽑힌 문학계 인사는 염상섭, 박종화, 김동리, 조연현, 유치환, 서정주, 윤백남 등 7명이었다. 김광섭, 이헌구, 이하윤, 박계주, 모윤숙 등 문단의 원로급 인사들이 탈락하고 비교적 젊은 세대인 김동리, 서정주, 조연현이 선출된 것이다. 한국문학가협회의 상급 단체인 전국문화단체총연합회의 주도권을 장악하고 있던 문단의 원로들은 이에 격분하여 한국문학가협회를 문총 산하 단체에서 제명하고, 김동리의 문총 회원 자격까지 박탈했다. 이후 사태는 더 악화되어 김광섭, 이헌구, 이하윤, 모윤숙 등이 한국문학가협회를 탈퇴하고 1955년 4월 한국자유문학자협회를 결성함으로써 문단은 이원화될 수밖에 없었다. 제3회 자유문학상 수상 결과는 이러한 한국문학가협회와 한국자유문학자협회의 갈등을 더욱 증폭시키게 된다. 수상자 모두가 한국문학가협회 회원이었기 때문이다. 1955년도의 주요 작품집인 『선시집』과 『바람 속에서』를 펴낸 한국자유문학자협회 소속의 박인환과 최정희가 모두 최종심에서 탈락함으로써 이 사건은 1956년의 대표적인 문학 권력 논쟁으로 비화되었다.

▶ 3월 초순 박인환 작시, 이진섭 작곡의 「세월이 가면」이 완성되어 널리 애창되다.

[주석] 「세월이 가면」은 박인환의 이름으로 작품이 발표되기 이전, 송지영의 수필 「명동의 '상송'」(『주간희망』 12호, 1956.3.12)과 시가 노래로 만들어지는 과정을 소개한 글인 「세월이 가면, 명동 '상송'이 되기까지」(『주간희망』 16호, 1956.4.13)에 먼저 소개되었다. 그런 다음 '모더니스트 박인환의 유작(시)'으로 『아리랑』 2-6호(1956.6.1)에 정식 발표되었다. 이 세 이본들은 일부 시어의 맞춤법(湖水가/호숫가, 펜치/펜취)이 다른 점과 행 배열 및 연 구성에 다소의 차이가 있는 점을 제외하면 원문의 표기가 거의 같다. 최초의 원본이 동일하기 때문인데, 이것에 대한 자세한 내력은 「세월이 가면, 명동 '상송'이 되기까지」에 밝혀져 있다. 글의 필자가 특정되지는 않았지만 「세월이 가면」이 시와 노래로 창작되는 과정을 소상히 기록하고 있어서 박인환과 가까운 사람이 쓴 것으로 여겨진다. 이 글의 핵심적인 내용은 다음의 두 가지이다. 첫째는 박인환이 시 「세월이 가면」을 쓴 것은 3월 초이며, 시와 악보를 『아리랑』에 함께 발표할 계획으로 이진섭에게 작곡을 부탁했고, 완성된 노래가 주변인들에게 좋은 평판을 얻자 박인환은 실제로 시와 악보의 원본을 『아리랑』에 기고했다는 점이다. 박인환 사후에 '모더니스트 박인환의 유작(시)'으로 발표된 「세월이 가면」이 그것인데, 이러한 사실은 발표지인 『아리랑』 2-6호의 편집 후기에서도 확인된다. 둘째는 「세월이 가면」의 노래가 완성된 3월 10일 무렵 동방살롱에서 조촐한 발표회가 개최되었으며, 이 자리에 참석했던 송지영이 악보의 사본을 바탕으로 자신의 수필 「명동의 '상송'」에 시 「세월이 가면」을 최초로 소개했다는 점이다. 그리고 「명동의 '상송'」이 게재된 직후 박인환이 사망하자 「세월이 가면, 명동 '상송'이 되기까지」를 통해 시 「세월이 가면」이 재수록되는 한편 「세월이 가면」의 악보가 최초로 공개되기도 했다.

이 전집에서는 발표순에 따라 「명동의 '상송'」에 수록된 것을 「세월이 가면」[1]로, 「세월이 가면, 명동 '상송'이 되기까지」에 수록된 것을 「세월이 가면」[2]로, 『아리랑』 2-6호에 수록된 것을 「세월이 가면」[3]으로 정리했다. 원칙적으로는 제1부 정본의 일러두기 3항에서 밝힌 것처럼 작품집에 실리지 않은 작품의 경우 최초 발표작을 정본으로 삼는 것이 타당하다. 하지만 「세월이 가면」의 경우에는 박인환이 실제로 발표하려고 했던 작품이 「세월이 가면」[3]인 만큼 예외적으로 이것을 정본으로 삼는다. 한 가지 더 부연할 것은 「세월이 가면, 명동 '상송'이 되기까지」와 『아리랑』 2-6호에 수록된 악보가 상이한 점이다. 이 역시 「세월이 가면, 명동 '상송'이 되기까지」에 언급된 바처럼 『아리랑』 2-6호에 수록된 것은 이진섭의 원작으로, 「세월이 가면, 명동 '샹송'이 되기까지」에 수록된 것은 대중가요 작곡가 전오승의 편곡으로 보는 것이 타당하다.

[문헌1] 「세월이 가면, 명동 '샹송'이 되기까지」(『주간희망』 16호, 1956. 4. 13, 48~49쪽)

쓸쓸한 3월초 어느 날 고 박인환 시인과 친우 이진섭 씨 사이에 이러한 대화가 있었다.

박 : 오늘은 유달리 거리가 쓸쓸하구나.

이 : 비단 오늘만이 아니지.

박 : 아냐 비인 성냥곽 같아.

이 : 소모품의 비애 같은 거겠지.

박 : 야! 그래도 옛날엔 이렇지 않았어. 발걸음 하나하나가 뭣에 다르고, 눈에 들어오는 것이 모두가 따뜻했단다. 참 슬픈 일이야.

이 : 너 오늘 너무 센티멘털하구나.

박 : 송장 지나간 길 같아. 메마르고 차디차고 술 한 잔 마시면 가슴이 더 미어지는 거 같아.

이 : 그걸 시로 읊으려무나.

박 : 그래 내가 해 보지.

이 : 그럼 그걸 내가 작곡해 볼까?

박 : 너 작곡할 줄 아니? 야 됐다! 그럼 샹송조로 해 봐라! 그걸 부르며 쓸쓸한 이 명동을 후줄근히 적셔 보자. 내일 가지고 올게.

이래서 박 시인은 이튿날 슬픈 시 「세월이 가면」을 써 가지고 동방살롱에 나타났다.

박 : 야 진섭아, 오늘 '아리랑'에 들렀더니 이번 편집계획에 몇 사람의 시를 작곡가에게 작곡시켜서 내기로 했다는구나. 그래서 어제 우리 얘기를 했더니 좋다고 그러더라. 응, 어때 잘 됐지?

이 씨는 그날 그의 시를 받아가지고 십 일 만에 완성했다. 악보를 들고 박 시인과 몇 명의 친구가 어느 대폿집으로 들어가 한잔 마시면서 이 씨가 노래 불러 주었다. 이때 한 자리에 앉아 있었던 테너 가수 임만섭 씨가 호응하여 같이 불렀다.

박 : 야! 참 멋있다. 그래 정말 이거 네가 했니? 인마 똑똑히 말해. 나는 다 알아.

이 : 넌 그게 탈이야. 괜히 넘겨잡고 그러지 마라! 남 애쓴 생각도 못 하고서니.

박 : 참 잘 됐어. 정말 샹송조로 그럴듯해.

박 시인이 신바람이 나서 여러 번 다 같이 노래 부르게 했다. 이때 마침 희망사의 주간 송지영 씨가 들어와 노래를 듣고, 또 '명동을 적시기 위한 뜻'을 듣고 좋은 일이라고 하며 극찬했다. 박 시인은 곧 그 악보를 들고 '아리랑'사로 성급히 뛰어가고 남은 사람들은 寫本을 보고 술집이 떠나가라고 모두들 합창했다. 여기에 또 명동 남작이라는 별명이 붙은 소설가 이봉구 씨와 김광주 씨가 합세하고, 점차 동방살롱에 모인 문인들 사이에 퍼지게 되었다. 본지 3월 12일 12호에 송 주간이 「명동 상송」이란 글을 싣자 더욱 노래 부르는 명동의 문인 동족들이 모여들었으며, 또 여배우이며 가수인 나애심 양이 자진 부르고 싶다고 해서 그 후 나 양의 오빠인 작곡가 전오승 씨의 편곡 지휘로 서울 방송국을 통해서 방송하는 동시에 레코드로 취입하게 되었다 한다.

[문헌2] 「편집을 마치고」(『아리랑』 2-6호, 1956.6.1, 306쪽)

한국이 낳은 새로운 시인 박인환 씨의 작고는 독자 여러분과 더불어 슬픔을 금치 못할 사실입니다. 그런데 불행 중 다행히도 작고 수일 전에 본사에 기고한 시 한 편이 이번 6월호에 수록됨은 뜻깊은 일이며 특히 고인과 죽마고우인 이진섭 씨가 작곡하고 둘도 없는 문우인 이봉래 씨가 인물평을 가하여 애독자와 더불어 감상하여 읊게 됨은 기꺼운 일입니다.

▶ 3월 17일 '이상 추모의 밤'을 열고, 추모시 「죽은 아포롱—이상 그가 떠난 날에」(『한국일보』, 1956.3.17)를 발표하다.

[주석] 「죽은 아포롱」은 박인환이 생전에 마지막으로 발표한 작품이다.

▶ 3월 20일 자택에서 사망하여 3월 22일 망우리에 안장되다.

[문헌] 「시인 박인환 씨 사망」(『경향신문』, 1956.3.22) 기사

전 본사 사원이었던 시인 박(朴寅煥) 씨는 20일 하오 9시 시내 세종로 135 자택에서 심장 마비로 별세하였다. 발인은 22일 오전 11시이며 장지는 망우리 공동묘지라 한다. 그런데 박인환 씨는 한국자유문학자협회의 간부이었으며 한국영화평론가협회 회원이었다. 저서에는 「박인환 선집」이 있고 유가족에는 부인과 4남매가 있다.

『世界의 印象―三十人의 紀行文』(趙豊衍 編, 進文社, 1956.5.20)의 앞표지

『이별』(박인환 역, 법문사, 1959.10.10)의 앞표지

▶ 4월 1일 유작으로 시 「뇌호내해」(『문학예술』 3-4호, 1956.4.1)와 「침울한 바다」(『현대문학』 16호, 1956.4.1) 가 발표된다. 뒤이어 시 「이국항구」(『경향신문』, 1956.4.7), 「옛날의 사람들에게―물고 작가 추도회의 밤에」(『한국일보』, 1956.4.7), 「오월의 바람」(『학원』, 1956.5.1), 「세월이 가면」(『아리랑』 2-6호, 1956.6.1) 등도 게재된다.

▶ 4월 7일 '해방 후 물고 작가 추념제'가 거행된다. **[문헌]** 「해방 후 물고 작가 추념제」 기사(『경향신문』, 1956.4.6)

　8・15 이후 작고한 김동인 씨 외 11명의 작가를 위한 합동 추념제는 한국자유문학자협회 주최로 오는 7일 하오 6시부터 시내 명동대성당 내의 문화관에서 거행하리라는데 물고 작가의 명단은 다음과 같다. 김동인(소설) 윤백남(소설) 안석주(시나리오) 오일도(시) 윤곤강(시) 김상용(시) 홍노작(시) 채만식(소설) 함대훈(희곡) 김영랑(시) 박인환(시)

▶ 5월 20일 조풍연이 편집한 『세계의 인상―삼십 인의 기행문』(진문사 발행)에 수필 「몇 가지의 노오트」가 수록된다.

▶ 9월 19일 추석에 문우들에 의해 망우리 묘소에 시비가 세워지다.

1959년 3주기

▶ 1959년 10월 10일 번역소설 『이별』(윌러 캐더, 법문사 발행)이 간행된다.

▶『문학사상』36호(1975.9.1)에 〈박인환 초상〉(김용기 그림)이 표지화로 실리다.

▶ 3월 10일 20주기를 추모하여 유족들에 의해『목마와 숙녀』(근역서재 발행)가 발행되다.

[주석]『목마와 숙녀』는 박인환의 20주기를 맞이하여 유족들이 편집하여 간행한 추모시집이다. 여기에는『선시집』에 수록된 56편의 시 작품 중「자본가에게」와「문제 되는 것」등 2편이 제외되고「거리」,「지하실」,「이국항구」,「이 거리는 환영한다」,「어떠한 날까지」,「세월이 가면」,「가을의 유혹」등 7편이 추보되어 총 61편의 시 작품이 수록되었다.

〈朴寅煥 肖像〉(『文學思想』36호, 1975.9.1 앞표지)　　　『木馬와 淑女』(槿域書齋, 1976.3.10)의 앞표지

『歲月이 가면』(金光均 외, 槿域書齋, 1982.1.15)
의 앞표지

『朴寅煥 全集』(文學世界社, 1986.5.22)의 앞표지

1982년 26주기

▶ 1월 15일 추모문집 『세월이 가면─시인 박인환
과 문학과 그 주변』(근역서재 발행)이 발행된다.

[주석] 『세월이 가면』에는 지인 16명(김경린,
김규동, 김차영, 박태진, 양병식, 이봉래, 조향, 김광
균, 김영태, 송지영, 이봉구, 이진섭, 이혜복, 장만영,
전봉건, 조병화)의 회고문 및 박인환의 서간문
13편과 산문 6편 등이 수록되었다.

1986년 30주기

▶ 5월 22일 30주기를 맞이하여 『박인환 전집』(문
학세계사 발행)이 발행된다.

[주석] 『박인환 전집』에는 시 70편, 산문 8편,
지인 5명(김광균, 장만영, 조병화, 김규동, 조향)의
회고문이 수록되었다.

2006년 50주기

▶ 8월 20일 50주기를 맞이하여 문승묵에 의해
『박인환 전집─사랑은 가고 과거는 남는 것』(예
옥 발행)이 발행된다.

[주석] 『박인환 전집─사랑은 가고 과거는 남
는 것』에는 시 80편, 산문 70편이 수록되었다.

2008년 52주기

▶ 3월 15일 맹문재에 의해 『박인환 전집』(실천문
학사 발행)이 발행된다.

[주석] 『박인환 전집』에는 시 81편, 산문 83
편, 번역시 1편이 수록되었다.

소명출판 서울시 서초구 서초동 1621-18 | 전화 02-585-7840 | 팩스 02-585-7848
이메일 somyong@korea.com 홈페이지 www.somyong.co.kr

근대서지총서 04

조영출 전집(전3권)

1권 조명암의 대중가요
　　장유정 · 주경환 편 | 677쪽 | 43,000원
2권 시와 산문
　　정우택 · 주경환 편 | 616쪽 | 47,000원
3권 희곡
　　박명진 · 주경환 편 | 622쪽 | 43,000원

작사가이자 시인이었고 극작가였던 조영출
은 그의 다양한 이름만큼이나 다방면에서 활
약하면서 상당수의 작품을 남겼으나 작품을
두루 아우른 전집은 아직 없었다.
2013년 11월, 근대서지학회에서는 그의 장르
별 작품들을 모아 『조영출 전집』 3권으로 출
간하였다.

근대서지총서 06

김광균 문학전집

오영식 · 유성호 편
714쪽 | 46,000원

한국적 이미지즘 시의 선구적 시인 김
광균, 그는 독자적인 시적 개성, 곧 자신
의 정서와 시적 의장을 결합시키려는
열정을 가진 시인이었다.
2014년, 김광균의 탄생 100주년에 맞추
어 『김광균 문학전집』이 출간되었다.
크게 시편과 산문편으로 구성되었으며
권말 부록으로 시집 『와사등』(1939)과
『기항지』(1947)의 초판을 영인했다.